LA BALLADE DU SOUVENIR

THERESE FOWLER

LA BALLADE
DU SOUVENIR

Traduit de l'américain
par Marie-Claude Elsen

belfond
12, avenue d'Italie
75013 Paris

Titre original :
SOUVENIR
publié par Ballantine Books, an imprint of The Random House Publishing Group, a division of Random House, Inc., New York.

Si vous souhaitez recevoir notre catalogue
et être tenu au courant de nos publications,
vous pouvez consulter notre site internet,
www.belfond.fr
ou envoyer vos nom et adresse,
en citant ce livre,
aux Éditions Belfond,
12, avenue d'Italie, 75013 Paris.
Et, pour le Canada, à
Interforum Canada Inc.
1055, bd René-Lévesque-Est,
Bureau 1100,
Montréal, Québec, H2L 4S5.

ISBN 978-2-7144-4373-1

Celui-ci est destiné à maman.
Je me plais à croire qu'elle lisait par-dessus mon épaule.

« L'amour est une promesse,
L'amour est un souvenir,
Une fois donné,
Jamais oublié,
Ne le laissez jamais s'effacer. »

John LENNON

Prologue

Faites, par amour, ce que vous ne feriez pas.

Floride, août 1989

Elle commettait une erreur. Mais, de toute façon, cette histoire était une succession d'erreurs.

Elle sortait en douce voir Carson, alors que dans un peu plus de douze heures, elle serait l'épouse d'un autre. *La femme* de Brian. La femme *de Brian*. Elle avait beau retourner ces mots dans sa tête, aujourd'hui encore ils n'avaient pour elle aucune signification. Comme s'ils concernaient quelqu'un d'autre, et qu'elle, Meg Powell, allait se dissoudre à la fin de la cérémonie, se métamorphosant en une certaine Mme Brian Hamilton. Dans le fond, cela valait peut-être mieux.

La nuit était encore noire quand elle s'engagea dans le sentier familier qui traversait les prairies en direction de l'étang, des vergers et de la maison de Carson. L'aube se lèverait bientôt et ses sœurs se réveilleraient, surexcitées : *Meg se marie aujourd'hui !* Ses parents trouveraient le mot griffonné les prévenant qu'elle était partie se promener et ne s'inquiéteraient pas. Elle reviendrait en temps voulu, on pouvait compter sur elle et sur son sens des responsabilités. Une fille modèle. Un cadeau du ciel.

Cette opinion élogieuse ne lui déplaisait pas. Si seulement elle trouvait le moyen de supprimer la Meg qui se languissait encore de l'avenir qu'elle avait sacrifié ! C'était le but de sa visite à Carson : éliminer ce chapitre de leur existence. Si elle ne se trompait pas à son sujet – et depuis seize ans qu'il était

11

son meilleur ami, elle ne connaissait personne mieux que lui, en dehors d'elle-même –, il la croirait sur parole, sans se douter un instant qu'elle ne lui disait qu'une infime partie de la vérité.

Elle aurait bien aimé pouvoir la lui dévoiler en entier, lui expliquer les raisons qui l'obligeaient à épouser Brian. Mais, outre le fait qu'il risquait de tout compromettre, cet aveu inciterait Carson à vouloir régler le problème. Si ça n'avait tenu qu'à elle, il n'y aurait pas eu de robe de mariée époustouflante à quatre mille dollars suspendue dans l'armoire de sa chambre. L'image de cette toilette immatérielle lui donna la chair de poule, comme l'apparition d'un fantôme. Pour avoir lu beaucoup de contes de fées, elle savait qu'ils ne se terminaient pas tous par : « Ils vécurent heureux et eurent beaucoup d'enfants. »

Carson habitait dans une grange aménagée, située sur la plantation d'agrumes de ses parents. La ferme des McKay jouxtait le haras de la famille de Meg. Les deux terrains étaient séparés par une clôture constituée de poteaux de bois et de fils de fer barbelés qui couraient d'est en ouest. Cette barrière empêchait les chevaux d'approcher les arbres fruitiers, mais n'avait jamais représenté un obstacle pour Meg, ses trois sœurs cadettes ou Carson. Elle devait avoir sept ou huit ans quand ils avaient déniché une échelle qu'ils avaient sciée en deux et appuyée de part et d'autre d'un poteau, pour pouvoir se frayer facilement un passage. Ce matin-là, la disparition de l'échelle ne la surprit pas. Elle enjamba les barbelés, en prenant soin de ne pas s'écorcher pour s'éviter des questions embarrassantes le soir venu.

Un quart d'heure plus tard, elle émergeait du couvert des orangers et s'immobilisait. La lumière déclinante de la lune laissait deviner les bardeaux blancs des murs de la grange et ses fenêtres sombres, à une centaine de mètres à gauche du bâtiment principal. Elle avait aidé Carson et son père à la rénover pendant presque toute leur dernière année de lycée. Deux pièces au rez-de-chaussée et une chambre loft à l'étage. Carson et elle appelaient la grange leur nid d'amour, non seulement parce qu'ils s'y étaient aimés pour la première fois, mais aussi parce qu'ils avaient l'intention d'y habiter. Pour commencer, en tout cas. Ensuite, ils construiraient une nouvelle maison, à l'extrémité du terrain de Carson. Sur le flanc de la colline boisée où, dans leur enfance, ils avaient suspendu un pneu en guise de balançoire, et où, beaucoup plus tard, sur une vieille couverture de cheval élimée posée à même le sol, ils étaient allés aussi loin qu'ils le pouvaient sans contraception.

Ce matin-là, délibérément, Meg n'avait pas pris davantage de précautions.

La journée allait être torride, mais quand elle atteignit la porte de Carson, l'air humide et la brise légère la firent frissonner. Ses tennis de toile blanche ne protégeaient pas ses pieds nus de la rosée, et ses cuisses étaient à peine couvertes par un short taillé dans un jean. Elle sentait la pointe de ses seins durcir sous le tee-shirt John Deere de Carson qu'elle portait à même la peau, et la fraîcheur de la chaîne en or qu'il lui avait offerte deux ans plus tôt, pour son dix-neuvième anniversaire.

Elle marqua une hésitation avant de poser la main sur la poignée de la porte. Pêle-mêle lui vinrent à l'esprit la réaction de Brian s'il apprenait qu'elle était venue ici, la déception et le désarroi de ses parents si elle faisait capoter le plan, la haine plus violente qu'elle risquait d'éprouver plus tard envers elle-même. Elle tourna la poignée.

Comme elle l'avait prévu, la porte n'était pas verrouillée. Ici, nul besoin de s'enfermer à double tour. Tous les biens de valeur se trouvaient à l'extérieur de la maison : deux tracteurs flambant neufs de plus de quatre-vingt mille dollars – achetés à crédit – dans le hangar à outils et, dans l'écurie, le pur-sang bai favori de Carolyn McKay, qui l'aidait à compenser sa frustration de n'avoir pu avoir d'autres enfants après Carson. Meg connaissait les détails intimes de la vie des McKay. Mais quand elle repartirait, plus tard dans la matinée, elle ferait tout ce qui était en son pouvoir pour les oublier à jamais.

Elle se glissa sans bruit à l'intérieur et referma la porte. Carson ne devait s'apercevoir de sa présence qu'au moment où elle se glisserait sous les draps. Elle laissa ses yeux s'habituer à l'obscurité. Une légère odeur de pin coupé, de bois teinté et de curry – l'une des épices préférées de Carson – flottait dans l'air.

Dès qu'elle eut pris ses repères, elle traversa la grande pièce jusqu'à l'escalier qui la séparait de la cuisine et se débarrassa de ses tennis avant d'entamer la montée. Le craquement d'une latte, sous ses pieds, la figea. Elle attendit que son cœur se calme avant de continuer. Dès la huitième marche, elle aperçut la chambre plongée dans la pénombre. Elle s'immobilisa pour tenter d'entendre la respiration régulière de Carson. Ils n'avaient passé que quelques nuits ensemble depuis qu'ils étaient adultes, mais dans leur enfance, ils dormaient très souvent l'un chez l'autre. Elle connaissait presque aussi bien les bruits qu'il faisait dans son sommeil que ceux de sa propre sœur, Kara. Avant la demande en mariage inattendue de Brian, dix-huit mois plus tôt, Carson avait été le fils que ses parents n'avaient pas eu, et elle avait été la fille adoptive de Carolyn et Jim McKay.

Elle tendit l'oreille, mais seul lui parvint le bourdonnement du réfrigérateur, suivi du pépiement d'un cardinal dans un arbre voisin, annonçant le lever du soleil. Une nouvelle crispation, provoquée par un autre craquement. En haut de l'escalier, elle tenta d'apercevoir la silhouette de Carson sur le lit, à l'autre extrémité de la pièce.

— Aurais-tu changé d'avis ?

Meg sursauta comme sous l'effet d'une piqûre. Carson était assis dans le canapé récupéré lors de la liquidation des biens d'un planteur d'oranges en faillite. Elle ne distinguait pas clairement son expression, mais il parlait d'une voix on ne peut plus éveillée.

— Non, dit-elle doucement, bien qu'elle désirât répondre oui de tout son être, lui confirmer qu'il ne s'était pas trompé.

— Dans ce cas, pourquoi es... Elle s'approcha et lui tendit la main.

— Chut..., dit-elle. Viens.

Il se leva. Sans lui laisser le temps de reprendre la parole, elle l'embrassa passionnément, à s'en donner le vertige. Toute crainte désormais envolée, elle sut qu'elle ne flancherait pas. Elle posa ses mains sur celles de Carson, tandis qu'il lui ôtait son tee-shirt. Un instant plus tard, ils étaient nus tous les deux, allongés sur le lit, leurs corps baignés par la lumière pâle, gris bleuté de la lune.

Une dernière fois. Elle s'enivrait de chacune de ses caresses, de la plénitude de ses lèvres, sa mâchoire carrée, la barbe noire naissante qui lui chatouillait le cou et les seins. Jamais elle n'oublierait une seule de ces secondes, la griserie inouïe qu'elle éprouvait à faire l'amour avec lui. Ces instants constitueraient un trésor inestimable, irremplaçable. Elle se souviendrait de la manière dont il la pénétrait comme si sa vie, *leurs vies*, en dépendait, comme si cela pouvait en quelque sorte leur assurer l'éternité.

Carson la contemplait, allongé sur le flanc, tortillant une mèche de ses cheveux cuivrés.

— De quelle autre preuve as-tu besoin ? lui demanda-t-il.

Une telle détermination, un tel espoir luisaient dans ses yeux qu'elle fut obligée de détourner le regard. Sa loyauté envers sa famille passait avant ses propres désirs. C'est pour eux qu'elle devait épouser Brian, elle s'y était résignée. Elle le ferait et essaierait ensuite – elle se l'était juré – de ne pas regretter sa décision.

— Je comprends tout à fait ce que tu ressens, dit-elle, mais c'est la raison pour laquelle ça ne marchera jamais. Nous sommes trop passionnés. La voilà, ta preuve.

Ce mensonge, qu'elle lui avait déjà fait un an et demi plus tôt, avait une saveur amère. Il était impossible de juger nuisible et malvenu un amour né d'une amitié enfantine puis d'une curiosité adolescente, et qui avait résisté à de si longs mois de séparation. C'était pourtant cette couleuvre qu'elle essayait de lui faire avaler.

Il s'assit et détourna les yeux.

— J'aurais dû t'obliger à repartir dès que je t'ai entendue ouvrir la porte.

Elle lui effleura le dos.

— Non. Il le fallait, pour pouvoir laisser le passé derrière nous.

Ce détail, au moins, était vrai. Il lui jeta un regard par-dessus son épaule.

— Tu crois vraiment que baiser une dernière fois, comme ça, à la sauvette, va résoudre le problème ? cracha-t-il d'un ton qui la fit frémir. Tu t'es imaginé qu'après t'être offerte de cette façon, tu pourrais épouser Hamilton en toute bonne conscience ? Tu es incroyable !

Il sortit du lit d'un bond pour enfiler son jean, lui tournant toujours le dos.

Elle compensait son sentiment de culpabilité – et Dieu sait combien il était fort – par la certitude d'agir pour le bien de ses sœurs et de ses parents. Carson avait tapé juste, traduisant exactement ses pensées, anticipant ses actes. Elle se leva à son tour et remit son tee-shirt, sans chercher à esquiver une colère amplement méritée. Puis elle détacha la chaîne en or.

— Je ne l'ai jamais enlevée, dit-elle en la lui passant autour du cou.

— Même pas quand il...

— Non.

Carson se décida enfin à lui faire face.

— Sait-il qui te l'a offerte ?

Elle acquiesça en silence.

— Dans ce cas, il est aussi stupide que moi.

Il s'approcha de la fenêtre qui donnait sur d'interminables rangées d'orangers au feuillage vert émeraude dans la lumière du soleil levant.

Elle adorait ce paysage, cette renaissance perpétuelle de la Terre émergeant peu à peu des brumes matinales. Ce soir, elle l'aurait perdu, comme si elle quittait cette planète. Les fenêtres du nouvel appartement de Brian ne donnaient pas sur le monde bucolique qui l'avait vue naître. Elle allait épouser un homme d'affaires. Celui qu'elle verrait désormais tous les matins ne serait pas ce grand échalas aux longs doigts aussi habiles à cueillir des fruits qu'à gratter une guitare – lui tenir la main, lui tendre une bouchée de pizza, lui tresser les cheveux. Une fois quitté ce lieu, elle ne toucherait plus jamais Carson.

Cette pensée lui fit l'effet d'un direct à l'estomac.

Son envie de rompre le marché qu'elle avait conclu avec les Hamilton ressurgit avec une telle violence qu'elle faillit y céder. Elle pouvait tout annuler, reprendre sa vie en main... Il suffirait que Carson l'encourage un petit peu, essaie de la persuader que tous ses problèmes – dont il n'avait aucune idée – s'arrange-raient, pour qu'elle revienne vers lui.

Mais il restait collé à la fenêtre, lui fermant déjà son cœur. Le moment était passé.

Elle acheva de s'habiller, accablée de regrets, espérant encore pouvoir emporter une parcelle de lui, si Dieu ou le destin le permettait. Elle s'approcha pour lui effleurer le bras.

Il s'écarta brusquement.

— Tu ferais mieux de t'en aller. Son visage était fermé.

L'attitude de Carson n'aurait pas dû la bouleverser, puisqu'elle était à la source de sa colère, que son venin, son regard vide et glacial, elle les avait suscités. Elle n'en eut pas moins l'impression de recevoir un nouveau coup.

— D'accord.

Elle ne pleurait pas.

— Mais avant... J'ai un petit cadeau pour toi, déclara-t-il.

Il posa une main sur la joue de Meg, s'inclina et l'embrassa avec une lenteur délibérée, une ferveur et une tendresse si profondes qu'elle ne put retenir ses larmes. Puis il la repoussa.

— Rendez-vous en enfer.

PREMIÈRE PARTIE

Dieu nous a donné la mémoire pour nous permettre d'avoir des roses en décembre.

James BARRIE

1

Des souvenirs. Meg n'avait vraiment pas besoin d'en accumuler davantage, mais elle y fut contrainte dès qu'elle entra dans le nouvel appartement de son père, à la maison de retraite Bel Horizon, le mercredi soir. Il lui tendit un sac en plastique.

— Qu'est-ce qu'il y a à l'intérieur ?

— Des carnets, trouvés dans le bureau de ta mère. Prends-les maintenant, sinon, je vais oublier.

Oublier. Cela lui arrivait de plus en plus souvent, ces derniers temps. *Perte idiopathique de la mémoire à court terme*, avait déclaré son médecin, un état pour l'instant plus agaçant que préoccupant. *Idiopathique* signifiait que ce problème n'avait pas d'explication spécifique. Un terme particulièrement adapté à Spencer Powell, dont toute la vie avait été guidée par ses caprices.

Meg prit le sac et le posa sur la table, à côté du sien. Sa visite, après douze heures de travail, serait brève. Démarrage à sept heures du matin à l'hôpital avec la tournée des patientes, deux accouchements, une barre vitaminée en guise de déjeuner, quatre heures de consultations d'affilée à son cabinet : craintes d'épisiotomie, douleurs de césarienne, vergetures, hoquet fœtal impossible à arrêter, règles trop abondantes, perte de désir sexuel, peur de l'accouchement. Puis encore quatre heures, avant de pouvoir enfin s'allonger pendant cinq heures. Un métier qui se transformait parfois en corvée épuisante, mais qu'elle adorait. Dans l'idéal, en tout cas.

Elle enleva la barrette qui retenait ses cheveux mi-longs et les déploya sur ses épaules d'un mouvement de tête.

21

— Alors, comment s'est passée ta journée ? Demanda-t-elle. Tu trouves tes marques ?

— C'est un endroit haut en couleur, dit-il.

Il la fit entrer au salon et s'installa dans son fauteuil inclinable. Pour quelle raison tous les vieux messieurs semblaient-ils posséder un fauteuil inclinable grinçant et délabré, dont ils refusaient de se séparer ?

— Il y a deux types, dans l'aile C, qui ont une sacrée combine pour gagner aux chiens. Il voulait dire aux courses de lévriers.

— Vraiment ? fit-elle en lui accordant toute son attention.

Il semblait plus vif que jamais, ses yeux avaient retrouvé le sourire qu'elle avait vu s'éteindre l'automne précédent. Ses cheveux, jadis d'un auburn étincelant, étaient devenus argentés, accentuant son air distingué – l'argent ayant, comme chacun sait, plus de valeur que le cuivre. Distingué, mais tout aussi extravagant qu'auparavant : son cerveau fonctionnait toujours plus vite que la musique. Son diabète était à présent pris en charge, mais depuis la mort subite de sa mère, sept mois plus tôt, Meg se sentait obligée de surveiller son père de près, guettant les indices d'éventuels problèmes de santé, les signaux d'alarme de sa maladie : chevilles enflées, visage trop gonflé, comportement inhabituel. Mais, sur ce plan, il ne lui facilitait pas la tâche.

Autre difficulté : la manie de brandir au nez de Meg des morceaux épars de la vie de sa mère. Une théière en chrome piqué. Des napperons délavés du vieux vaisselier. Des paillettes de bain parfumées à la rose, du genre qu'on trouve dans des boîtes rondes en carton. La semaine précédente, un sac en papier plein de pommes de pin enduites d'une épaisse couche de cire luisante. Des petits riens de l'existence d'Anna Powell, brusquement interrompue par une crise cardiaque.

— Ouais, ces types disent que ça leur rapporte plus qu'ils ne perdent, y a rien de mal à ça. Dis donc, mon rein gauche fait à nouveau des siennes. Douleur constante, sourde la plupart du temps. Qu'est-ce que tu en penses ?

— Appelle le Dr Aimoo, lui conseilla-t-elle. Demain. N'attends pas.

Dès qu'il lui parlait de ses reins, elle lui faisait cette réponse.

Il avait l'air en forme. Mais elle avait cru également que sa mère allait bien. Quelle incompétence ! Elle aurait dû repérer les signes d'hypertension galopante, savoir qu'un grave infarctus s'annonçait ; ne surtout pas croire sa mère qui lui affirmait que les médicaments étaient efficaces, qu'elle n'avait à s'inquiéter de rien.

Son père sourcilla, comme chaque fois qu'elle refusait d'établir un diagnostic à son sujet.

— T'es bonne à quoi ?

— Si tu es sur le point d'accoucher, je serai ravie de te donner un coup de main. Sinon, adresse-toi au Dr Aimes.

Elle ne manquerait pas de le lui rappeler quand elle lui téléphonerait le lendemain.

L'appartement de son père était modeste – chambre, salle de bains, salon/salle à manger et cuisine –, mais confortable, presque entièrement meublé de neuf. Il avait vendu son entreprise, le haras Powell, ainsi que leur maison et tous leurs terrains pour y emménager. Elle ignorait tout des tractations financières, car il avait tenu à s'en occuper lui-même. Mais il lui assurait qu'il avait de quoi procéder à quelques petites « modernisations », comme il disait.

Meg embrassa les lieux du regard et fut soulagée de ne pas se sentir assaillie par la présence de sa mère. Les souvenirs, comme les lames de rasoir, devaient être maniés avec précaution. Il lui faudrait un moment pour s'habituer au fauteuil à bascule vide placé à côté du siège inclinable. Si son père cessait enfin de ressortir des trucs de la ferme ou de les envoyer à ses sœurs – qui avaient toutes la sagesse de vivre dans un autre État –, peut-être s'habituerait-elle au nouvel ordre des choses. Ou alors, s'agissait-il d'une stratégie de sa part ? Se débarrassait-il de tous ces objets pour éviter de penser à son deuil chaque fois qu'il ouvrait un placard ou un tiroir ? Il n'était guère du genre à regarder en face son passé parsemé d'échecs.

Un point, au moins, qu'ils partageaient.

Il actionna le levier du fauteuil inclinable et s'étira.

— Ouais, je vais bien. Pourquoi t'amènerais pas Savannah, dimanche ? On pourrait dîner dans la belle salle à manger de la résidence – ils viennent d'installer une de ces machines qui distribuent des glaces, tu vois de quoi je parle ? Si ça nous chante, on peut même choisir le nappage. Tu devrais voir ces vieux schnoques qui jouent des coudes pour se servir en premier ! Si j'avais su qu'on s'amusait autant dans un endroit pareil, j'aurais fait déménager maman ici. Ça lui aurait plu, tu ne crois pas ? Des tas de bonnes femmes pour jacasser !

— Ça lui aurait sans doute beaucoup plu, admit Meg.

Sa mère avait toujours croulé sous les problèmes de la ferme, même après que Brian et son père – officiellement, la Société de crédit immobilier Hamilton – avaient honoré leur promesse et résilié l'hypothèque de ses parents. Au cours des années suivantes, Meg s'était fait une joie de gâter sa mère, lui prodiguant invitations à déjeuner et argent de poche (elle en offrait de même en cachette à ses sœurs), mais elle s'était toujours entendu répondre : « Dieu du ciel, non, Meggie ! Tu as déjà assez fait comme ça. Et puis, tu connais ton père. »

Effectivement. Bien que dénué de talent pour les affaires, son père était bien trop fier pour accepter du liquide de sa part. Fierté qu'il avait cependant ravalée pour l'autoriser – ou plutôt l'encourager – à accepter la proposition de Brian. Mais c'était différent : aucune somme d'argent n'avait été échangée. Meg n'avait rien dû abandonner pour ce faire, puisque Carson comptait pour du beurre. En outre, son père n'avait cessé de le lui répéter, la décision venait d'elle.

— Dis donc, lança-t-il, si tu amenais la petite dîner ici dimanche ?

On aurait cru que l'idée venait juste de lui traverser l'esprit. Meg se demanda s'il excluait volontairement Brian de l'invitation.

— D'accord. Mais pour l'instant, je dois y aller.

— Bon. Très bien, mademoiselle la Débordée. Vas-y. Je sais que tu as des trucs à faire. Mais tu devrais quand même prendre un peu plus de bon temps, maintenant que tu le peux. Tu crois pas ? Je suis bien installé ici. Tout est réglé. Je comprends pas pourquoi tu ne t'occupes jamais de toi.

« Maintenant que tu peux. » De quoi parlait-il ?

— Tu n'es pas heureuse, poursuivit-il. Ça fait longtemps que je m'en suis aperçu. Va de l'avant, Meggie, tant que tu es encore jeune.

Elle le regarda, l'air interrogateur. Ses propos n'étaient pas toujours clairs, mais il ne supportait pas de se l'entendre dire. Sans chercher à insister, elle se contenta donc de l'embrasser.

— Je vais bien, papa. J'ai eu une longue journée, c'est tout.

2

— Les meilleurs rouleaux sont au nord-est, hurla Valerie Haas pour se faire entendre par-dessus le vrombissement poussif des motos que Carson McKay et elle avaient louées pour explorer Saint-Martin.

Ils envisageaient de célébrer leur mariage et d'acquérir une maison de vacances sur cette île des Antilles que se partageaient la France et les Pays-Bas.

— Tout comme les plages de nudistes ! ajouta-t-elle.

— Tu connais un bon bar dans le coin ? hurla à son tour Carson.

Plages de nudistes ou pas, il en avait par-dessus la tête du vacarme, du vent torride et des vibrations dans son entrejambe.

Il préférait de loin l'équitation à la moto, et ne chevauchait ce scooter au moteur gonflé que pour faire plaisir à Val. Elle aurait aimé lui faire enfourcher un engin beaucoup plus puissant – style compétition de trial –, et avait été très déçue de devoir se contenter d'une cent centimètres cubes. Elle n'avait donc pas voulu entendre parler d'un petit 4 × 4 Suzuki, sous prétexte que les plus beaux panoramas n'étaient accessibles qu'aux deux-roues. Force était à Carson de reconnaître qu'elle disait vrai : dès qu'ils s'éloignaient des villes côtières, l'état des routes serpentant dans les montagnes basses se détériorait. À plusieurs reprises, ils avaient dû emprunter de simples pistes pour accéder aux points de vue. Val souhaitait repérer une propriété censée avoir appartenu à Brad Pitt et Jennifer Aniston. Essayer de l'acquérir lui semblait amusant, bien que la demeure ne fût pas officiellement en vente. Cela faisait un bon sujet de débat, disait-elle, comme si leur vie ne débordait pas déjà de discussions enflammées. Ils avaient effectivement déniché la maison, tapie dans les collines, du côté français de l'île. Carson n'avait pas du tout été séduit par son terrain trop caillouteux, sur lequel aucun grand arbre ne pourrait se développer. Mais ce manque d'ombre ne dérangeait pas Val, qui avait grandi à Malibu, alors que lui demeurait attaché à la végétation luxuriante, aux chênes, aux cèdres, aux palmiers et aux entrelacs de plantes grimpantes du centre de la Floride. Et la notoriété des ex-propriétaires était loin de constituer à ses yeux un argument d'achat suffisant.

Du doigt, il lui indiqua qu'il allait se garer sur le bas-côté de la route gravillonnée. Val s'immobilisa près de lui.

— Tu en as déjà assez ?

Le soleil cognait sur le front de Carson et faisait dégouliner la sueur le long de son cou. Il l'essuya.

— J'ai bien peur que oui.

— On est loin d'avoir fini le tour de l'île.

Quatorze heures allaient bientôt sonner. Ils sillonnaient Saint-Martin depuis sept heures trente. En guise de déjeuner, ils s'étaient contentés de bananes vertes frites et d'une espèce de soda gazeux aux fruits acheté sur un étal au bord de la route.

— Ne te gêne pas pour continuer. Moi, je rentre.

Le bar là-bas était génial, et s'il dépassait le taux d'alcoolémie toléré pour conduire, il n'aurait pas à reprendre son véhicule.

Val remonta ses lunettes de soleil sur ses cheveux platine hirsutes et le dévisagea.

— Bon. Je rentre avec toi, mais à une seule condition : tu as intérêt à me récompenser.

Il eut droit au même sourire provocateur que celui qu'elle lui avait décoché le soir de leur rencontre à Los Angeles, à la réception donnée pour le lancement de son dernier album. Au fil des ans, il avait vu défiler des milliers de sourires aguicheurs, mais celui de Val était différent : plein d'assurance certes, mais dénué de menace, à la différence de celui de certaines femmes, dont l'excès d'agressivité l'effrayait. Val, elle-même déjà célèbre dans le monde entier à vingt-deux ans, l'avait séduit par son sourire, et il s'était senti en mesure de

26

le lui rendre sans éprouver de remords. Les remords, il en avait eu plus que son compte.

Il admira ses cheveux brillants, les muscles fuselés de ses cuisses et de ses bras, fruit d'un nombre incalculable d'heures de surf et d'entraînement. Elle avait remporté son premier championnat à l'âge de quinze ans, et signé son premier contrat de publicité un an plus tard.

— Tu n'es vraiment pas farouche avec moi, dit-il.

— Je sais.

— C'est un vrai défaut.

— Je n'ai jamais prétendu être parfaite.

Elle abaissa ses lunettes de soleil et tourna sa moto en direction de leur luxueuse résidence hôtelière, sur Nettle Bay.

— Rattrape-moi si t'es cap !

3

En sortant de l'appartement de son père, Meg prit le temps d'admirer les rayons du soleil couchant qui filtraient à travers la mousse espagnole des chênes verts. Le printemps explosait de toutes parts. Le parfum pénétrant du chèvrefeuille s'insinuait entre les arbres, et les fleurs épanouies des azalées couleur fuchsia, rose pâle, blanc et lavande bordaient les trottoirs et les maisons. C'était la saison préférée de Meg, alors que Brian, sujet à de nombreuses allergies, la détestait. Rien que des graines et du pollen salissants véhiculés par le vent, et des pétales qui vous pourrissaient la vie. Quand ils avaient fait construire leur maison, il avait demandé à l'architecte de laisser autour un espace dégagé de quinze mètres. Aucun arbre n'ombrageant le bâtiment, leur note d'électricité pour la climatisation atteignait des sommets indécents, mais Brian s'en moquait totalement. « L'argent, ça sert à ça », avait-il décrété.

Au moment de sortir ses clés, dans le parking, Meg éprouva une étrange faiblesse dans le bras droit. Elle essaya de le lever pour pointer la commande à distance vers sa vieille Volvo, mais il paraissait avoir été lesté de sable.

La journée a vraiment été rude, songea-t-elle en parcourant les quelques mètres qui la séparaient de la voiture. Elle avait dû trop forcer pendant l'accouchement compliqué des jumeaux, avant le déjeuner. Sans compter ces fichus spéculums qu'elle testait, un nouveau modèle censé se manier facilement d'une main, mais qui était loin de tenir les promesses du représentant. L'après-midi, trois d'entre eux s'étaient ouverts sans crier gare. Outre l'inconfort causé à ses patientes et son propre embarras, Meg avait remarqué que l'effort nécessaire pour les refermer lui était douloureux.

Elle serra la main autour de la commande et appuya une nouvelle fois sur le bouton. Son pouce répondit, et la sensation bizarre de son bras se dissipa. Elle se cala dans la voiture avec soulagement et orienta les déflecteurs de la climatisation directement sur son visage. La perspective d'une douche lui semblait aussi alléchante que des diamants. Non, *plus*. La douche, contrairement aux diamants, présentait un attrait universel : elle effaçait soucis, péchés, preuves, dégâts, résidus, tout ce dont on voulait se débarrasser. À tous les coups, si elle avait dû choisir, Meg aurait opté pour une douche plutôt que pour un diamant.

Tout en pliant la main, elle jeta un coup d'œil au sac en plastique déposé sur le siège du passager. Il contenait une dizaine de carnets de rédaction bleus, soigneusement noués par un bout de cette ficelle dont ses parents faisaient grand usage à la ferme dans son enfance. Une ficelle presque aussi efficace que le ruban adhésif pour les réparations, dont le statut passait inévitablement de temporaire à permanent.

Les carnets semblaient presque neufs. Son père venait probablement de les découvrir dans un carton de son déménagement. Des restes de fournitures de bureau dont il n'avait pas l'usage, à présent qu'il était « retraité » à plein temps. Comme si c'était lui qui avait jadis tenu leurs registres professionnels !

L'horloge du tableau de bord indiquait dix-neuf heures quarante. Le ventre vide de Meg gargouilla. Elle décida de s'arrêter au KFC, sur le chemin de la bibliothèque où elle devait aller chercher sa fille. Savannah y travaillait en compagnie de sa meilleure amie, Rachel. En principe, elles effectuaient des recherches pour un devoir de biologie, mais Meg en doutait. Elles auraient pu trouver sur Internet toutes les informations dont elles avaient besoin. Connaissant Rachel, une jeune fille pétillante qui prouvait à elle seule l'inanité de la théorie selon laquelle les blondes sont des écervelées, il devait y avoir une histoire de garçons là-dessous. La bibliothèque n'était qu'une diversion.

Qui pouvaient bien être ces garçons ? Savannah était devenue une adolescente très secrète. Entre ses premières règles et son premier téléphone portable, elle était passée d'une petite fille curieuse, un peu exigeante et expansive, à une personne énigmatique et introvertie. Elle ne ressemblait en rien à sa mère au même âge, et Meg s'en réjouissait. On pouvait lui faire tout autant confiance, mais elle était beaucoup moins prisonnière que sa mère des relations compliquées entre garçons et filles. En tout cas, dénuée d'attaches avec un jeune homme qui la détesterait plus tard parce qu'elle l'avait trahi éviterait peut-être à Savannah, espérait Meg, de se sentir le cœur coupé en deux.

Certains souvenirs tranchaient comme des rasoirs.

Meg refoula le passé et s'accorda une minute supplémentaire de détente au frais. Un petit instant de solitude dérobée, avant d'enchaîner les tâches suivantes : repas, enfant, comptes-rendus, analyse de cas médicaux, une demi-heure sur l'appareil de musculation, si elle parvenait à rassembler l'énergie suffisante. À moins qu'elle ne se contente d'épargner son bras en lui accordant une nuit de repos.

Comme il ne la gênait plus, elle fit démarrer sa voiture et prit le chemin de la bibliothèque.

4

Un verre de sangria posé devant lui sur le comptoir d'un bar en plein air, Carson regardait le soleil décliner vers les montagnes basses. Val était partie s'entraîner avec Wade, son préparateur physique, le laissant seul à ses rêveries. Une situation à laquelle il était habitué, et qui lui avait même offert l'occasion de composer certaines de ses meilleures chansons. Mais, cet après-midi, ces rêveries étaient loin d'être aussi créatives et positives qu'elles auraient dû l'être alors qu'il venait de faire l'amour à une jeune femme débordante de vitalité.

Le bar était ombragé, mais Carson gardait ses lunettes noires et sa casquette de base-ball : le camouflage inefficace adopté par toutes les célébrités du monde. Saint-Martin grouillait peut-être moins de fans que la plupart des destinations américaines, mais sept personnes l'avaient déjà abordé pour lui réclamer un autographe depuis leur arrivée deux jours auparavant. Ces intrusions n'étaient cependant pas la cause de son humeur morose ; à dire vrai, il avait du mal à mettre le doigt sur l'origine de celle-ci. Il n'avait en fait aucune raison d'être ronchon : non seulement il venait de s'envoyer en l'air, mais il avait récemment gagné deux Grammy Awards, et signé la promesse de vente de son appartement de Seattle pour une somme dépassant ses espérances. En outre, ses parents, en bonne santé, s'apprêtaient à célébrer leur quarante-troisième anniversaire de mariage, et luimême allait épouser une femme qui ne lui reprochait pas ses frasques passées – une femme qui avait déjà fait deux fois la couverture de *Sports Illustrated*, capable de prendre dans ses filets tous les hommes qu'elle voulait. Peut-être était-ce ce dernier détail qui le tarabustait.

— Vous allez sans doute trouver ma question très bateau, dit-il à la barmaid, une petite brune aux cheveux courts et à la poitrine plantureuse, mais j'aimerais bien avoir votre avis sur quelque chose.

— Je vous en prie.

Son sourire Colgate dévoila une denture parfaitement artificielle. Elle déposa son torchon et se pencha vers lui sur le bar, de telle sorte que son corsage ouvert en V se tendit sur ses seins.

Carson ne put retenir un léger mouvement de recul.

— Qu'est-ce qui pousserait une femme comme vous – jeune, belle, séduisante – à vouloir épouser un type usé comme moi ?

— C'est bien *vous* la rock star, non ?

Rock star. Il n'arrivait pas à s'y habituer à cette étiquette qu'on lui collait depuis une dizaine d'années. Elle ne lui correspondait pas. D'accord, il était compositeur, chanteur, soliste dans un groupe qui donnait la plupart de ses spectacles à guichets fermés. Et il faisait de la musique rock, mais plus ambitieuse que bien d'autres, à l'image de celle de Queen ou des compositions sensibles aux problèmes de société de Sting, et qui n'avait rien perdu de sa fraîcheur. Il avait d'ailleurs rencontré Sting pour la première fois l'année précédente. Carson ne se considérait donc pas comme une rock star, même s'il admettait en avoir le train de vie. En fait, il était vaguement conscient de ce curieux décalage depuis longtemps, mais celui-ci ne s'était révélé évident qu'assez récemment. Environ un ou deux ans plus tôt. Sans doute en raison de son âge, de cette quarantaine qui selon Gene Delaney, son impresario, tombait sur les vedettes plus implacablement encore que leurs admiratrices. Gene maniait les mots avec brio. Quoi qu'il en soit, Carson supportait de moins en moins d'être une « rock star » : ce qualificatif sonnait creux et le limitait. Il aspirait à plus d'épaisseur. Il voulait vivre pleinement et avait cru, jadis, que sa musique le lui permettrait.

— Exact, répondit-il à la serveuse, je suis bien la rock star. Selon vous, ça explique tout ?

— *Non**, admit-elle. En partie, mais *pas tout**. Vous avez un beau visage et un... *comment dit-on** ?... (Elle désigna son corps.)... magnifique. En plus, vous ne ressemblez pas à ces crétins d'Américains.

Il sourcilla, ce qui la poussa à éclaircir sa pensée :

— Pas du genre à battre sa femme ou à la transformer en carpette. Vous êtes *généreux, non** ?

Carson haussa les épaules. Sans doute l'était-il. Il versait toujours des pourboires bien supérieurs à la norme. Tout le personnel devait déjà être au courant. Il faisait des dons à plusieurs organisations caritatives, collaborait deux fois par an avec Habitat pour l'humanité. Des signes de générosité, sans doute, aux yeux de certains. Lui estimait que c'était le moins

---

* Les mots en italique suivis d'un astérisque figurent en français dans le texte original. *(N.d.T.)*

31

qu'il puisse faire, dans la mesure où l'argent qu'il dépensait semblait se reproduire tout seul.

La gestion de sa fortune était cependant une occupation en soi, à laquelle il n'avait pas le temps de se consacrer. Il la confiait à sa mère, laquelle affirmait pour le taquiner qu'une femme et une ribambelle de gosses l'aideraient à faire bon usage de toutes ces espèces sonnantes et trébuchantes et trouvait honteux que Val fût elle-même aussi riche. « Elle sera trop indépendante, Carson, tu peux me croire sur parole. » À Noël, lorsque ses parents étaient venus à Seattle pour faire la connaissance de Val, sa mère avait parlé à la jeune femme d'une propriété de sept chambres en vente à Ocala. « L'espace nécessaire pour vous deux et toute la marmaille, avait-elle lancé, sans même chercher à faire preuve de subtilité. – Marmaille ? avait répété Val. Ocala ? »

— Ma fiancée a dix-sept ans de moins que moi, confia Carson à la barmaid. Personnellement, ça ne me gêne pas, mais *elle* ?

La jeune femme posa sur son bras un doigt à l'ongle soigneusement manucuré.

— Votre moteur doit bien fonctionner, non ?

— Pour l'instant.

— *Mais oui**. Alors, pourquoi ça ne marcherait pas ?

5

Lorsque Meg pénétra dans le parking de la bibliothèque principale d'Ocala, les phares de son véhicule balayèrent sa fille, assise seule sur un banc près de l'entrée, écouteurs aux oreilles. Savannah se leva, passa son sac de cours en bandoulière pendant que sa mère se garait, et grimpa dans la voiture.

— Salut, ma puce, lança Meg, assez fort pour se faire entendre par-dessus la musique de son iPod. Enlève-moi ça, s'il te plaît.

Savannah s'exécuta, laissant le cordon des écouteurs pendre autour de son cou.

— Ça te va ? fit-elle.

Meg se tourna pour jeter son sac et celui des carnets sur le siège arrière, puis attrapa le plastique contenant le carton de poulet frit.

— Tout à fait, répondit-elle.

Elle s'obligea à ne pas réagir à l'impolitesse de sa fille. Elle avait appris, lors de précédentes disputes, que ses sautes d'humeur n'avaient rien de volontaire, et que le « ton guerrier » de Savannah ne méritait pas que l'on monte sur ses grands chevaux.

— Tu écoutes quoi ? préféra-t-elle demander.

— Tu ne connais pas. Savannah se mit à farfouiller dans le carton.

— Et si tu attendais ? Ce serait sympa de dîner à la maison avec papa.

Pour changer. Sur le coup, Meg était bien incapable de se souvenir de la dernière fois qu'ils avaient accompli pareil exploit.

— J'ai trop faim, répliqua Savannah. Tu es en retard.

Elle sortit du carton une aile de poulet.

Meg redémarra, sans tenir compte de l'engourdissement qui affectait encore son bras et du ton accusateur de sa fille. Elle avait appris dès son plus jeune âge à ignorer ce qui dérangeait.

— Où est Rachel ? demanda-t-elle.

— Sa mère est passée la prendre à vingt heures pile.

Il était vingt heures sept.

Meg soupira. Dans un manuel sur l'éducation des enfants, elle avait lu qu'il ne fallait livrer que les batailles importantes. Le défi consistait toutefois à déterminer, quand on se sentait poussé à bout, lesquelles méritaient ce qualificatif. Au petit déjeuner la veille, fatiguées toutes les deux parce que le déclenchement intempestif de la sonnette d'alarme avait réveillé en sursaut la maisonnée à deux heures du matin, elles s'étaient accrochées sur la question de savoir si le lait avait ou non tourné.

— Merci pour le poulet, ajouta Savannah. Il est bon.

Tout espoir n'était donc pas perdu.

— Tant mieux. Si tu m'en donnais un bout ? demanda Meg. Un pilon, s'il te plaît... et une serviette.

Elles pouvaient dîner ensemble dans la voiture. De toute façon, Brian n'était sans doute pas encore rentré. Savannah fouilla dans le carton et trouva un pilon, qu'elle lui tendit.

— Tiens.

Meg voulut le prendre. Elle lâcha le volant, mais son bras recommença à flageoler. Quelque chose ne tournait pas rond. Elle revit mentalement ses cours d'anatomie : les réseaux, circuits et signaux du système nerveux. Elle avait dû se froisser ou se déplacer quelque chose lorsqu'elle avait mis au monde le second jumeau. Janey, la sage-femme, avait préconisé une césarienne, mais Meg trouvait que l'on pratiquait trop souvent cette opération sans nécessité, et qu'il était moins risqué de laisser la nature faire patiemment son œuvre. En outre, Corinne, la future maman, voulait accoucher naturellement, tant que ses bébés ne couraient pas de danger. Meg avait été aussi enchantée qu'elle quand les petits Corey et Casey étaient apparus indemnes. Cette gêne dans son bras était le prix à payer pour avoir choisi la difficulté. Une visite à l'orthopédiste de Brian suffirait sans doute à la faire disparaître.

— Maman ? questionna Savannah, car Meg n'avait pas pris le morceau de poulet. Meg esquissa un sourire forcé.

— Je crois que je vais attendre quand même, garder les deux mains sur le volant. Tu te rends compte du mauvais exemple que je te donne, si je mange en conduisant ?

Comme je l'ai fait des centaines de fois, songea-t-elle. N'était-ce pas cela, être parent : faire preuve d'inconsistance et, à l'occasion, d'hypocrisie ?

Elle changea de sujet :

— Parle-moi de ton devoir.

— Rien de bien intéressant. Anatomie et fonction des cellules. Plutôt rasoir.

Au lycée, Meg avait étudié ces matières en travaux pratiques avec Carson. Pour être honnête, elle avait consacré plus de temps à ne pas les étudier. Pour sa part, Savannah était une élève sérieuse, curieuse de tout, du moins à l'époque où chacune de ses pensées se manifestait sous la forme d'une question ou d'une observation. A priori, elle n'avait pas

changé. Elle s'investissait simplement moins. Était-elle préoccupée par des problèmes d'identité ? S'interrogeait-elle sur sa
sexualité ? Pour l'instant, elle n'avait pas encore eu de petit
ami officiel. Peut-être était-elle lesbienne. Cela ne dérange-
rait pas Meg, qui ne l'en aimerait pas moins. Ou alors,
Savannah était juste pinailleuse : par moments, elle se
montrait terriblement critique – la « malédiction », selon la
formule de sa maîtresse de CM1, des enfants doués. Dans le
fond, Meg espérait que Rachel l'avait persuadée de rencontrer
des garçons, ne serait-ce que pour lui permettre de se jeter à
l'eau.

— Tu as trouvé les renseignements que tu cherchais ?
— La plupart, répondit Savannah, la bouche pleine.

Le feu passa au rouge. Meg ralentit et profita de cet arrêt
pour regarder sa fille, la regarder vraiment, comme elle le
faisait rarement désormais. Les boucles d'oreilles en perles
de bois, le bracelet style menotte en argent frappé enserrant
son poignet, le mascara, la légère pellicule de brillant à lèvres
– depuis quand en mettait-elle ? –, le renflement de ses seins
sous un tee-shirt vert moulant, tous ces détails indiquaient
qu'elle avait affaire à une femme. Quand Savannah avait-elle
mûri de la sorte ? Meg aurait juré qu'une semaine plus tôt
elle était encore la fillette maigrichonne à la poitrine plate
qui jouait à habiller ses poupées Barbie et s'entraînait à faire
la roue autour de la piscine, derrière la maison. D'un coup
de baguette magique, elle se retrouvait en première, dans un
lycée privé de filles. Un peu plus de contacts avec le sexe
opposé ne lui ferait pas de mal.

Meg se frotta l'épaule. Allait-elle ou non demander tout
de go à sa fille si Rachel et elle avaient effectué leurs
« recherches » en compagnie de garçons ? Connaissant
Savannah, cette question serait interprétée comme une accu-
sation, et Meg n'avait tout simplement pas l'énergie de se
défendre ce soir. Au lieu de la poser, elle changea donc à
nouveau de sujet :

— Au fait, je viens de voir papy Spencer. Ça te dirait de
dîner avec lui dimanche ? Il pense que tu vas adorer leur
distributeur automatique de crèmes glacées.

Savannah esquissa un sourire narquois.
— J'ai presque *seize* ans ! Il a dix ans de retard ou quoi ?

35

Au changement de feu, Meg tourna en direction de leur luxueux quartier résidentiel, protégé par des grilles, au nord-est de la ville. Elle gardait son bras gauche posé contre sa poitrine.

— Sois gentille, répliqua-t-elle. Ce qui compte, c'est qu'il ait envie de te voir.

— Bof...

Meg lui jeta un coup d'œil.

— Ça veut dire oui ?

Sa fille haussa ses minces épaules – elle ne s'engageait pas.

— Toi et papa, vous y allez ?

— Moi, oui. En ce qui concerne papa, je ne sais pas.

— Il ne fait jamais rien, grommela Savannah.

Elle disait vrai, mais Meg se sentit obligée de prendre la défense de Brian.

— Il a une entreprise à diriger.

— Tu parles d'un scoop !

Savannah ouvrit la boîte à gants, farfouilla dedans, prit un CD qu'elle inséra dans le lecteur.

Quel morceau avait-elle choisi ? Quelques instants plus tard, les notes d'un piano et d'une guitare acoustique les enveloppèrent, rejointes, au bout de quelques mesures, par la voix de Carson. La manière dont la musique de ce dernier aidait Savannah à oublier ses griefs à l'égard de Brian fit sourire Meg. Elle avait usé du même biais pour se calmer à maintes et maintes reprises.

— Bien choisi, remarqua-t-elle.

— Je peux te l'emprunter pour le télécharger ?

— Bien sûr. Mais n'oublie pas de le remettre à sa place.

— Évidemment..., marmonna Savannah comme si cela ne lui était jamais arrivé.

Elle fredonnait doucement en même temps que le CD, aussi investie par la musique que si elle l'avait elle-même composée. Meg connaissait ses propres raisons d'adorer les chansons de Carson, mais pareille attirance était-elle innée chez Savannah ? Cette hypothèse, lorsqu'elle lui venait à l'esprit, lui inspirait tour à tour bonheur ou angoisse, en fonction de son humeur à l'égard du passé. Ce soir, elle lui procurait un plaisir doux-amer, lui faisait regretter la vie plus simple qu'elle, Carson et Savannah auraient menée si les

36

choses avaient tourné autrement. Cela ne l'empêchait cependant pas de désirer parfois ardemment que Savannah fût de Brian, dans les moments où elle souhaitait une rupture franche avec Carson, entre son histoire et la réalité présente. En définitive, le mystère qu'elle avait voulu garder quant à la paternité de son enfant lui avait causé beaucoup plus de tourments qu'elle ne l'avait imaginé.

Sans doute avait-elle tout simplement formé Savannah à aimer la musique de Carson. Sans le vouloir, par la simple vertu de l'exemple. Ce goût ne signifiait probablement rien de particulier.

— Je *suppose* que j'irai voir papy, annonça Savannah à la fin de la chanson. Au fait, notre match d'ouverture a lieu dimanche à treize heures. J'ai prévenu papa, mais il m'a dit qu'il devait retrouver un client au golf à neuf heures et demie. Il faudra que tu me conduises.

Bien sûr. Quand Brian ne prenait pas l'avion pour visiter telle ou telle succursale de Gestion de portefeuilles Hamilton SA, la société qu'il avait fondée, il arpentait un terrain de golf. Il s'impliquait rarement dans leurs vies. Comble de l'ironie, dans la mesure où, jadis, il avait tellement voulu prendre Meg à Carson que son père avait versé trois cent quatre-vingt-sept mille dollars pour remporter la mise.

Il n'était tout simplement pas homme à rechercher l'intimité, au sens complet du terme. Il préférait jeter son dévolu sur des choses superficielles et sans complications. Son énergie, il la gardait pour le travail. Il privilégiait l'action, les résultats, la quête d'une norme toujours plus élevée, collectionnant les réussites comme d'autres accumulent les trophées. Si Meg admirait son dynamisme, celui-ci l'effrayait également. Brian nourrissait les mêmes sentiments à l'égard de son entourage, mais elle était bien incapable de lui rendre la pareille, surtout ces derniers temps.

— Que papa vienne ou non avec nous, affirma-t-elle, papy sera ravi de te voir. Il a envie de te montrer à la ronde... de te « faire admirer », comme il dit.

— Pourquoi ?

— C'est là qu'il vit à présent. Il a de nouveaux voisins. Il veut exhiber sa belle descendance.

— Toi, par conséquent. Ou tante Beth, déclara Savannah. Pas moi. Je ne suis pas belle. J'ai hérité du grand nez de papa.

Peut-être, songea Meg. Le nez de Savannah ressemblait effectivement un peu à celui de Brian, de même que la forme de son visage, son front large et son sourire généreux. Cependant, elle n'aurait pas parié sa vie sur l'existence d'un lien génétique entre eux.

— Tu es absolument ravissante, lui dit-elle. Je donnerais n'importe quoi pour avoir tes cheveux ondulés.

L'envie de caresser la longue chevelure auburn de Savannah était assez forte pour mobiliser son bras. Elle parvint à repousser quelques mèches derrière l'oreille de sa fille et laissa sa main s'attarder. La voix basse et expressive de Carson interprétait l'une de ses premières ballades, consacrée à un couple de jeunes amants séparés par l'effondrement d'un pont provoqué par la crue d'une rivière.

— Attention, garde les deux mains sur le volant ! lança Savannah.

Meg s'autorisa une esquisse de sourire mélancolique dans l'obscurité.

6

Avant son rendez-vous en ligne, Savannah passa une heure et demie à peaufiner une nouvelle chanson. Sa guitare, le cadeau d'anniversaire de ses quinze ans, lui permettait de se changer les idées presque tous les soirs, surtout depuis que le haras de ses grands-parents avait été vendu. Mais le dimanche précédent, alors qu'elle chattait avec ses amis, elle avait reçu un message mystérieux. Un garçon – non, un *homme* – souhaitait faire sa connaissance. Et ce soir, à vingt et une heures trente, il se connecterait à nouveau pour bavarder avec elle. S'il ne lui faisait pas faux bond.

Assise sur son tabouret en peluche mauve, elle essayait d'améliorer les trois dernières mesures de sa chanson. Ce mauve, ces peluches l'agaçaient. Plus rien dans sa chambre ne lui correspondait. Et dans sa vie non plus. Elle avait passé l'âge des murs lavande et de la moquette vert tendre, de la commode et du bureau blancs. Le tissu fuchsia des rideaux, ornés de pâquerettes aux couleurs vives, l'horripilait. En fait, beaucoup de choses l'énervaient : la plupart de ses camarades de classe, le refus de son père de l'autoriser à avoir un chien, même en lui interdisant l'accès à la maison, les regards répugnants des types qui tondaient la pelouse, l'interdiction de rester seule à la maison quand ses parents étaient en voyage, comme si on ne pouvait pas lui faire confiance – pour n'en citer que quelques-unes. Tout cela l'irritait prodigieusement, comme un nuage de moucherons impossible à chasser. Même cette chanson, à laquelle elle avait consacré tout son cœur au début, lui tapait sur les nerfs, car elle n'arrivait pas à lui trouver une chute adéquate.

À vingt et une heures vingt, elle abandonna ses efforts de concentration et appuya la guitare contre un mur. Elle aurait aimé trouver un moyen de se propulser dans le temps, dans son propre chez-soi. Un endroit aménagé selon ses goûts, et non par une décoratrice chichiteuse convaincue d'avoir la science infuse quant à ce qui plaisait « exactement aux petites filles intelligentes ». Un endroit comme une cabane de garde forestier sur la rivière Chassahowitzka, où elle pourrait effectuer des recherches sur la population de lamantins. Ce cadre lui conviendrait parfaitement. En dehors de la musique, Savannah s'intéressait principalement à ces gentils mammifères. La musique et les lamantins suffiraient à la combler. Enfin, la musique, les lamantins, et un copain qui partagerait ses goûts. Et ce copain, elle l'avait peut-être trouvé.

— Plus que dix minutes jusqu'à Kyle, annonça-t-elle nerveusement à haute voix.

Serait-il au rendez-vous ? Lui porterait-il le même intérêt que la fois précédente ? Elle s'installa sur son lit avec son PC, adossée aux oreillers de velours mauve, face à la porte, comme d'habitude, pour empêcher ses parents, si d'aventure ils pénétraient dans sa chambre, de lire par-dessus son épaule. Même s'ils ne le feraient pas. Et même si elle n'avait rien de spécial à cacher... Enfin, jusqu'à cette semaine.

Après s'être connectée, elle chercha le nom de Kyle dans sa liste d'amis : il n'était pas encore en ligne. Et s'il ne se connectait pas ? S'il avait trouvé une fille qui lui plaisait plus qu'elle ?

Savannah avait rendu son blog, sur lequel il l'avait repérée, aussi attrayant que possible, au prix d'une légère tricherie avec les faits, dont une série de photos où elle semblait avoir vingt ans, elle qui s'apprêtait à fêter son seizième anniversaire. L'une d'elles la montrait en bikini près de la piscine, tenant un grand verre empli d'un liquide ambré censé être un cocktail, alors qu'elle ne buvait jamais et comptait bien s'en garder. Mais, comme disait son père, dans la vie, tout n'était qu'une question de présentation. Son blog reflétait donc la Savannah susceptible, dans son esprit, d'attirer le genre de copain qu'elle désirait : un jeune homme plus âgé qu'elle, qui partagerait ses goûts. Les garçons de son âge – ceux de sa connaissance, en tout cas – ne semblaient s'intéresser qu'au sport et à l'argent, ou, comme son ami Jonathan, être plus accros aux jeux vidéo que désireux de vivre pour de bon.

Son blog constituait donc son portail sur le monde *réel*. Et elle espérait, avec une violence telle que son ventre lui faisait mal, que sa stratégie avait fonctionné, que Kyle allait devenir son guide et son compagnon.

Elle échangeait avec Rachel quelques mails sur le garçon rencontré dans l'après-midi à la bibliothèque lorsque la sonnerie de la messagerie de Kyle la fit sursauter.

— *Salut ma belle, koi de 9 ?*

— *C lui !* s'empressa-t-elle d'écrire à Rachel. *A +.*

S'il ne lui avait pas menti au cours de leur premier chat, Kyle avait vingt-trois ans et était titulaire d'une licence en biologie marine. Fan de musique, il adorait certains de ses groupes préférés, No Doubt, Evanescence, Nickelback et Carson McKay. L'homme idéal, en apparence.

Quant à Savannah, hormis son âge, toutes les informations portées sur sa page étaient exactes : longs cheveux châtains ondulés aux reflets roux, un mètre soixante-quinze (un peu girafe, mais qu'y pouvait-elle ?), yeux verts, cinquante-huit kilos. Consciente des risques, elle n'avait pas donné son nom de famille, juste ses deux prénoms, *Savannah*

Rae, le pseudo qu'elle avait l'intention d'adopter si elle se lançait un jour pour de bon dans la composition et la scène.

— *Prépare devoir bio*, répondit-elle.

Le premier soir, elle lui avait dit qu'elle était étudiante à l'université de Floride, mais seulement après avoir vérifié qu'il n'avait pas fréquenté celle-ci.

— *Ah, le bon vieux temps !* écrivit-il.

En guise de préparation à son doctorat, il effectuait des recherches de terrain à l'ouest des Everglades pour un professeur de Harvard. À quelques heures à peine au sud de Gainesville, lui avait-il précisé. Gainesville où, de son côté, elle était censée partager un appartement avec trois amies.

Dans son premier message, Kyle lui avait envoyé une photo le représentant sur un quai délabré, seulement vêtu d'un short pendouillant sur ses hanches et de chaussures de randonnée d'où dépassaient ses chaussettes. Il était svelte et musclé comme les statues grecques qu'elle étudiait en cours d'histoire de l'art. Splendide. Mais c'était surtout son visage qui l'avait attirée, et plus particulièrement la gentillesse émanant de ses yeux immenses aux cils fournis. Il semblait se consacrer avec ferveur à ses passions – dont elle comptait bien faire partie. Ses cheveux noirs bouclés et son teint café au lait trahissaient des origines africaines ou sud-américaines qui déplairaient fortement à son père. Mais elle n'en avait rien à faire.

— *E toi, tu fé koi ?* lui demanda-t-elle.

— *RAS. J'atten le w-e. Jé hate 2 te rencontrer en personne. Tu fé koi samedi ?*

Les battements du cœur de Savannah s'emballèrent.

— *C anni 2 mon père*, tapa-t-elle, en ajoutant une icône grimaçante.

Encore un mensonge pieux, mais mieux valait ne pas paraître trop empressée. Elle attendit anxieusement sa réponse.

— *On se voit fête du travail à Miami ?*

Savannah en fut toute ragaillardie.

— *Pourquoi Miami ?*

— *Mon frère. On s'y retrouve tous les ans sur la plage. Ta 1 bikini ?*

— *Ben oui...*

Il avait vu la photo sur son blog.

— *Ta une voiture ?*

— *Ben oui...*, tapa-t-elle de nouveau, même si elle ne la recevrait pas avant son anniversaire, à la mi-mai.

Il lui faudrait régler ce petit détail plus tard. Elle essuya ses mains moites sur le dessus-de-lit, impatiente de voir s'il était sérieux.

— *Cool si tu viens. T'essaies ?*

— *Bien sûr !* affirma-t-elle, incapable d'imaginer comment elle pourrait le faire sans la permission de ses parents.

Après tout, ceux-ci, en particulier son père, ne vérifiaient pas son emploi du temps de près et la croyaient systématiquement sur parole. Si elle s'organisait bien, elle y arriverait. « La vache », chuchota-t-elle, mais elle la joua cool :

— *V voir si suis libre.*

— *Jesper bien*, tapa Kyle. *Bon ma belle, fo ke ji aille. C dingue ici. Je tapel sur ton phone samedi ?*

— *OK, à +*, répondit-elle, malgré la déception d'en avoir fini aussi vite.

Elle ajouta un smiley destiné à lui montrer qu'elle ne lui en voulait pas d'interrompre leur conversation. Puis elle se déconnecta, pour qu'aucune de ses amies ne vienne gâcher sa joie.

Elle referma son portable d'un geste brusque. Ça alors ! Kyle. Miami. Elle avait hâte d'en parler avec lui. Il ne s'agirait que de leur deuxième conversation, après celle du lundi soir. Ils ne s'étaient pas attardés au téléphone, mais ils avaient bavardé assez longtemps pour qu'elle en conclue qu'il n'était ni coincé ni tordu. Et pour constater que sa voix de ténor lyrique, qui s'harmonisait à merveille avec sa propre tessiture d'alto, comblait dans son cœur – ou dans son âme, elle ne savait pas très bien – un vide que rien n'avait jusque-là réussi à remplir. Savannah se leva et s'étira en souriant aux anges.

Tout en se lavant la figure, elle imagina ses promenades avec Kyle, main dans la main, sur une plage de sable blanc et moelleux. Ils s'embrasseraient... Elle aimait embrasser avec la langue. Elle avait essayé plusieurs fois avec son ami Jonathan, qui habitait deux maisons plus loin. Et le corps masculin la fascinait, comme les sensations qu'éveillait en elle la perspective de son initiation physique. Maintenant qu'elle avait trouvé un garçon qui en valait la peine, elle était prête à essayer tout ce que la plupart de ses amies faisaient déjà – depuis la quatrième, pour certaines d'entre elles. En imagination, elle glissa la main à l'intérieur du short de Kyle et ressentit un drôle de petit pincement au ventre.

Elle se pencha vers le miroir pour examiner les quelques points noirs qui ornaient son front et le haut de son nez. Il faudrait y remédier avant Miami. Quelle fille de vingt ans avait encore des points noirs ? Elle aurait aimé se débarrasser aussi du ruban de taches de rousseur qui décorait son nez et ses joues, mais c'était mission impossible. Sa taille, son sourire, ses taches de rousseur et les reflets roux de ses cheveux châtains étaient des « cadeaux » de sa mère, disait sa grand-mère. Elle essayait bien de les apprécier, mais dans le fond, elle aurait voulu être une petite blonde au teint parfait. Cela dit, puisqu'elle avait réussi à capter l'attention de Kyle, elle était prête à s'accepter telle qu'elle était.

Cette idée en tête, elle se débarrassa de son tee-shirt et examina ses seins d'un œil critique.

— Moyen, conclut-elle, après s'être tournée de biais et replacée de face.

Mais bon, à part se faire poser des implants, elle n'y pouvait pas grand-chose. La chirurgie esthétique n'était pas son truc, mais elle connaissait des filles déjà accros, qui s'étaient fait refaire le nez et ne pensaient qu'à se faire charcuter partout ailleurs pour attirer des proies plus séduisantes. Des filles qui savaient flirter. Des filles qui arboraient des petits talons aiguilles et des sourires radieux destinés à leurs gentils papas, dans le but d'obtenir plus d'argent de poche pour leur shopping.

Savannah savait qu'elle n'était pas très douée pour le charme, ni avec les garçons ni avec son père. Mais elle faisait des études brillantes, et n'avait pas son pareil pour résoudre les problèmes. Un atout, au long cours, beaucoup plus intéressant. En outre, Kyle semblait apprécier les femmes intelligentes, vu la manière dont il l'avait félicitée pour son aspiration à exercer plus tard un métier passionnant.

Elle venait de passer sa tenue de nuit, débardeur jaune Journée de la Terre et short de jersey gris, quand on frappa discrètement à sa porte.

— Ouais, dit-elle. Entre.

La porte s'ouvrit.

— Prête à te coucher, ma puce ? demanda sa mère.

— À ton avis ? répliqua Savannah.

Elle posa son PC sur le bureau pour bien montrer qu'elle en avait terminé. Dès que Meg serait ressortie, elle pourrait jouer de la guitare, téléphoner ou rallumer son ordinateur sans crainte d'être interrompue. Sa mère était totalement prévisible. Quand elle lui avait souhaité bonne nuit, Savannah ne la revoyait pas avant le lendemain matin. Certains enfants auraient sans doute tiré un bien meilleur parti de cette habitude qu'elle ne l'avait jamais fait. Ils se seraient faufilés dehors, par exemple, ou auraient introduit quelqu'un dans leur chambre en douce. Pas Savannah ; elle n'avait encore jamais eu de raison de le faire.

Sa mère s'assit sur le bord du lit.

— Petite maligne ! À mon avis, tu as l'air prête à participer à la course de traîneaux d'Iditarod. Mais moi, je pense que tu as d'abord intérêt à faire une bonne nuit de sommeil.

Savannah s'installa contre les oreillers et remonta les genoux jusqu'à sa poitrine.

— Très drôle, commenta-t-elle.

— En vérité, on te dirait prête à passer une audition pour un emploi de strip-teaseuse.

— *Maman !* s'offusqua Savannah.

— Quoi ? Ce short est scandaleux.

— C'est toi qui l'as acheté.

— Quand tu avais *douze* ans, si ma mémoire est bonne. Comment se fait-il que toutes les adolescentes s'habillent aussi court ?

— C'est juste un style.

— Hum... En tout cas, ne le porte pas en public. Papa te tuerait.

— T'inquiète, lança Savannah, alors qu'elle avait bien l'intention de le mettre à Miami.

— Tu... tu as besoin de quelque chose ?

Sa mère embrassa la chambre d'un regard que Savannah connaissait bien : celui du parent en quête de signes d'addiction : cigarette, boissons ou autre, et qui la remplissait de culpabilité alors même qu'elle n'avait rien fait.

Elle saisit une mèche de cheveux, la fit retomber devant son visage et entreprit de la tresser rapidement. *J'ai besoin d'une voiture*, songea-t-elle.

— De shampooing, dit-elle tout haut, avant d'ajouter, apercevant une ouverture : Au fait, j'ai une question à te poser. Tu te souviens de notre voyage à Londres l'automne dernier avec tante Beth...

— C'était formidable, non ? Cette année, la conférence se tiendra à Singapour. Tu aimerais y aller ? Papa connaît déjà. Il a adoré. Enfin... il a adoré les terrains de golf. La cuisine indonésienne ne lui a pas trop plu, mais...

Savannah se mit à défaire sa tresse.

— Maman..., l'interrompit-elle.

— Pardon. Tu voulais savoir quoi ?

— Je me disais que ce serait sympa de lui rendre visite cet été, de prendre l'avion toute seule. Les enfants peuvent, non ?

— Évidemment. Tu te rappelles les trois petits garçons qui portaient les badges de la compagnie aérienne sur notre vol pour Londres ?

— Oui. On n'a donc pas besoin d'avoir dix-huit ans ?

Elle recommença sa tresse, puis elle s'aperçut de son tic et repoussa ses cheveux derrière ses oreilles.

— Non. Si j'ai bien compris, toutes les compagnies proposent un service spécial pour les enfants non accompagnés. Des hôtesses se chargent d'eux personnellement pendant le vol et les remettent à l'un de leurs parents ou à un membre de leur famille qui doit venir les chercher à la porte d'arrivée.

— En somme, je serais pistée comme un bagnard ?

Sa mère éclata de rire.

— Bien sûr que non ! Tu es en âge de voyager seule. Il s'agit d'un service réservé aux enfants en bas âge. Tu sais, j'ai entendu dire à la radio que l'aéroport d'Atlanta est le plus fréquenté au monde. J'ai toujours cru que c'était celui de New York, mais il ne figure même pas parmi les dix premiers ! Je crois que O'Hare arrive en deuxième position, suivi de Heathrow...

Savannah ne l'écoutait que d'une oreille. Elle réfléchissait à la manière d'acheter un billet pour Miami. Sa mère se lançait toujours dans ces longues digressions, qu'elle avait adorées mais qu'elle trouvait désormais souvent inutiles. Si

45

parfois elle avait carrément envie de lui dire : *Viens-en au fait*, elle s'en abstenait, soucieuse de continuer à voir dans sa mère la détentrice de l'autorité. Peut-être aussi parce qu'elle savait que lui poser des questions risquerait de mobiliser son attention, ce qu'elle ne souhaitait guère. À présent, Savannah aurait voulu vivre à sa façon, loin d'un père survolté qui ne jaugeait la réussite qu'à l'aune de critères financiers. Elle voulait compter pour son entourage. Pour Kyle, peut-être. Depuis le départ de sa mamy Anna, même dans ses meilleurs jours, il lui semblait être invisible.

Sa mère parlait toujours.

— Je sais que tante Beth serait absolument ravie de te recevoir. Elle pourrait te faire visiter Berkeley, te présenter à certains de ses collègues professeurs. Tu devrais vraiment essayer d'entrer là-bas, tu serais reçue, sûr et certain. Je suis tellement contente que tu veuilles passer du temps auprès d'elle. Quelle bonne idée !

Savannah acquiesça en silence. Ce séjour lui plairait sans doute, même si elle n'y avait pas songé une seule minute jusque-là. Les cours de sciences de l'environnement de Berkeley lui permettraient effectivement de se consacrer aux lamantins, par le biais de la politique et du droit. Pour l'instant, cependant, elle n'avait qu'un souci en tête : un simple billet et une carte d'identité lui suffisaient-ils pour sauter à bord d'un avion en partance pour Miami ? Apparemment, c'était possible.

— Je vais en parler à Beth, reprit sa mère. Et il va falloir que je m'occupe le plus vite possible de Singapour, si tu veux venir.

— Je vais y réfléchir.

Savannah avait hâte d'être seule, pour pouvoir se reconnecter à Internet et consulter les horaires des compagnies aériennes.

— Bon... bonne nuit, ajouta-t-elle en souriant.

— Oh, très bien.

Meg se leva. Son expression fit craindre à Savannah de s'être montrée une fois de plus trop abrupte malgré elle.

Près de la porte, sa mère se retourna dans sa direction.

— Ma puce ?

— Oui ?

— Ce week-end, si tu veux bien, nous aurons cette conversation sur la contraception que tu redoutes sans doute.

Savannah n'eut pas le temps de lui répondre car Meg était déjà à l'autre bout du couloir.

Les joues en feu, la jeune fille resta pétrifiée. Sa mère soupçonnait-elle quelque chose ? L'envie subite de laisser tomber ce projet d'expédition à Miami l'effleura, mais l'image de Kyle sur la plage s'imposa à elle, et son impulsion se dissipa. Sans doute était-ce la proximité de son seizième anniversaire qui avait inspiré une telle idée à sa mère. La connaissant, elle avait dû la planifier dès l'instant où on lui avait annoncé : « C'est une fille ! »

Et si elle en profitait pour lui déclarer tout simplement qu'elle désirait prendre la pilule ? Si elle lui disait qu'elle avait un petit ami et qu'ils avaient l'intention d'avoir des relations sexuelles ? Génial ! Ça passerait sûrement comme une lettre à la poste d'annoncer de but en blanc ce genre de nouvelles ! Et en plus, Kyle ne correspondait en rien au genre de garçon que ses parents désireraient la voir fréquenter. Six ou sept ans de trop et, aux yeux de son père en tout cas, beaucoup trop basané.

Par conséquent, pas de pilule pour elle. En tout cas, pas pour l'instant. Mais dès que l'occasion se présenterait, elle entrerait dans un Walmart, ou dans un autre magasin où personne ne la connaissait, et achèterait une boîte de préservatifs. Ce n'était pas difficile. Certaines de ses camarades de classe le faisaient à longueur de temps. En outre, elle se plaisait à penser que ses parents, s'ils s'en apercevaient, seraient fiers d'avoir une fille responsable et mûre.

Dans la réalité, cependant, sa mère se sentirait probablement trahie. Quant à son père, il hausserait les épaules et filerait aussitôt au terrain de golf.

7

Quand Brian pénétra dans le salon le vendredi soir, Meg constata qu'il avait pris une douche avant de rentrer. Ses cheveux noirs qui commençaient à se clairsemer conservaient les marques du peigne. Un polo de golf très légèrement amidonné – différent de celui qu'il avait dû porter pour jouer – était coincé dans son short bleu marine sur mesure. Et malgré son ventre qui retombait un peu par-dessus sa ceinture, comme le bord d'un muffin, Meg n'avait jamais trouvé qu'il manquait de séduction, même s'il n'était pas son style. Elle préférait les physiques moins raffinés, plus rugueux, plus nature. Elle trouvait Brian trop impeccable. Trop rangé. Comme leur maison. Comme leur vie.

Elle mit de côté la pile de carnets bleus, qu'elle avait oubliés dans la voiture jusqu'à ce soir. Elle avait voulu s'assurer qu'ils ne contenaient rien d'important, avant de les ranger avec zèle dans une boîte, mais elle n'avait pas réussi à dénouer la ficelle.

— Tu étais au club ? demanda-t-elle à Brian.

Elle devait faire plus d'efforts pour s'intéresser à lui. D'ici à deux ans, Savannah partie à l'université, que deviendraient-ils, occupants familiers mais distants d'une demeure de presque mille cinq cents mètres carrés au décor impersonnel ? Une maison qui comprenait déjà beaucoup trop de pièces inoccupées et où, en l'absence de Savannah, régnerait un vide abyssal.

Brian posa son sac de sport sur le parquet de bois verni et se percha sur le bras d'un fauteuil, en face d'elle.

— Oui, dit-il. J'ai réussi neuf trous, avec ces clients allemands dont je t'ai parlé l'autre jour. De vrais nuls. Incapables de faire la différence entre une cale et un fer. Mais ils prennent ça du bon côté. On a même arrêté de noter le score.

D'un signe de compréhension mêlé de compassion, Meg salua ces lamentables Allemands. Personnellement, elle ne savait même pas distinguer un club de golf d'un autre. Pourtant, elle aurait dû, puisque le golf constituait toute la vie de Brian, en dehors du travail. Mais ce sport ne l'intéressait absolument pas, et son esprit était déjà assez encombré par toutes les choses qu'elle devait connaître.

Brian le comprenait sans doute, car il ne se donnait jamais la peine de lui raconter ses parties. Leurs conversations tournaient autour de leurs intérêts communs : la maison, Savannah, leurs familles, leurs carrières. Un film, s'ils l'avaient vu ensemble, par le plus grand des hasards. Ou séparément, lorsque l'un d'eux était en voyage et qu'il tombait dessus dans l'avion ou sur l'écran de télévision de sa chambre d'hôtel, tard le soir. Parfois, Savannah participait à la conversation, car elle voyait désormais un grand nombre des mêmes films qu'eux. Encore fallait-il qu'ils se trouvent tous trois dans la même pièce ou à bord du même véhicule, événement à peu près aussi rare que la naissance de vrais jumeaux.

Manisha Patel, l'associée de Meg, lui affirmait que son quotidien n'avait rien d'inhabituel. Sa propre famille fonctionnait de la même façon, comme la plupart de celles de leur connaissance. Un sujet souvent abordé dans les talk-shows de fin de soirée sur lesquels zappait Meg quand elle ne parvenait pas à s'endormir. Brian, Savannah et elle ressemblaient à des planètes en orbite autour du même soleil, se rapprochant rarement. Retenus ensemble par la force de gravitation d'une adresse partagée, ils formaient une famille qui ne ressemblait que de fort loin à la cellule « traditionnelle » d'autrefois. Cette situation lui inspirait de la culpabilité ou la mettait sur la défensive. Sans doute cela se terminerait-il le jour où Savannah serait adulte et aurait quitté la maison.

— Tu as l'air revigoré, constata Meg. Je ne vais pas tarder à me doucher aussi. Pour l'instant, je savoure. C'est tellement agréable de rester assise à ne rien faire.

Brian lui adressa son habituel sourire légèrement suffisant et condescendant. Il était sûrement en train de se dire que, de son côté, il était capable, après une journée de travail harassante, de trouver l'énergie nécessaire pour divertir des clients, sans compter le parcours de neuf trous au golf. S'il ne la critiquait jamais ouvertement, Meg n'en ressentait pas moins le poids de son jugement, de ses comparaisons. C'était son mode de pensée, point final. Encore un peu, et il lui débiterait le discours de motivation de l'équipe Hamilton.

— Tu as eu une journée chargée ? s'enquit-il.

Question uniquement destinée à établir un lien, puisqu'il savait pertinemment que toutes ses journées l'étaient.

Elle posa les pieds sur le canapé, occupant la place qu'il aurait pu choisir, au prix d'un petit effort supplémentaire. S'il en avait eu envie. Si elle-même en avait eu envie.

— Oui, chargée, et pénible aussi. J'ai eu droit à une mère pré-éclamptique avec des douleurs dorsales et qui a passé son temps à hurler, puis à un bébé qui se présentait par le siège. C'est tout juste si je n'ai pas dû ramper dans le ventre de sa mère pour le sortir. (Elle revit la scène et se frotta le bras.) Et cet après-midi, deux nouvelles patientes à hauts risques. Tu connais sans doute le mari de l'une d'elles : McKinney. Joseph, si ma mémoire est bonne.

Quand elle avait lu ce nom sur le tableau, il lui avait fait penser à *McKay*, à Carson, à la nouvelle selon laquelle il projetait de se marier en mai, et dont elle avait pris connaissance la semaine précédente. Avec une femme beaucoup plus jeune que lui, annonçait le titre des infos sur le net : NOCES EN MAI POUR MCKAY... IL PREND SON ÉPOUSE AU BERCEAU ? Meg avait choisi de ne pas cliquer sur le lien pour échapper aux détails. Mais, depuis, elle pensait à lui à la moindre occasion.

— Exact, je le connais, acquiesça Brian. Joe McKinney, associé chez McKinney-Paterson. Il s'en sort bien – au golf, j'entends. Et en droit aussi, à en juger par sa petite Ferrari noire. Quel est le problème de sa femme ?

— Elle a quarante-trois ans.

— Je vois. Mais c'est quand même bien que tu récoltes toutes ces patientes difficiles. Tu te construis une excellente réputation de spécialiste. Tu devrais augmenter tes tarifs, déménager dans des locaux un peu plus... haut de gamme, disons.

— Les nôtres nous plaisent, répondit Meg.

Manisha et elle avaient justement choisi d'établir leur cabinet dans un modeste bâtiment de brique du centre-ville pour éviter de limiter leur clientèle à des Mmes Joe McKinney. Ou des Mmes Carson McKay pour ce que ça valait – l'annonce précipitée de ce mariage n'était-elle pas la conséquence d'une grossesse ? Leurs patientes fortunées les

50

choisissaient parce qu'elles étaient de bonnes obstétriciennes, pas parce que leur cabinet ressemblait à un spa de luxe.

Brian se leva.

— Je ne comprends pas pourquoi tu ne sautes pas sur une occasion quand elle te tombe pratiquement du ciel, observa-t-il. Tu es plus futée que ça.

Cette critique, même mineure, la piqua au vif.

— Je ne vois pas le rapport. Tu trouves que je ne suis pas « futée » parce que je n'estime pas nécessaire de gagner plus d'argent ?

Brian enfonça les mains dans les poches de son short. Il exsudait l'assurance et la décontraction.

— Depuis que je te connais, tu as saisi toutes les occasions qui se présentaient de t'améliorer ou d'améliorer ton statut. Je ne vois pas pourquoi tu t'arrêterais en route.

Il disait vrai. Pourtant, il faisait également preuve d'aveuglement, comme si le temps avait rendu sa mémoire aussi myope que ses yeux. Avait-il oublié que Meg lui devait sa première *occasion*, concoctée par ses soins avec une telle minutie qu'elle n'avait eu aucun moyen de la refuser ? Le processus mis en branle, elle avait effectivement tout fait pour progresser. Elle était pragmatique. Son ambition avait néanmoins des limites. Soit il refusait de le voir, soit il ne l'avait pas remarqué. Il adorait se vanter du couple qu'ils formaient, de leur incroyable similitude de caractère et de goûts, de la carrière accomplie de Meg. Tout comme il avait construit la réussite de son entreprise, il avait aménagé à sa guise la réalité de leur mariage.

Il se trompait sur toute la ligne à son sujet.

Meg n'était pas la femme qu'il avait inventée. Elle ne le serait jamais, mais à quoi bon mettre en question l'image qu'il se faisait d'elle ? En vérité, Brian ne la connaissait pas vraiment parce qu'elle lui cachait certaines parties de sa personnalité. L'argent ne pouvait pas *tout* acheter.

Il ignorait également qu'elle avait songé à le quitter à de nombreuses reprises, un peu comme une blonde envisage parfois de se teindre en brune : intéressée par le résultat éventuel, mais réticente à mettre en pratique une mesure aussi radicale. Et si elle était affreuse ainsi ? Les cheveux bruns représentaient-ils un avantage ou une simple différence ? Si

Meg avait été la femme ambitieuse qu'il imaginait, elle aurait demandé le divorce dès qu'elle avait commencé à gagner de quoi rembourser l'hypothèque de ses parents. Elle aurait suivi son refrain à la lettre, elle aurait « avancé et grimpé ». Mais non. Elle avait déjà fait sauter le seul pont qu'elle désirait traverser en sens inverse, et comme elle voulait assurer une vie stable à Savannah et que son entente avec Brian était possible, elle était restée.

Alors qu'elle se levait et se penchait pour ramasser les carnets, elle sentit son genou gauche se dérober.

Elle se rattrapa d'une main au bras du canapé et secoua la tête.

— Tu vieillis, ma fille.

En passant devant la cuisine, elle entendit Brian parler au téléphone d'un ton ferme et persuasif en se préparant un petit en-cas : à en juger par l'odeur, il réchauffait des brownies. Il y ajoutait de la glace à la vanille et un nappage de chocolat. Voilà pourquoi elle avait dû apporter ses costumes chez le tailleur pour les faire reprendre, en dépit des vingt heures que Brian consacrait au golf chaque semaine. L'autre malédiction de l'âge mûr : un ralentissement du métabolisme. Rester en forme se révélait de plus en plus difficile, et depuis la mort de sa mère, quelques mois auparavant, Meg avait pour sa part sauté un plus grand nombre de séances de gymnastique qu'elle n'était prête à le reconnaître. Elle avait l'impression de ne jamais avoir le temps de faire de l'exercice. Les heures de sa journée se ratatinaient comme des oranges restées sur l'arbre, et elle était trop lasse pour y caler une activité pouvant être qualifiée d'accessoire.

Elle déposa les carnets dans la salle de bains et fit couler la douche. Pendant que l'eau chauffait, elle chercha dans un tiroir la minuscule paire de ciseaux dont elle se servait pour tailler sa toison pubienne. Brian la préférait impeccable, presque glabre. Il n'aimait que ses longs cheveux et le léger duvet doré qui recouvrait ses bras. Depuis combien de temps ne s'était-elle pas donné la peine de se faire le maillot ? Elle ne s'épilait même plus les jambes chaque semaine. Ils n'avaient pas fait l'amour depuis... depuis quand ? On était en avril ? Donc, deux mois. Depuis le jour de la Saint-Valentin. Même là, leurs ébats étaient plutôt nés d'un échange prévisible, d'une espèce d'obligation coupable, que d'un élan passionné. En toute honnêteté, la passion n'entrait déjà pas en jeu lors des premiers mois de leur mariage. Pour Meg, en tout cas.

Enveloppée de nuages de vapeur, elle coupa la ficelle qui retenait les carnets à l'aide des ciseaux, s'attendant, au moment d'ouvrir le premier d'entre eux, à ne trouver dedans que des pages vierges aux lignes bleu pâle pré-imprimées.

Leur contenu lui causa donc une telle surprise qu'elle en arrêta la douche. Chaque carnet offrait des pages entières, soigneusement tenues, de calculs et d'observations de sa mère sur l'état de la ferme, le temps, la santé des chevaux – entre-mêlés, elle en eut l'impression, de commentaires sur ses sœurs, son père et elle, tous rédigés au feutre fin, à l'encre bleue ou noire. La vue des courbes et des boucles tracées de la main d'Anna fit flancher Meg. Elle se laissa glisser sur l'épais tapis de coton et étala les carnets autour d'elle.

Son père les lui avait-il remis en toute connaissance de cause ? Ces douze journaux intimes couvraient presque une vingtaine d'années et s'interrompaient la veille de ce dimanche de septembre dernier où il s'était réveillé pour découvrir que son épouse lui avait discrètement faussé compagnie au cours de la nuit, ne laissant derrière elle que son corps inerte... et ces mots. Des cancans ? Des paroles de sagesse ?

Si Meg avait su à l'avance que ces carnets étaient des journaux intimes, elle n'y aurait jamais touché. Pourquoi *ouvrir* la porte à la souffrance ? À présent, elle ne savait qu'en faire. Elle n'avait envie ni de les lire ni de les occulter.

Elle sursauta, car quelqu'un venait de frapper à la porte.

— Oui ?

— Maman, j'ai besoin que tu me signes un papier pour la sortie éducative de fin d'année.

— Papa ne peut pas le faire ?

— Il est au téléphone.

Meg empila les carnets et les cacha dans l'armoire de toilette.

— J'arrive tout de suite.

53

8

Le samedi matin, Meg s'installa à la table de la cuisine pour boire son café, les carnets empilés devant elle. Comme de coutume, Brian était parti prendre le petit déjeuner avec ses copains, se chargeant de déposer Savannah au passage chez Rachel pour leur permettre d'aller... d'aller où ? Savannah le lui avait dit mais, distraite par les carnets et par son désir incertain de les lire, Meg l'avait confiée à Brian sans vraiment l'écouter.

Le calme qui régnait à présent dans la maison l'aida à en parcourir un ou deux passages, comme elle l'avait décidé. Juste pour se prouver à elle-même que ces carnets étaient sans intérêt et qu'elle pouvait les jeter sans regret.

Elle les feuilleta, en parcourut des extraits et sentit une force mystérieuse la pousser malgré elle à tourner les pages. La plus courte des remarques de sa mère révélait des pans entiers de son passé – leur passé – qui lui avaient jusque-là échappés.

8 juin 1985
Meggie a été engagée à la banque. Nous avons besoin d'elle ici, mais là-bas aussi. Ou dans n'importe quel autre endroit où elle sera bien payée. Dieu sait que cet argent va nous être utile ! Nous avons été obligés de laisser expirer notre assurance santé. Je prie pour que personne ne tombe malade. Sainte Vierge, veillez sur nous tous.

Ils avaient donc vécu sans assurance. Rien que d'y penser, Meg en avait froid dans le dos, même après tout ce temps. Elle revit les traits tirés de sa mère à cette époque, les rides qui se creusaient autour de sa bouche et qui plissaient son front. Quelle que soit l'heure à laquelle Meg se levait, sa mère était déjà debout. Et peu importait celle jusqu'à laquelle elle veillait, Anna n'était pas encore couchée. Sa tension élevée était donc facile à expliquer.

— 8 juin..., dit-elle. Le jour de sa rencontre avec Brian. Sa première journée de travail à la Société de crédit immobilier

54

Hamilton. Le début de sa formation était fixé à dix heures, mais elle devait d'abord faire la connaissance de son patron, Brian, le fils du propriétaire, âgé d'à peine six ans de plus qu'elle. Belinda Cordero, la caissière en chef, l'avait menée jusqu'au seuil du bureau avant de disparaître. Meg s'était sentie gênée et quelque peu décalée, comme si on l'avait laissée tomber là par inadvertance. Sa vraie vie l'attendait aux écuries, près des chevaux qu'il fallait exercer, des selles à réparer. Une folle envie de prendre ses jambes à son cou s'était emparée d'elle.

Brian était installé derrière un bureau qui paraissait plus vieux et plus raffiné que lui. Il portait une veste de lin écru et une chemise rose pastel, comme Sonny Crockett dans *Deux Flics à Miami*. La coupe parfaite de ses cheveux plutôt longs était destinée à éblouir les femmes et à bien faire comprendre aux hommes qu'il suivait la dernière tendance.

Il s'était calé dans son fauteuil et lui avait fait signe.

« Bonjour, entrez, Meg. Je suis Brian Hamilton. »

Elle avait avancé de trois petits pas avant de s'immobiliser. Une odeur de vieux cuir et de jeune ambition flottait dans la pièce, matérialisée par l'eau de Cologne luxueuse qu'elle allait associer à jamais à Brian. Elle avait fait un autre petit pas.

Brian avait croisé les bras derrière la tête.

« Bienvenue. Nous sommes ravis de vous accueillir dans l'équipe Hamilton. Eileen m'a dit que vous étiez en première au lycée de North Marion ?

— Oui.

— Bonne en maths ? »

Elle avait acquiescé, s'efforçant de soutenir son regard comme son père lui avait conseillé de le faire. Mais ce n'était pas chose aisée. Brian la scrutait comme s'il savait que sa jupe noire en polyester et son chemisier marron à volants sortaient de chez un fripier. Ses chaussures aussi, même si elle espérait que, de là où il était, il ne pouvait pas les voir. Elle portait la même tenue la semaine précédente pour son entretien d'embauche et elle soupçonnait Mme Guillen de lui avoir tout raconté.

Meg était persuadée d'avoir été engagée par compassion. Tout Ocala semblait être au courant de la situation précaire des Powell. L'après-midi, à la coopérative, son père avait fait étalage de ses échecs aussi bruyamment que de ses réussites. Meg s'était présentée pour le poste de femme de ménage proposé dans l'*Ocala Star Banner*, mais au cours de son entretien avec Eileen Guillen, la directrice des ressources humaines, elle avait évoqué son projet d'étudier la comptabilité après son bac. Grâce à cette remarque, elle allait devenir caissière à temps partiel à la banque, au lieu de récurer les sols et les toilettes du bâtiment historique qu'Adair Hamilton avait fait reconstruire tout de suite après l'incendie de 1883. « Nous aimons fournir le meilleur départ possible à nos employés, lui avait dit Eileen. Surtout à ceux qui en ont le plus besoin.

— J'aime beaucoup les maths moi-même, avait déclaré Brian. J'ai un diplôme en économie et j'obtiendrai bientôt mon mastère en gestion. Avez-vous l'intention d'entrer à l'université ?

— Je l'espère.

— Formidable ! (Il ponctua sa remarque d'un applaudissement.) Nous aimons que nos employés soient motivés par autre chose que tout ce marbre et ce cuivre. (Il se leva et lui tendit la main.) Très content de vous compter parmi nous. Je sais que je dois vous rendre à Belinda. J'ai intérêt à vous libérer. »

Meg aurait préféré commencer par nettoyer les toilettes, car le poste de caissière impliquait d'être visible et présentable. Un défi pour une jeune fille dont les plus beaux vêtements étaient des jeans et des tee-shirts sans reprises ou sans taches. Sa mère et elle avaient déniché une tenue professionnelle à peu près passable dans une friperie, mais chaque après-midi elle avait l'impression de se déguiser en enfilant sa jupe et ses escarpins. Un costume loin d'être aussi élégant que celui de ses collègues. Brian se décarcassait cependant pour lui faire sentir qu'elle était un membre important de l'équipe. Si son chemisier n'était pas d'un blanc aveuglant parce qu'ils manquaient de détergent à la maison, il n'en tenait pas compte. Si le similicuir des talons de ses chaussures s'écaillait, il n'y prêtait pas attention non plus. Recevait-elle correctement les clients ? Observait-elle scrupuleusement les procedures et tenait-elle bien sa caisse ? L'important résidait là. Et à la rentrée scolaire, quand elle était passée en terminale, elle avait signé un contrat à durée indéterminée – ce qui, selon Belinda, constituait l'éloge suprême.

Brian avait tenu à nouer avec elle des liens d'amitié. Il passait la voir pendant ses pauses, l'interrogeait à l'occasion sur la ferme, sa famille, son petit ami, ses aspirations. Elle avait cru qu'il se conduisait ainsi avec tout le monde – de l'avis général, c'était un directeur qui mettait la main à la pâte et qui irait loin – et n'avait appris que plus tard qu'il avait jeté son dévolu sur elle. Parfois, à la sortie du travail, il se joignait à elle et à quelques autres employés à L'Abreuvoir – un petit plaisir qu'elle ne s'offrait qu'un vendredi sur deux. Carson ne venait jamais. « Trop de types cravatés », plaisantait-il. Elle s'y rendait quand même, désireuse de s'intégrer dans la mesure du possible. Tous évoquaient leurs objectifs de carrière, et elle avait reconnu un jour qu'elle ne rêvait absolument pas de finance, mais de médecine. Vétérinaire ou médecin, elle hésitait. « J'ai l'habitude de soigner tout et tout le monde, avait-elle dit. Mes sœurs, les chevaux, nos chats... J'ai aidé des animaux à mettre bas et, une fois, j'ai même fait des points de suture à notre poney. »

Brian avait tapé du poing sur la table.

« Dans ce cas, allez-y ! Ciblez ce que vous voulez, le moyen de le concrétiser, et lancez-vous ! »

Pourtant, il devait bien savoir que ce rêve n'était pas plus réalisable pour elle que pour les autres filles Powell. Meg remettait chacune de ses paies à ses parents, pour les aider à régler les dépenses alimentaires. Rêver d'études de médecine était tout aussi illusoire qu'essayer de voler en battant des bras.

Brian. Il avait si bien su la manipuler, le moment venu.

9

Assis dans un fauteuil en rotin, Carson observait Val et Marie-Louise, l'ambitieuse jeune Française que Val avait choisie comme agent immobilier. Elles examinaient des photos et des fiches de propriétés posées sur la table basse du patio de leur villa de Nettle Bay. Il aurait dû montrer le même enthousiasme que Val et il savait, aux regards qu'elle ne cessait de lui couler, que sa fiancée n'en pensait pas moins. Il regrettait de ne pas en être capable, de ne pas parvenir à se concentrer sur l'attitude idéale, la proximité des meilleures vagues, des aménagements tels que les piscines encastrées, les spas ou les pièces équipées d'écrans capteurs de brise. Mais son esprit agité ne cessait de vagabonder dans le passé, de revenir aux soirées où son père et lui, installés autour de leur table de cuisine carrée, avaient esquissé les plans d'un tout autre genre de nouvelle demeure, qu'il partagerait un jour avec une jeune fille d'un tout autre genre aussi.

Il revit une scène aussi nettement que si elle s'était déroulée la semaine précédente, et non vingt ans plus tôt : son père, dans la force de l'âge, vêtu du pantalon de serge épaisse et de la chemise de coton boutonnée jusqu'au cou qu'il portait toujours pour travailler dans la plantation ; le luminaire de la cuisine, une suspension de forme conique accrochée juste au-dessus du centre de la table, diffusant un cercle de lumière dorée sur leurs papiers étalés ; sa mère qui mettait à jour leurs registres, assise près d'eux au bureau. Dans sa tête, il entendait même l'air des Carpenters datant des années 1960 qu'elle fredonnait de sa voix de contralto. Et Meg, assise tout contre lui sur sa gauche. Le visage radieux, elle rejetait ses cheveux dans son dos. Elle souriait à l'avenir qu'ils dessinaient à l'aide d'une règle de bois et de crayons taillés avec un couteau.

S'imposa ensuite à lui une autre scène, des années plus tard, et on ne peut plus différente.

C'était le jour de son vingt-deuxième anniversaire, longtemps après leur rupture, des mois après le mariage de Meg, en 1989. George Pappas, un ami proche qui allait devenir son guitariste, avait emmené Carson déjeuner et boire quelques bières. Ils patientaient à un feu rouge dans la Chevelle brunasse de George, assourdis par Pearl Jam qui braillait sur la stéréo d'occasion. Carson n'avait pas tout de suite remarqué la voiture de sport rouge lustrée qui s'était arrêtée sur leur gauche. Quatre ou cinq – six ? – bières depuis le déjeuner l'avaient plongé dans le brouillard. Il ne savait plus très bien où il se trouvait, ni qu'il célébrait un anniversaire de plus sans Meg. Le premier depuis qu'elle s'était mariée, mais de toute façon, quelle importance ?

George tapota sur sa vitre.

« Dis donc, ce ne serait pas Meg. »

Carson se tourna à l'instant même où elle jetait un regard dans leur direction, la main pressée contre sa propre vitre. Ils s'étaient dévisagés comme si George ne s'était pas trouvé entre eux, comme s'ils n'étaient pas les passagers de deux voitures différentes, séparés par des fenêtres, des mots blessants et des vœux de mariage.

George avait entrepris de descendre sa vitre. Qu'imaginait-il ? Qu'ils allaient bavarder gentiment tous les trois ? Qu'elle souhaiterait un joyeux anniversaire à Carson et lui enverrait un baiser ? La flèche passa alors au vert, la Porsche démarra et tourna à gauche.

George siffla.

« Jolies roues, non, mon pote ? lança-t-il, tandis que le cabriolet s'éloignait et se fondait dans le crépuscule d'Ocala. Elle s'en est sacrément bien sortie.

— Va te faire foutre ! » répliqua Carson.

Un coup de coude de Val le ramena brutalement au présent.

— Carson, je crois que c'est la bonne !

Il effaça de son esprit le souvenir de Meg pour revenir au côté de la femme qui, selon toute vraisemblance, allait l'épouser.

— Ah oui ? Voyons voir.

Val lui passa la fiche de renseignements d'une charmante maison au toit bleu, dont la façade de stuc et les portes voûtées rappelaient l'architecture du sud de la Floride, d'influence antillaise. À moins que les maisons de Floride n'imitent celles de Saint-Martin, elles-mêmes influencées par le style français. Le cercle de la vie dans le domaine de l'architecture, version Caraïbes. De quoi tirer un reality-show.

— Celle-ci est située à Terres Basses, précisa Marie-Louise. Une demeure très *exclusive**.

Encore heureux, pour trois millions et demi de dollars ! songea Carson.

— C'est là que nous cherchions hier matin, lui rappela Val.

59

— Voici un panorama de la mer des Caraïbes pris de la piscine en pierre et du spa. Super sympa pour les *soirées** en amoureux, non ? commenta Marie-Louise avec un sourire doucereux. Et quand vous recevez – votre agent immobilier, qui sait ? –, vous disposez de quatre chambres d'amis et de trois salles de bains. Quant à votre cuisine, elle est *magnifique** !

Carson se retint de lever les yeux au ciel. Marie-Louise lui rappelait les femmes qu'il cherchait à éviter à tout prix. Elle ferait une hôtesse idéale dans son reality-show imaginaire. Il la vit faire visiter des propriétés antillaises à des couples fortunés, prête à bouter hors de l'île tout individu au revenu net inférieur à dix millions de dollars.

— Carson *adore* cuisiner. Pas vrai, Carson ? lança Val.

— « Adore » est peut-être un terme légèrement exagéré.

— Il fait son modeste... Il est génial aux fourneaux. Sa cuisine thaïe me tue ! Les hommes devraient se débrouiller seuls, non ?

— Bien sûr que oui, dit Marie-Louise. Ils doivent faire la cuisine, le ménage et rapporter des sous. Nous le faisons bien, non ?

— L'égalité, acquiesça Val.

— *L'égalité**, répéta Marie-Louise.

Les deux femmes se tournèrent vers lui.

— Je suis tout à fait d'accord. Je cuisinerai, et Val fera la vaisselle.

— Pas question !

Carson sourit.

— Parole de princesse du XIXe siècle, commenta-t-il.

Il connaissait d'avance la réaction de Val, dont les talents de cuisinière se réduisaient à verser des céréales dans un bol et du vin dans un verre. Cette petite carence faisait partie de son charme.

— La princesse de la Mer, déclara Marie-Louise.

Val reprit la fiche à Carson.

— Et cette maison ressemble à une retraite idéale de princesse. Qu'en penses-tu, Carson ? Tu veux la visiter ?

Il songea aux conséquences d'un « non » éventuel. Que se passerait-il s'il lui déclarait que la simple perspective de dépenser le moindre million pour une maison de vacances lui semblait ridicule, irréelle, contraire au sens de sa vie – même s'il avait du mal à définir exactement ce « sens » ? Il vit d'avance le sourire de Val vaciller, céder la place à la confusion face à ce comportement inhabituel à ses yeux. Jamais elle ne l'avait vu pessimiste, jamais elle n'avait été témoin de l'une de ses « crises philosophiques », ainsi que Gene qualifiait les phases d'introspection lugubre qui terrassaient Carson sans crier gare, de temps à autre. Il n'en avait pas souffert depuis la nouvelle du décès terriblement soudain de la mère de Meg en septembre, juste avant sa rencontre avec Val. Sa fiancée ne saurait pas davantage que faire de ce Carson-là qu'il ne le savait lui-même. Peut-être était-il injuste de l'épouser tant qu'elle n'aurait pas assisté à l'une de ces plongées dans la neurasthénie, dont il lui avait néanmoins parlé. Peut-être devait-il d'abord se dévoiler entièrement à elle.

D'un autre côté, ce mariage pouvait le débarrasser tout à fait de sa mélancolie, et leur permettre de nager dans le bonheur jusqu'à la fin de leurs jours. Il se leva et lui tendit la main.

— Bien. On y va.

Quelques minutes plus tard, il emprunta derrière les deux femmes le sentier dallé en bas duquel Marie-Louise avait garé sa Mercedes dernier cri. Le cadre hyperréaliste – le ciel des Caraïbes d'un bleu trop bleu, l'aspect artificiel des palmiers, trop parfaits pour être vrais, les arbustes taillés au millimètre, les éclairs projetés, chaque fois que Val remuait le bras, par la bague de diamants de soixante-dix-neuf mille dollars qu'elle portait à son annulaire gauche – ne correspondait en rien à ses aspirations de jeunesse. Et pourtant, tout cela existait bel et bien. S'il replaçait les divers événements ou décisions dans le long plan-séquence qui l'avait amené jusqu'à cette réalité-là, à cet instant-là, tout prendrait un sens. Il le fallait : il était trop blasé, trop fatigué de la vie de rock star pour ne pas en changer. La jeune fille débordante de vitalité qui le précédait, en short de jean délavé ultracourt et débardeur moulant rose, voulait l'épouser. Sans être exactement le genre de femme auprès de laquelle il avait songé jadis passer sa vie, elle n'en demeurait pas moins une alternative très séduisante. Par conséquent, sauf attaque cérébrale ou décès, ils reviendraient d'ici à quatre semaines sur cette île, lestés de leur attirail nuptial et de leurs parents et amis.

Il ouvrit la portière à Val. Peut-être qu'alors il parviendrait à tirer une bonne fois pour toutes un trait sur son passé.

10

Lorsque Kyle lui téléphona le samedi soir, Savannah prétendit être occupée par les célébrations familiales de l'anniversaire imaginaire de son père. Rachel lui avait montré comment bercer un garçon d'illusions au début, pour attiser son intérêt.

— Salut ! Je suis super contente que tu m'appelles, mais je ne peux pas te consacrer plus de dix minutes.

— C'est sympa que tes parents aient toujours envie de t'avoir près d'eux.

— Ouais.

Malheureusement, c'était loin d'être le cas. Le matin même, sa mère lui avait donné l'impression de vouloir se débarrasser d'elle le plus vite possible. Quant à son père, il avait passé tout le trajet en voiture jusque chez Rachel pendu à son portable.

— Qu'est-ce que tu fais ?

— Je pense à toi.

Elle augmenta un peu le son de sa chaîne, pour lui faire entendre un bruit de fond.

— Vraiment ?

— Grave ! Je pense à toi tout le temps. J'ai comme l'impression... qu'on est faits l'un pour l'autre. (Il rit.) Tu me prends pour un abruti, non ? Mais tu me bottes à un point incroyable. Je brûle de te rencontrer.

Elle essaya de ne pas montrer à quel point il la flattait, même s'il n'avait manifestement pas besoin d'être titillé. Il paraissait vraiment dingue d'elle. Quel soulagement ! Elle n'était franchement pas douée pour ce petit jeu de la séduction entre garçons et filles qui semblait relever d'une seconde nature chez ses amies.

— Moi aussi, j'ai hâte. Où me conseilles-tu de réserver une chambre ?

Ils parlèrent hôtels, puis il lui demanda si elle comptait louer une voiture à l'aéroport.

— Est-ce que j'y suis obligée ? C'est plutôt galère de conduire dans Miami, non ?

Surtout quand on n'a pas le permis nécessaire pour louer la voiture en question.

— Si, reconnut Kyle. D'habitude, je me fais véhiculer par un de mes frères. Comme tu voudras. On peut venir te chercher.

— Il y a peut-être une navette.

— Ou alors, tu peux pieuter avec nous chez mon frère. Si tu veux économiser un peu de sous.

— J'ai de quoi me payer un hôtel.

Elle était assez avisée pour ne pas prévoir de descendre, dans une ville inconnue, chez quelqu'un qu'elle avait rencontré sur Internet. Même s'il paraissait génial jusqu'à présent.

— Merci quand même.

Elle l'interrogea sur ses frères (il en avait deux, plus âgés que lui et qui « faisaient la fierté » de ses parents). Puis ils évoquèrent ce qu'ils pourraient faire à Miami, y compris bronzer seins nus, suggéra Kyle – dans la mesure où elle était pour, même s'il en doutait fortement. Il reconnut que ce n'était pas tout à fait légal. Mais les filles le faisaient quand même.

— Question d'envie..., poursuivit-il. De toute façon, tu es tellement superbe que tu ne dépareras pas sur la plage.

Superbe. C'était la première fois de sa vie qu'on lui adressait ce compliment.

Savannah le savourait encore lorsque Kyle ajouta :

— Je veux être sûr que tu as vraiment de quoi te payer ce voyage.

— Absolument, affirma-t-elle pour ne pas le contraindre à partager les frais alors qu'il n'en avait pas les moyens, vu son statut d'étudiant. J'ai des tonnes d'économies. Mes parents paient mes études.

63

Elle ne mentait pas. Ils payaient effectivement le lycée privé qu'elle fréquentait. Et ils paieraient la fac, le moment venu.

— L'argent ne me pose pas de problème, précisa-t-elle. Et toi ? Si tu en as besoin, je peux t'aider.

— Moi ? Oh non, ça va.

— Tu en es sûr ?

Elle avait l'impression qu'il essayait de lui cacher quelque chose.

— Je ne veux pas prendre ton argent. De toute façon, je dormirai chez mes frères. Ça ne me coûtera rien.

— D'acc. Mais je tiens à régler mes repas et le reste.

Il rit.

— Tu fais partie des filles libérées, pas vrai ? Ça me botte. J'admire l'indépendance. C'est pour ça que je n'accepte plus d'argent de mes vieux.

Il lui expliqua alors qu'il avait rompu les liens avec ses parents parce que leurs points de vue divergeaient.

— Heureusement que tu n'as pas à en arriver à de telles extrémités.

Sa force de conviction impressionna Savannah.

— Tu sais, mes parents ne me comprennent pas vraiment non plus, répondit-elle. Heureusement, si les choses tournent mal, je pourrai toujours vivre grâce à mon fonds fiduciaire.

Ce fonds faisait partie de l'organisation financière obsessionnelle de son père. Elle s'abstint bien évidemment de préciser à Kyle qu'elle n'y aurait pas accès avant ses dix-huit ans.

— Tu as de la veine, constata Kyle.

Ils bavardèrent encore pendant une ou deux minutes. Une fois de plus, il lui répéta qu'il avait hâte de la voir. Il était persuadé qu'ils étaient faits l'un pour l'autre.

— Je n'ai encore jamais éprouvé ça pour une fille, tu sais.

— Jamais ?

Elle en doutait, mais elle voulait le croire.

— Fais-moi confiance, tu n'es pas comme les autres. Tu es unique. Je le sens. Je le vois. Et je parie que je ne suis pas le seul. Que les autres types s'en rendent compte aussi

Quand Savannah raccrocha, elle irradiait littéralement. Elle alla le vérifier dans son miroir.

11

Le dimanche matin se passa mal. Après quinze heures éprouvantes, le travail de Christina Lang, âgée de quarante et un ans, s'était considérablement ralenti. Meg surveillait le moniteur fœtal de ses yeux plissés, la bouche réduite à une ligne sinistre dans son visage pâle. Le rythme cardiaque du bébé fluctuait depuis une heure et ne cessait à présent de baisser.

— Vous avez raison, dit Meg à voix basse pour n'être entendue que de Susan, la sage-femme. Je ne crois pas que nous ayons le choix. Préparez-la.

Elle se tourna ensuite vers la future mère trempée de sueur.

— Christina, vous avez fait des efforts extraordinaires, mais je pense que nous allons devoir prendre le relais. Votre col refuse de se dilater complètement. Je ne sais pas encore vraiment pourquoi, mais votre petit bonhomme est stressé. Je suis persuadée que vous êtes d'accord avec nous : il n'est pas question de lui faire subir des dégâts à long terme.

Le mari de Christina, Martin, un individu trapu dont l'entreprise paysagiste s'occupait du jardin de Meg et de ceux de nombre de ses voisins, exprima son inquiétude :

— « Prendre le relais » ? Vous voulez dire qu'elle ne peut pas accoucher naturellement ?

— Je suis désolée, répondit Meg. Ça valait le coup d'essayer, mais étant donné le ralentissement de son rythme cardiaque, le bébé doit souffrir.

Elle se tourna vers Christina.

— Dans certains cas, même les mamans les mieux préparées doivent se rabattre sur le plan B. Susan va s'occuper de vous. Je vous retrouve en salle d'opération dans quelques minutes.

Christina lui saisit la main.

— Il va bien ? Mon bébé, il va s'en tirer ?

— Oui, si nous le faisons vite sortir. Essayez de ne pas vous inquiéter.

— D'accord, acquiesça la femme. D'accord.

Le soulagement se lisait dans ses yeux.

Meg lui serra la main, puis sortit de la salle en donnant au passage une tape sur l'épaule de Martin. Dans le couloir qui la menait au bloc opératoire, elle se concentra sur la tâche qu'elle devait accomplir. Elle trébucha après le virage, juste avant d'atteindre la porte, mais retrouva aussitôt son équilibre et alla se préparer à mettre le bébé au monde.

Elle fit couler l'eau la plus brûlante possible afin de gratter méticuleusement les arêtes de ses ongles et les plis de ses mains. Elle regrettait d'avoir à se servir d'un scalpel, mais elle ne pouvait pas faire autrement. Elle attendait avec impatience l'instant où elle soulèverait le nouveau-né humide et glissant et le tendrait à l'infirmière, nouveau miracle tout chaud et palpitant d'énergie vitale. Si elle avait choisi l'obstétrique, c'était en raison de cette possibilité d'être régulièrement témoin du premier souffle d'un enfant : le plus merveilleux, le plus saisissant, le plus fantastique des événements. Chaque bébé en bonne santé symbolisait un univers de possibilités. Ces nouveaux êtres minuscules qu'elle aidait à venir au monde lui rappelaient la signification toute relative de sa propre vie et l'aidaient à oublier ses déceptions.

Keith, l'infirmier corpulent dont la propre épouse était sur le point d'accoucher de leur premier-né, ouvrit la porte d'une poussée.

— On est presque prêts. Et vous, doc ?

Elle s'aida des coudes pour refermer le robinet.

— J'arrive.

Il rentra à reculons dans la salle d'opération. Pendant qu'elle se séchait les mains, Meg jeta un regard par la vitre. Elle passa mentalement en revue la position du bébé, les anciennes cicatrices que présentait l'utérus de Christina, le temps écoulé depuis qu'elle avait pris la décision d'opérer. Les césariennes pratiquées d'urgence constituaient la partie de son métier qu'elle appréciait le moins ; les plus risquées de toutes les procédures, de par leur nature même. Il fallait placer les mères sous anesthésie, et les bébés en souffraient toujours. Malgré le savoir-faire de Meg, malgré son dévouement absolu à l'égard de ses patientes, ces opérations ressemblaient à des coups de dés. Elle ne se résignait à y recourir que lorsque la suite logique et routinière des événements s'inversait en une cascade d'incidents.

Elle entra elle aussi à reculons dans la salle pour garder les mains stériles et laissa un assistant lui passer sa blouse et ses gants. Au moment de tendre son bras droit, celui qui lui posait problème, elle le sentit à la fois légèrement raide et lent. Dès que l'assistant s'écarta, elle éleva ses deux bras au-dessus de sa tête et s'étira.

— Besoin d'une petite sieste ? lui demanda Clay Williams, le nouveau chirurgien qui allait l'assister. Susan m'a raconté que vous êtes restées debout toute la nuit pour ce bébé.

Meg s'approcha de la table au bout de laquelle il se tenait.

— Effectivement. Mais je pense que j'attendrai d'en avoir fini pour piquer un somme.

— Vous avez raison, c'est sans doute le meilleur protocole, plaisanta Clay.

Sa bouche était dissimulée derrière le masque vert pâle, mais son sourire se lisait dans ses yeux, de même qu'un intérêt mêlé de déférence qui surprit Meg. Essayait-il de flirter ?

— C'est vous, les pros, qui êtes le mieux placés pour juger, ajouta-t-il.

Il devait avoir quelques années de moins qu'elle. Ils n'avaient collaboré qu'à quelques reprises, s'étaient rencontrés à deux ou trois conférences, avaient bavardé de temps à autre avant ou après des réunions du personnel. Mais le petit doigt de Meg lui soufflait qu'elle lui plaisait.

— J'ai bien essayé la méthode opérer-en-dormant, répondit-elle d'un ton amical mais circonspect, mais elle ne donne pas les résultats escomptés par l'ordre des médecins.

— Les règles sont faites pour être rompues, répliqua Clay.

Faisait-il allusion au mariage ? Ou cette étincelle d'intérêt, ce ton suggestif n'étaient-ils que le fruit de son imagination ?

Ce fut Leo, l'anesthésiste, un homme d'âge mûr d'un grand sérieux, qui la ramena à la réalité.

— Elle est prête, lui dit-il.

Meg étudia de près la future mère à présent endormie, le tissu qui drapait le ventre de Christina badigeonné de béta-dine, le plateau d'instruments chirurgicaux à portée de main, afin de s'assurer que tout était bien en place.

— Quel est le dernier bpm[1] fœtal ? s'informa-t-elle.

— Quatre-vingt-un, juste avant qu'on la détache.

Rythme cardiaque très bas, mais pas vraiment critique, songea Meg. Elle adressa un signe de tête à l'équipe d'infirmières et de techniciens et aux deux néonatologistes rassemblés autour d'elle.

— Très bien, annonça-t-elle. Procédons à la naissance.

Au début, l'opération parut se passer correctement. Elle tendit la main vers le scalpel, le saisit sans problème, plaça la lame sur la peau de Christina, juste au-dessus de l'os pubien. Mais, d'un seul coup, son bras sembla se vider de toute son énergie. Le scalpel lui échappa, rebondit sur le bord de la table et atterrit par terre avec un bruit métallique. Meg leva les yeux, gênée et soucieuse. Un bébé était en train de souffrir. Son bras n'avait pas le droit de lui refuser sa coopération.

De la sueur perla à son front, trempa ses aisselles et ses paumes, à l'intérieur des gants.

— Quelle empotée ! murmura-t-elle.

— Hum... un autre scalpel fera l'affaire, dit Clay.

— C'est sûr, acquiesça Meg d'un ton qu'elle voulait décontracté.

Elle regarda sa main, posée pour l'instant sur le ventre de Christina gonflé par un bébé qui s'affaiblissait sans doute rapidement, et dut faire appel à toute sa concentration pour relever son bras et le replier contre sa poitrine.

Le technicien lui tendit un second scalpel.

— Allez-y.

Meg fixa des yeux la lame d'acier qui lui lançait des éclairs narquois sous les lampes. L'instant se prolongea en une éternité angoissante. Son bras refusait de lui obéir, de se tendre normalement. Il semblait lesté de plomb.

Saisissant son poignet de sa main gauche, elle recula en hâte. Les regards soucieux de tous les membres de son équipe pesaient sur elle.

— Docteur Williams, vous voulez bien prendre la suite ? J'ai... j'ai une crampe. Dans la main.

Clay vint se placer en hâte à côté d'elle et saisit le scalpel.

---

1. Battement par minute.

68

— Je... bien sûr, répondit-il. Merci de m'offrir cette occasion, ajouta-t-il, pour donner l'impression qu'elle mettait cet incident en scène afin de lui procurer sa chance.

Meg s'obligea à ne plus penser à son bras mais à la mise au monde critique du bébé de Christina et elle aida Clay à accomplir les gestes, relativement neufs pour lui. Il procéda rapidement, sans hésiter. Cependant, quand il extirpa le bébé, le drame leur sauta tout de suite aux yeux. Le petit garçon minuscule était parfaitement formé, mais tout gris. Clay le déposa, inerte, dans les mains de l'un des néonatologistes. En même temps, il adressa un coup d'œil très anxieux à Meg.

Bien que totalement effondrée, elle tenta de le rassurer.

— Vous avez procédé correctement de A à Z.

Derrière eux, le spécialiste et son équipe essayaient de ranimer le nouveau-né.

— On en termine avec elle, lança Meg.

L'accouchée demeurait sa priorité, même si les obstétriciens avaient du mal à s'en souvenir quand un problème se présentait avec le bébé.

— Oui, dit Clay. Vous voulez que je...

— Oui, chuchota-t-elle. Mon bras... (Elle ponctua sa remarque d'un froncement de sourcils au-dessus de son masque.)

— Pas de problème.

— Merci.

Simple spectatrice, elle se sentait impuissante dans tous les sens du terme. Que s'était-il passé ? Elle se remémora l'accouchement de Christina, les détails et les procédures de l'opération, repensa au rythme cardiaque problématique du bébé. Cependant, le coupable apparut sans l'ombre d'un doute dès que Clay eut extirpé le placenta et le reste du cordon ombilical : un nœud sur celui-ci.

Meg tendit sa main gauche.

— Merde ! s'écria-t-elle. Il a dû se former au début de la grossesse.

En de très rares occasions, un fœtus très actif se coinçait dans un nœud quand le cordon ombilical était d'une longueur inhabituelle, un problème qu'une échographie ne révélait pas toujours. Au moment de l'accouchement, le nœud qui, jusque-là, était assez distendu pour ne pas présenter de danger se resserrait et privait le bébé de sang et d'oxygène. Au cours des quelques minutes qui s'étaient écoulées entre le débranchement du moniteur et le geste de Clay pour sortir le bébé, ce dernier était mort. En silence. Il s'était éteint sans lutter. L'auraient-ils su qu'ils n'auraient eu aucun moyen d'intervenir ou de s'y prendre autrement. En dehors des... quarante-cinq secondes qui avaient suivi l'instant où Meg avait laissé tomber le scalpel. Clay lui donna un coup de coude et secoua la tête, comme s'il lisait dans ses pensées et voulait lui dire : ôtez-vous cela de l'esprit.

Elle se tourna vers le groupe de soignants aux épaules affaissées qui entouraient la table chauffante et ravala ses larmes.

Deux heures plus tard, Clay et elle se retrouvèrent seuls dans l'ascenseur. Ils gardèrent le silence, jusqu'au moment où il appuya sur le bouton Arrêt.

— Que faites-vous ? s'étonna-t-elle.

Clay lui redressa le menton pour l'obliger à le regarder.

— Vous n'y êtes pour rien.

Elle détourna les yeux.

— Comment le savez-vous ? Si je ne m'étais pas plantée avec mon bras...

— Vous ignoriez que vous alliez avoir une crampe à ce moment précis.

— Je savais que c'était possible. J'en ai eu une, la semaine dernière.

— Une. La semaine dernière.

Son soutien la réconforta, mais à vrai dire, elle avait eu un pressentiment au moment où elle s'habillait, et elle n'en avait pas tenu compte. À présent, un bébé était mort.

— Imaginons que nous soyons en mesure de revenir en arrière, continua Clay. Ce bébé aurait pu survivre. Je souligne bien « aurait pu ». Auquel cas il aurait très certainement souffert de graves lésions cérébrales, et il serait resté à la charge de ses malheureux parents jusqu'à la fin de leurs jours. Comme un légume, si vous voulez bien me pardonner la crudité de ce terme.

— Peut-être, admit-elle.

Elle essaya d'imaginer Christina et Martin s'efforçant de subvenir aux besoins d'un enfant handicapé en même temps qu'ils élevaient leur adorable Chloé, une petite fille de deux ans qu'elle avait également mise au monde par césarienne, sans le moindre problème. Meg vit leur bébé aux yeux vides, branché en permanence sur des tubes de perfusion et un respirateur artificiel, sans aucun avenir. On ne pouvait souhaiter pareille vie à personne.

Clay prit sa main droite, la massa doucement et plongea les yeux dans les siens.

— Vous savez bien que nous ne pouvons pas tous les sauver. Nous arrivons tout juste à nous sauver nous-mêmes.

Tacitement, elle comprit qu'il faisait allusion à l'inclination qu'il éprouvait pour elle, une femme mariée. Il lui disait qu'ils ne maîtrisaient pas davantage la mort que l'amour, ces forces mystérieuses qui attirent les êtres les uns vers les autres. Elle l'autorisa à soutenir son regard, et il lui prodigua l'aide et l'affection dont elle avait besoin.

Malheureusement, un tel instant ne pouvait pas durer.

— Je dois y aller, dit-elle.

Ses autres obligations de la journée s'imposaient à elle, lui rappelaient l'existence du monde extérieur à ce geste de tendresse, lui disaient qu'elle avait tort de s'y abandonner.

— Moi aussi, répondit Clay, sans pour autant lâcher sa main qu'elle n'essaya pas de dégager. Meg...

— Clay.

Il se décida enfin à interrompre cet instant, et s'inclina au-dessus d'elle pour faire repartir l'ascenseur. Dans une petite secousse, l'appareil reprit sa descente vers le rez-de-chaussée.

— Vous êtes un médecin exceptionnel, lui assura-t-il. Tout le monde le dit.

— Vous vous en êtes très bien sorti aujourd'hui.

La sonnerie qui marquait l'ouverture de la porte coulissante retentit. Meg plongea la première parmi les visiteurs venus en masse à l'heure du déjeuner.

— Essayez de profiter de la suite de votre week-end, lui lança-t-elle.

— Vous aussi, se contenta-t-il de répondre.

Elle s'éloigna de lui, de l'hôpital, de la paperasse, des parents en deuil qui l'avaient si gracieusement absoute de toute erreur professionnelle – pour le moment, du moins.

D'autres responsabilités pressantes l'attendaient : téléphoner à son père pour annuler leur dîner, aller chercher Savannah à la sortie du match qu'elle avait raté. Corvée supplémentaire, Brian lui avait demandé, par le biais d'un texto envoyé depuis le terrain de golf, de passer acheter une bouteille de Moët et Chandon pour un de ses amis qui venait de se fiancer. S'apitoyer sur son sort – surtout en compagnie de Clay Williams – était un luxe qu'elle ne pouvait se permettre.

12

Rachel et Savannah se baignaient dans le spa à côté de la piscine, tandis que Meg préparait un sandwich à la dinde derrière le plan de travail en granit noir de sa cuisine, si brillant qu'il lui renvoyait son reflet : celui d'une femme lasse, au front creusé d'une ride profonde entre les sourcils. Elle appuya un doigt sur cette ride et tira sur ses joues pour effacer son expression sinistre. Il y eut une légère amélioration. Elle songea néanmoins qu'il faudrait remplacer le granit par un matériau mat. Ce machin étincelant était de toute évidence destiné aux joyeuses ménagères qui mixaient, pétrissaient, dosaient des cuillerées, hachaient et faisaient sauter des ingrédients en sifflotant, sans autre préoccupation que la préparation d'un repas savoureux. Un plan de travail n'aurait pas dû rappeler à une femme ses tensions et ses erreurs. Posséder une si belle cuisine était déjà assez pénible quand on éprouvait la vague, quoique omniprésente, culpabilité de ne pas vraiment s'en servir.

Par les portes ouvertes du patio, elle entendait les rires des filles et les sonneries de leurs portables, qui ne restaient jamais silencieux plus de quelques minutes. De la main droite, elle se concentrait sur sa tâche : tartiner de mayonnaise une tranche de pain complet. Elle enfonça le couteau dans le pot, en sortit une petite boule et l'étala du bout de la lame, qu'elle fit aller et venir sans le moindre signe de faiblesse.

— Saleté ! marmonna-t-elle.

La vibration de son portable, dans la poche de son pantalon de lin blanc, la fit sursauter. Elle lâcha le couteau, sortit l'appareil et prit l'appel, car l'écran indiquait le nom de sa sœur, Kara.

— Salut, petite sœur, répondit-elle d'un ton délibérément normal, identique à celui qu'elle avait employé en allant chercher les filles.

Une menteuse professionnelle, voilà ce qu'elle était.

— Tu l'as vu ? lui demanda Kara.

— Vu *quoi* ?

— Le faire-part officiel des fiançailles de Carson. Quoi d'autre ?

Pas étonnant que Kara fût dans tous ses états. Elle avait suivi la carrière et la vie de ce dernier comme une groupie, tout comme elle pistait autrefois Meg et Carson à travers prairies et collines.

Meg se pencha pour ressaisir le couteau.

— J'ai vaguement vu quelque chose sur le site Internet de CNN. C'est de ça que tu parles ?

— Non, non, pas de ça. Le journal d'Ocala publie le faire-part officiel.

— Comment le sais-tu ?

Kara vivait désormais dans le nord de la Californie, près de la base aérienne de Travis où son mari, Todd, sergent-chef à trois ans de la retraite, achevait son ultime engagement.

— Je l'ai lu en ligne. Sinon, comment veux-tu que je me tienne au courant des nouvelles de la maison ?

Bien qu'ayant déménagé quatre fois depuis son départ de Floride, en 1992, Kara considérait toujours Ocala comme « la maison ». Elle avait confié à Meg qu'elle essayait de convaincre Todd d'y retourner quand il quitterait l'armée. Elle voulait créer une pépinière. Elle avait tout prévu et était persuadée de réussir son coup. De toutes les filles Powell, Kara était celle qui ressemblait le plus à leur père.

— J'ai cru que tu étais médium, plaisanta Meg.

— J'aimerais bien ! Ça m'éviterait d'avoir à fureter partout pour me tenir au courant de la vie des gosses. Ils sont loin de tout me raconter ! Enfin, je peux au moins lire les nouvelles... Tu dois absolument voir ça. Tu reçois bien le journal, non ?

— Oui. Mais je ne l'ai pas encore lu.

— Tu ne l'as pas lu ? Bon sang, il est seize heures trente ici ! Qu'est-ce que tu as fichu de ta journée ?

Cette question innocente de Kara se planta comme un pic à glace dans le ventre de Meg, mais elle s'obligea à garder son calme.

— J'ai eu un accouchement qui a duré toute la nuit et toute la matinée ; et, cet après-midi, Savannah avait un match de soft-ball. Je peux enfin souffler cinq minutes pour préparer un sandwich et m'asseoir.

— Ne t'assois pas tout de suite. Trouve d'abord le journal.

Pendant que Meg allait chercher ledit journal dans le petit salon où l'avait laissé Brian après avoir jeté un coup d'œil à la une et à la rubrique des sports, Kara lui demanda comment se portait leur père.

— Tu ne lui as pas parlé ? demanda Meg.

— Pas depuis deux semaines. Il nous en veut de ne pas pouvoir venir lui rendre visite cet été. Je te parie qu'il filtre ses appels. Mais je sais qu'il va bien, sinon tu m'aurais appelée.

Normal : Meg était chargée de diffuser les informations. Elle avait toujours tenu ce rôle. Ses parents lui avaient confié la responsabilité de ses sœurs, et à présent ses sœurs la chargeaient de s'occuper de leurs parents – de *leur parent*, désormais. Comme de coutume, elle devait tenir tout le monde au courant de tout.

— Il va bien. Il s'installe. Son rein gauche le tracasse.

— Il se nourrit correctement ? Franchement, il est tellement têtu ! C'est quoi, cette histoire de rein ?

Meg sortit du journal la rubrique « Art de vivre », dans laquelle étaient publiés chaque week-end les faire-part de fiançailles et de mariage.

— Je ne sais pas bien. Je lui ai dit d'appeler le néphrologue.

— Toujours tes grands mots ! la taquina Kara.

Malgré sa vive intelligence, elle n'avait pas fait d'études supérieures, ayant épousé Todd à dix-neuf ans, trois ans après l'avoir rencontré au mariage de Meg où il garait les voitures pour se faire quelques dollars avant d'entamer ses classes. Quatre enfants – rien que des garçons – avaient suivi. Meg espérait que Kara concrétiserait son désir de revenir en Floride. Sa sœur et amie la plus proche, en dehors de Carson, lui manquait. Elle s'était également rapprochée de Beth. En fait, elle avait désormais les moyens de sauter dans le premier avion pour rendre visite à ses sœurs, à condition d'en avoir le temps. Or le temps jouait aussi bien à cache-cache que Savannah dans les grands magasins quand elle était petite, et se refusait obstinément à elle.

Meg regagna la cuisine.

— Très bien, dit-elle. J'ai le journal. Section « Art de vivre », j'imagine ?

— Ouvre à la page deux.

Meg trouva tout de suite l'annonce : *Lauréat d'un Grammy Award, Carson McKay va épouser Mlle Valerie Haas, de Malibu, Californie*, précisait la légende, sous la photo des fiancés. Meg referma le journal.

— Alors ? lança Kara. Tu ne le trouves pas mignon ?

— Plus que ça, reconnut Meg.

Elle termina le sandwich, reprenant le couteau et coupant sans difficulté les tranches de pain.

— Jamais je ne l'aurais imaginé avec une surfeuse profes-sionnelle, poursuivit Kara. Tu as déjà entendu parler d'elle ? Tu te rends compte, ils disent qu'elle a vingt-deux ans ! Et lui, ça lui fait combien ? Quarante ?

Une surfeuse professionnelle ? songea Meg. Elle savait à peine que ce genre de métier existait, surtout pour une femme.

— Pas encore. Il a trente-neuf ans jusqu'en novembre.

Elle fêterait elle-même son trente-neuvième anniversaire fin juin.

— Je me demande ce qu'ils vont imaginer pour célébrer ses quarante ans. Ils loueront sans doute une île pour donner une fiesta à laquelle ils convieront leurs cent plus proches amis.

Cette remarque fit surgir à l'esprit de Meg une vieille image de Carson : assis sur le vieux pneu qui leur servait de balan-çoire, il se retenait à la corde épaisse qu'ils avaient utilisée pour le suspendre à une branche haute d'un chêne, près de l'étang où ils nageaient. Les jambes pendantes, Carson s'inclinait en arrière pour tourner paresseusement sur lui-même. Depuis l'ombre projetée au pied de l'arbre, Meg le regardait faire.

« Pour ton quarantième anniversaire, lui avait-il promis, je t'emmènerai faire un safari en Afrique.

— Vraiment ? avait-elle répondu, plus intéressée par le spectacle de son dos nu que par la perspective d'un événement qui ne se concrétiserait pas avant une vingtaine d'années.

— Ouais. Tu peux compter sur moi.

— Et pour tes quarante ans ? avait-elle demandé.

— La Thaïlande, pour les crevettes à la citronnelle. »

Il avait alors laissé le pneu se balancer, scrutant les feuilles du chêne comme si leur avenir était peint dessus, et que chaque surface dentelée présentait en avant-première des épisodes de leur existence future.

Kara éclata de rire.

— Mon Dieu ! Dix-sept ans.

Meg crut, l'espace d'une seconde, que sa sœur parlait du temps écoulé depuis ce jour-là. Pas dix-sept ans, songeait-elle. Vingt – non, vingt et un. Puis elle se rendit compte que Kara calculait la différence d'âge entre Carson et sa fiancée. La réflexion selon laquelle il les prenait au berceau se justifiait : sa future épouse faisait sans doute ses premiers pas le jour où Carson lui avait promis, à elle, de l'emmener en safari.

— Si ça le rend heureux, dit Meg, désireuse de clore ce chapitre. Parle-moi de tes projets pour la pépinière.

— Essaierais-tu de changer de sujet ? Voyons, Meggie, tu as eu ta chance et tu l'as laissée passer.

— C'est vrai, reconnut Meg.

Ni elle ni ses parents n'avaient jamais avoué à Kara, Beth ou Julianne, la cadette, la vérité sur les raisons qui avaient provoqué sa rupture avec Carson.

Kara soupira.

— Dieu du ciel, si j'avais su qu'il deviendrait célèbre, je l'aurais harponné, tu peux me croire ! Mais je n'ai rien contre Todd, tu sais.

— Bien sûr.

— Bref, on a foiré toutes les deux avec ce bon vieux Carson. On doit s'y faire. Mais la vie est belle, non ? J'ai Todd et les garçons, et tu as Brian et Savannah. Tu n'échangerais ta fille contre rien au monde, y compris contre un enfant de Carson.

— Non, acquiesça Meg, même s'il était tout à fait possible que les deux enfants auxquels faisait allusion sa sœur – Savannah et un enfant de Carson – ne soient qu'une seule et même personne. Kara ne se doutait évidemment pas que Savannah n'était peut-être pas de Brian. Encore moins que Meg avait vu Carson le matin de son mariage, et qu'elle n'avait pas réussi ensuite à refermer la porte derrière elle aussi solidement qu'elle l'avait espéré.

— Tu vas bien ? Je te trouve un peu ronchon. Tu devrais peut-être faire un somme. Si seulement je pouvais m'en accorder un ! Je voudrais que tu voies l'état de ma cuisine. Keiffer et Evan pourraient au moins ôter de leurs assiettes la maquette en terre glaise du mont Doom et les mettre dans l'évier, non ? J'ai intérêt à y aller. Tony s'époumone et Todd est dans le garage.

Le joyeux désordre du foyer de sa sœur fit sourire Meg.

— Merci d'avoir appelé.

— Dis à papa de me téléphoner. Bises à tout le monde de ma part, conclut Kara avant de raccrocher.

Meg resta plantée là une minute, le combiné à la main, submergée par un sentiment de mélancolie et de perte. Kara, Beth et Julianne lui manquaient, mais au moins elles étaient encore de ce monde. Accessibles au prix d'une demi-journée d'avion. Alors qu'elles avaient à jamais perdu leur mère, emportée si subitement que Meg décrochait parfois le téléphone avant de se le rappeler. Comment une fille – d'accord, une femme – pouvait-elle se débrouiller sans sa mère ? Les carnets lui ouvraient des fenêtres sur le passé de la sienne, mais de quelle manière s'y prendre, aujourd'hui qu'elle avait besoin d'un bras protecteur autour de ses épaules ?

— Oh, maman, soupira-t-elle. Est-ce que ça pourrait être pire ?

Tard ce soir-là, le silence absolu qui régnait sur la véranda grillagée plongée dans le noir apporta à Meg un maigre réconfort. Installée dans un transat, elle sirotait un gin sec. Brian et Savannah dormaient tous les deux depuis des heures, alors qu'elle n'avait même pas encore envie de fermer les yeux. Et pourtant, elle était fatiguée. Si lasse qu'elle ne parvenait même pas à calculer depuis combien d'heures elle n'avait pas dormi. Ses pensées, tourbillonnantes et tumultueuses comme les rapides d'une rivière, l'empêchaient de trouver le sommeil.

Depuis sa prime enfance, sa mère, cadette d'une famille de huit enfants dont le père était mort en Normandie, avait été la proie de tourments. Adulte, elle les avait en quelque sorte épousés : le père de Meg, roi des amateurs, passait son temps à se lancer dans des projets à moitié aboutis qui échouaient systématiquement. Il avait commencé par une plantation d'agrumes, comme celle des McKay, mais dont les milliers de jeunes plants avaient été détruits la seconde année par une maladie qu'il ignorait comment soigner. Puis il avait acquis le terrain qui leur servirait plus tard de haras, sur lequel il avait fait bâtir une serre gigantesque, où il comptait produire des orchidées rares destinées aux collectionneurs. Pourtant, ni lui ni sa mère, qui devait désormais élever Meg en plus, n'avaient su cultiver ces plantes onéreuses et capricieuses, et celles-ci avaient dépéri à une vitesse inversement proportionnelle au fleurissement de leurs dettes.

Juste avant la naissance de Kara, alors que Meg avait cinq ans, ils avaient abandonné ce rêve, revendu à perte tout le bazar des orchidées et construit des écuries, dans le but non seulement d'héberger, mais aussi d'élever des pur-sang, son père étant convaincu que ni les chevaux ni leurs éventuels acheteurs ne resteraient insensibles à sa force de persuasion. Ses rares succès l'avaient simplement conduit à engloutir plus d'argent dans cette entreprise ; et, à la naissance de Julianne, en 1976, neuf ans après Meg, la famille était pieds et poings liés à son obsession la plus durable.

Meg se souvenait des nombreuses fois – des saisons entières, en fait – où leurs repas, à ses sœurs et elle, se réduisaient à du pain et de la confiture, ou à des œufs pondus par leurs poules caquetantes et versatiles. Elles portaient des chaussures d'occasion et des vêtements achetés aux puces le samedi matin. Très tôt, elles avaient appris à répondre aux

78

créditeurs que leurs parents étaient occupés et à leur demander poliment de laisser un message. Meg avait servi de coach à ses sœurs, alignées par ordre décroissant devant elle comme des marches d'escalier. Tour à tour, elles s'entraînaient au téléphone. Elle-même devait avoir douze ou treize ans à l'époque. « Montre-leur comment s'y prendre, lui avait ordonné sa mère. Tu sais que Julianne adore se précipiter sur le téléphone. » À trois ans, Julianne était la meilleure élève de Meg : elle était heureuse de l'imiter, d'obtenir ses félicitations, alors que Kara et Beth lui posaient des questions auxquelles elle était incapable de répondre, mais qu'elle se gardait bien de transmettre à leurs parents : « Pourquoi les gens arrêtent pas d'appeler, Meggie ? », « Pourquoi c'est pas papa ou maman qui répond au téléphone ? »

Son père ne prenait les choses en main que lorsque des individus costauds – toujours mal fagotés – se présentaient. Depuis la fenêtre de sa chambre, Meg regardait ces inconnus repartir. Tout sourires, son père les raccompagnait à leurs breaks plus ou moins délabrés et leur serrait la main. Il leur faisait des promesses douteuses, dont une, des années plus tard, avait abouti à son engagement à elle.

Meg pouvait difficilement comparer sa vie privilégiée de femme adulte avec la folie que sa mère avait dû subir pendant d'aussi longues années, mais elle se plaisait à penser qu'elles avaient le même caractère posé. Aussi loin que remontaient ses souvenirs, elle avait, comme Anna, affronté toutes les crises qui se présentaient en se disant que des solutions allaient sans nul doute apparaître – avec l'aide providentielle de la Sainte Vierge, bien évidemment, comme voulait le lui faire croire sa mère. Elle avait donc tout subi, trop occupée à veiller sur ses sœurs, à nourrir les poulets ou à étriller la succession de chevaux qui, d'après son père, étaient forcément de futurs vainqueurs du grand steeple-chase en devenir, si bien qu'on ne pouvait en faire quoi que ce soit d'autre.

Ce soir, le grésillement des grillons, à l'extérieur de la véranda, évoquait la chance, un ingrédient dont elle manquait cruellement pour l'instant. Mais elle refoula aussi vite qu'il avait surgi cet accès d'apitoiement. Elle n'avait aucun droit de se lamenter sur son sort, et elle s'interdit cette tentation : en dehors des graves problèmes médicaux qu'elle devait affronter de temps à autre dans l'exercice de son métier, elle était responsable de tout dans sa vie, du bon comme du mauvais.

C'était grâce à ce trait de caractère qu'elle avait pu sauver ses parents de la faillite qui leur pendait au nez, et permettre à ses sœurs de continuer de vivre à la ferme, au lieu de s'entasser dans un minuscule appartement infesté de cafards. Grâce à lui qu'elle n'avait pas cherché à savoir avec certitude qui était le père de Savannah. Grâce à lui qu'elle était un médecin apprécié, respecté et qu'elle tempérait sa culpabilité quand les choses tournaient mal, y compris si elle n'avait pas commis d'erreur. Meg se montrait toujours méticuleuse, réfléchie, même lorsqu'elle ne le souhaitait pas. Enfin, presque toujours.

Mais de la même manière que sa mère n'était pas parvenue, malgré ses vaillants efforts, à préserver leur famille d'une ruine certaine avant que sa fille aînée n'épouse Brian, ses propres efforts n'avaient pas suffi ce matin à sauver le bébé des Lang. Et ils ne lui avaient pas non plus apporté la vie satisfaisante qui, dans son esprit, allait de pair avec son mariage. On pouvait travailler dur, suivre toutes les règles au pied de la lettre, et échouer quand même.

Du coup, elle se demanda pourquoi elle se donnait autant de mal.

La tiède brise nocturne faisait dériver jusqu'à elle le parfum doux et musqué des fleurs de chèvrefeuille qui se fanaient. Meg ferma les yeux pour repousser ses réflexions pénibles, le souci que lui causait son bras, la culpabilité provoquée par la perte du bébé des Lang, et son bizarre détachement lorsqu'elle avait autorisé Clay à lui faire la cour. Elle se laissa tout simplement envahir par les cadeaux sensuels de la nature : la chaleur de la nuit printanière, l'odeur sucrée des fleurs, les parfums de terre humide, de menthe sauvage et d'herbe fraîchement tondue.

Cette herbe la ramena un instant à une réflexion de Brian. Quand elle lui avait parlé de l'enfant mort-né, il avait bien évidemment manifesté de la sympathie. « C'est vraiment épouvantable pour eux, avait-il commenté, avant d'ajouter dans la foulée : Je ne voudrais pas paraître insensible, mais, à ton avis, est-ce que Lang va continuer à tondre notre pelouse ? »

Toujours l'esprit aussi pratique.

Un oiseau moqueur, qui avait manifestement perdu le sens de l'heure, entama sa litanie d'appels, quelque part à l'est. Meg se tourna dans cette direction, comme si elle pouvait l'apercevoir, à trois heures du matin. Seules se dessinaient les silhouettes majestueuses des pins, des chênes et des magnolias de la résidence. Elle se demanda si l'oiseau n'essayait pas, lui aussi, de se débarrasser des stigmates d'une mauvaise journée : une insulte de son compagnon, une blessure contractée lors d'un vol trop impétueux. Peut-être devrait-elle aussi chanter, en dépit de l'heure ? Chanter faisait du bien à Savannah. Et cela devait également fonctionner pour Carson.

Elle releva ses jambes nues et les enveloppa de ses bras. Allez savoir pourquoi, tous deux fonctionnaient normalement. Le menton posé sur les genoux, elle laissa divaguer ses pensées autour de Carson et de son mariage imminent.

Meg avait sans doute intérêt à satisfaire sa curiosité et à prendre connaissance des détails – voire à leur envoyer un cadeau. Cette Valerie Haas ne pouvait être qu'exceptionnelle, si Carson, lui, le parti rêvé, avait enfin décidé de mettre un terme à son célibat prolongé.

Quand elle disposerait des renseignements sur son mariage et sur sa fiancée, son esprit cesserait de vagabonder et elle pourrait enfin clore ce chapitre de sa vie. N'était-il pas de toute façon resté trop longtemps ouvert ?

Carson, marié. Amoureux. C'était une bonne chose, même si Meg en éprouvait un élancement douloureux de possessivité. Même si l'imaginer à jamais lié à une autre lui faisait l'effet d'une pierre aiguisée posée sur son cœur.

13

Le lundi, Meg emporta l'un des cahiers à son cabinet pour le lire pendant sa pause déjeuner.

5 décembre 1987
Aujourd'hui, à la coopérative, Carolyn et moi avons parlé des enfants. Carson songe à acheter une bague à Meggie pour Noël. Il ne lui en a rien dit. Un mariage entre ces deux-là serait la chose la plus naturelle du monde. D'après Carolyn, il aimerait célébrer ça en avril, car Meggie adore le printemps. En toute honnêteté, ce serait pour elle le moment idéal pour emménager avec Carson, parce que si la situation continue à s'aggraver au rythme actuel, nous aurons perdu la ferme d'ici le mois de mai.

Bien entendu, les choses avaient tourné autrement, songea Meg. C'était Brian qui l'avait – en quelque sorte – demandée en mariage deux semaines avant Noël, une période de l'année où le caractère sentimental de son geste ne pouvait manquer de la toucher.

Il n'était plus son supérieur depuis plusieurs mois, mais elle le voyait souvent. Au début de l'automne, il lui avait confié qu'il abandonnait volontairement la direction pour les investissements, a fin de se laisser le champ libre pour sortir avec elle. Il ne se montrait pas pressant et il lui assurait que son refus ferme de lui accorder autre chose qu'un déjeuner platonique de temps à autre n'avait aucune répercussion sur son travail. Jamais elle ne lui permettait de payer l'addition.

Avait alors eu lieu un déjeuner très différent des autres.

Ils s'étaient rendus Chez Margot, un établissement que Meg n'avait pas les moyens de fréquenter. « Une prime de Noël… mon petit cadeau », lui avait-il dit. Le restaurant était décoré pour les fêtes. Au-dessus de chaque seuil de porte étaient suspendus des guirlandes de houx, des ampoules blanches clignotantes et des nœuds de velours rouge foncé. Dans l'intimité d'une table à l'écart, drapée d'une nappe au blanc immaculé, Brian lui avait annoncé qu'il avait une proposition

82

déroutante à lui faire. Acceptait-elle seulement de l'écouter et de lui promettre d'y réfléchir ?

« Meg, avait-il commencé, récemment, un vendredi où vous n'étiez pas à L'Abreuvoir, j'ai appris à votre sujet quelque chose qui m'a impressionné. En général, je ne prête guère attention aux cancans, mais bon... Vicky a raconté à Marc que vous remettiez la totalité de votre paie à vos parents pour les aider à régler leurs factures, et ce, depuis que vous avez commencé à travailler chez nous. »

Elle s'était sentie rougir. Vicky n'était censée divulguer ce secret à personne, et surtout pas quand quelqu'un comme Brian risquait d'en avoir vent. Les difficultés de sa famille l'embarrassaient et nuisaient à son image.

« C'est vrai, avait-elle reconnu, ils ont des problèmes d'argent. Un des étalons s'est fracturé une jambe, alors...

— Ne vous méprenez pas : je vous admire. Quelle générosité de votre part ! Quel dévouement ! De nos jours, un enfant prêt à se sacrifier pour aider ses parents est une denrée plutôt rare. »

Meg avait haussé les épaules.

« C'est mon devoir, dans la mesure de mes moyens. »

Ce choix s'imposait à elle, aussi simple et évident que le fait de respirer.

« Et vous êtes également dévouée à la banque. Vous travaillez pour nous depuis combien de temps ? Deux ans ? Sans parler de votre loyauté à l'égard de votre petit ami – même si, personnellement, celle-ci m'enchante moins ! » précisa-t-il sur le ton de la plaisanterie.

Les remarques de Brian la gênaient toujours, mais elles la flattaient aussi. Du coup, elle avait l'impression de manquer, justement, de loyauté. Ses joues la brûlaient de plus en plus.

Brian avait pris sa main dans les siennes. Des mains fraîches et lisses de col blanc.

« Non seulement je vous admire, mais je vous aime beaucoup, Meg, vous le savez. Vous travaillez dur, vous vous occupez de votre famille, et vous êtes absolument ravissante. Ça fait un bail que nous nous connaissons. Notre collaboration a été parfaite, nous nous entendons bien, et je sais que ça va vous paraître dingue, mais je veux vous aider à vous en sortir. Vous devez m'accorder une chance, Meg. Et vérifier si nous pouvons nous entendre, ce dont je suis déjà persuadé. Si vous acceptez, j'aimerais que vous envisagiez de m'épouser. »

Elle avait vraiment cru avoir mal saisi.

« Vous voulez *quoi* ?

— Si vous acceptiez, papa et moi serions en mesure de régler le problème d'hypothèque de vos parents. (Il leva une main pour l'empêcher de protester.) Je sais bien, on dirait que je veux vous acheter ; mais considérez plutôt ma proposition comme une incitation, comme une prime.

— Comment savez-vous qu'ils ont une hypothèque ? »

Elle-même n'était que vaguement au courant des tractations financières de ses parents.

« Ils l'ont prise chez nous, répondit Brian. Ils l'ont refinancée il y a deux ans. J'ai demandé à mon père de ne pas engager la procédure de saisie tant que je ne vous aurais pas parlé... Meg, avait-il ajouté en s'inclinant vers elle, les yeux plongés dans les siens. Ne croyez pas que j'aie perdu la tête. Je sais ce que je veux, c'est tout. Nous formerions vraiment un beau couple, j'en suis persuadé. Vous croyez peut-être aimer Carson et, d'une certaine façon, c'est sans doute vrai. Mais de quoi s'agit-il ? D'une amourette d'adolescence, du genre qui ne dure jamais. Il vous aide à échapper à une vie stressante, au surmenage, mais vous n'auriez plus besoin de cet exutoire – de lui. Vous pourriez résoudre les problèmes de votre famille. Vous deviendriez une héroïne. »

Sur ce, il l'avait embrassée. Elle s'était laissé faire, beaucoup trop abasourdie pour émettre une objection.

« Dites-moi que vous allez y réfléchir. »

Elle y répugnait, mais comment aurait-elle pu refuser ?

Brian lui avait dit qu'elle ne pouvait pas parler de sa proposition à Carson. Personne ne devait être mis au courant, en raison du « financement créatif » qui serait alors mis en place. De toute façon, elle n'avait pas vraiment envie de se confier à Carson. Cette situation avait quelque chose de scandaleux, d'invraisemblable. Et pourtant, elle était soudain en mesure de déclencher l'étincelle qui porterait chance à sa famille. Qui changerait, peut-être, son destin.

Elle devait sauver les siens si elle en avait la possibilité. Cela s'imposait. La morale l'exigeait. En choisissant Brian, Meg éviterait à ses sœurs d'avoir à souffrir d'une réputation familiale en constante dégradation. Elle pourrait leur faire gravir un échelon dans la société qui leur permettrait de ne pas être regardées de haut pendant leurs études et de ne pas devoir consacrer leur temps libre à gagner de quoi subvenir aux besoins de la maisonnée. Débarrassés de cette dette monstrueuse, ses parents disposeraient de l'argent nécessaire à diverses activités : Kara pourrait se rendre à Mexico avec le club hispanique du lycée ; Beth prendre des leçons de piano ; Julianne avoir les bottes d'équitation, la selle anglaise et les barres de jumping réglementaires grâce auxquelles elle pourrait s'entraîner et participer à des compétitions. Les filles seraient correctement vêtues.

Mais surtout, Meg désirait offrir à sa mère de dormir des nuits entières, au lieu d'errer dans la maison telle une âme en peine. Comment pouvait-elle s'accrocher égoïstement à Carson en regardant les siens s'enfoncer dans la spirale de la misère – privés de la propriété qui leur offrait, à défaut d'autre chose, un morceau de ciel, un chêne à la ramure ébouriffée, et ce sentier menant à la mare à laquelle venaient s'abreuver, le matin, de superbes chevaux ?

Elle avait donc accepté, prête à accorder honnêtement sa chance à Brian, dont la remarque à propos des amours adolescentes n'était pas totalement dénuée de fondement. Aujourd'hui encore, elle ne pouvait, en théorie, la contester. Mais dans la vie réelle, la réponse qui lui avait paru si nette et évidente à l'époque de cette demande en mariage s'était obscurcie au fil du temps. Elle aimait bien Brian, elle appréciait ses nouveaux horaires de travail grâce auxquels elle se rendait trois fois par semaine au lycée de Gainesville, elle était ravie de visiter grâce à lui des villes comme New York, Porto Rico ou Washington. Mais Carson lui manquait autant que sa main droite si on la lui avait coupée pendant son sommeil. Elle avait été en quelque sorte contrainte d'épouser Brian, et sa décision lui avait inspiré une telle culpabilité qu'elle en avait physiquement souffert, comme si quelque chose avait obligé son cœur affaibli à battre encore. Elle n'était pas parvenue à comprendre comment une décision aussi juste sur le papier avait pu être source d'un tel mal-être.

Désormais, cela était plus clair.

Sans toucher à son sandwich, elle lut le passage que sa mère avait rédigé le jour où elle avait épousé Brian :

20 août 1989

Je suis épuisée, mais nous avons eu un temps splendide pour le mariage. Heureusement que la climatisation du country club n'est pas tombée en panne, sinon nous nous serions tous écroulés avant minuit. Spencer était dans son élément, avec tous ces spécialistes des chevaux...

Une profusion d'orchidées blanc crémeux, de roses rouges et de rubans de satin blanc... mais rien ne pouvait rivaliser en beauté avec Meggie. Quatre mille dollars, rien que pour sa robe ! Quelle splendeur ! Ce style bustier qu'on voit dans tous les magazines, haut en satin tout simple, jupe entièrement incrustée de perles et de minuscules cristaux. Et cette traîne ! Je n'en reviens toujours pas. Un cadeau de Nancy Hamilton, la grand-mère de Brian. Alors comment aurait-on pu refuser ? Ils traitent tous notre aînée comme une reine. Spencer a tenu à ce que nous payions les robes des filles, et elles aussi ressemblaient à des princesses. Beth et Julianne se sont endormies dans la voiture cinq minutes après notre départ de la réception, et je suis prête à parier que Kara ne va pas non plus faire long feu. Voilà une demi-heure qu'elle parle au téléphone avec un garçon qu'elle a rencontré là-bas. Je suis encore beaucoup trop excitée pour me coucher, mais j'ai bien l'intention de dormir jusqu'à huit heures du matin. Les chevaux ne mourront pas de faim s'ils prennent leur petit déjeuner un peu plus tard que d'habitude.

Meggie avait l'air heureuse. Un peu hébétée, mais quelle mariée ne l'est pas ? Je dois dire qu'on l'a bien éduquée. Elle a un maintien impeccable. Personnellement, je ne pourrais jamais supporter d'être le centre de tant d'attentions.

En fait, je redoutais surtout que les gens se rendent compte, rien qu'à nous regarder, que nous n'avons presque pas participé à l'organisation du mariage. Si ce célèbre entraîneur de Preakness n'avait pas acheté Veinard, le bébé de Spencer, la semaine dernière, nous n'aurions jamais paru en mesure de payer une réception pareille. Mais du coup, nous avons facilement pu faire croire que la chance avait tourné en notre faveur.

D'ailleurs, c'est le cas. En fin de compte, elle est allée jusqu'au bout. Juste avant la réception, Bruce a pris Spencer à l'écart pour lui annoncer que tout serait réglé d'ici à lundi. Ça va nous permettre d'économiser près de trois mille dollars par mois. Trois mille ! J'ai du mal à écrire une chose aussi positive, quand la plupart du temps j'essaie d'inventer un nouveau moyen de déshabiller Pierre pour habiller Paul. Meggie a vraiment eu de la chance.

Je me souviens du jour où elle est venue nous interroger, Spencer et moi, sur l'hypothèque, nous demander si nous avions vraiment sept ou huit mois de retard de paiement. Si la banque nous avait bien prévenus qu'elle allait entamer une procédure de saisie et que nous risquions de tout perdre, notre entreprise et la maison, en quelques mois. J'étais morte de honte. Spencer esquivait, il ne voulait pas l'inquiéter avec tout ce gâchis. Sur quoi elle nous a dit pourquoi elle nous posait toutes ces questions et que Brian était prêt à nous aider, à une certaine condition. Au début, j'étais contre, mais pas Spencer. Cette idée l'a tellement enthousiasmé qu'il a tout de suite effacé nos doutes, à Meg et à moi. Bien sûr, ça dépendait d'elle ; mais puisqu'elle nous posait la question, il fallait reconnaître que c'était une sacrée chance que Brian soit tombé amoureux d'elle. Une occasion extraordinaire, si elle voulait la saisir.

Aujourd'hui, elle avait vraiment l'air heureuse. Plus j'y pense, plus j'en suis sûre. Comme je suis sûre qu'elle n'a pas aperçu le camion de Carson, garé au bout de la rue de l'église. Il aura vite fait de trouver une autre fille, à présent qu'il a vu qu'elle ne lui reviendrait jamais. Il me fait de la peine, mais il est tellement jeune, il s'en sortira. Ils sont tous tellement jeunes ! Ils peuvent faire ce qu'ils veulent de leur vie. Ça fonctionne comme ça, non ?

— Bien sûr. Nous pouvons faire ce que nous voulons, chuchota Meg.

Son assistante, Laurie, frappa discrètement à la porte.

— Votre rendez-vous de treize heures est arrivé.

— Merci. Accordez-moi trois minutes.

Meg referma le carnet et le rangea dans sa sacoche, convaincue que cette incursion dans le passé ne lui faisait aucun bien. Les arêtes acérées de la pierre se rapprochaient dangereusement de son cœur.

14

Le mardi matin, dernier jour de leurs vacances sur l'île, Carson se réveilla avant Val. Encore légèrement assommé par la soirée trop arrosée de la veille, il resta hypnotisé par le ventilateur qui tournait paresseusement au-dessus du lit, essayant de rassembler les bribes d'un rêve : Spencer l'envoyait vérifier qu'une jument était correctement ferrée. Un truc bizarre de ce genre. En s'éloignant à cheval, il apercevait Meg dans les bras de Brian. Il tentait en vain de forcer l'animal, lancé au galop, à rebrousser chemin. D'un regard en arrière, il constatait que Meg s'était volatilisée.

Un rêve idiot. Dans la réalité, c'était elle qui avait fui.

Val dormait à poings fermés à côté de lui, le visage enfoui sous un oreiller. Ses bras lisses et bronzés étaient rejetés en arrière vers la tête de lit, comme si elle surfait dans son sommeil. Il souleva l'oreiller. L'abandon avivait encore l'éclat de sa jeunesse : longs cils blonds contrastant avec son teint hâlé, peau parfaitement lisse autour des yeux, lèvres gercées par le sel et le soleil ; elle devait avoir exactement le même visage qu'adolescente. Son âge – leur différence d'âge – n'inquiétait pas tellement Carson. En revanche, combien de temps faudrait-il à Val pour être prête à ralentir un peu son rythme et fonder une famille ? Il voulait des enfants. Sans la volte-face de Meg, il en aurait déjà.

Penser à elle ne lui plaisait pas particulièrement, mais l'imminence de son mariage faisait de toute évidence remonter à la surface une foule de souvenirs. Malheureusement, on ne pouvait pas jeter son passé aux orties pour s'ouvrir le chemin de l'avenir. Même si Meg avait en apparence réussi cet exploit.

Carson enfila son short et sortit de la villa. Il fit une halte au buffet du petit déjeuner installé en plein air, le temps d'avaler un café et de manger deux pains au chocolat, puis il emprunta le sentier sinueux qui descendait vers la plage. Le camaïeu de bleu de l'eau transparente et la douceur du soleil matinal l'émerveillèrent. Chez lui, à Seattle, le soleil ne perçait que trop rarement. Il regrettait de ne pas avoir l'esprit aussi serein que le panorama qui s'offrait à lui. S'il restait ici toute la journée allongé dans un transat, il parviendrait peut-être à se sentir vraiment en vacances. Le problème, c'était que cette détente n'était pas prévue au programme.

Ils prenaient un vol en début d'après-midi, mais Val voulait faire un détour par Philipsburg, afin de jeter un coup d'œil aux alliances. Sint Maarten, la partie néerlandaise de l'île, était réputée pour ses magnifiques bijoux à bas prix. Ils avaient déjà fait un peu de lèche-vitrines, et Val avait acheté de larges bracelets de platine incrustés de diamants pour chacune de ses demoiselles d'honneur. Carson ne tenait pas particulièrement à effectuer cette course supplémentaire avant leur départ pour la Floride, où ils allaient organiser les détails de leur mariage avec ses parents, mais il ne voulait pas non plus peiner la jeune femme.

Dès qu'il tenait à quelqu'un, il se transformait en vrai naïf. La dernière fois qu'il s'était aventuré aussi loin, ou presque, il avait pourtant été bien échaudé. Rectificatif : brûlé. Pourquoi utiliser un euphémisme ?

Il contemplait les eaux calmes de la baie, mais c'était le passé qu'il voyait.

Noël 1987 approchait. Pour avoir de quoi acheter une bague de fiançailles à Meg, Carson avait pris un travail d'appoint : magasinier chez un agrumiculteur ami de ses parents. Le jour où il s'était rendu en ville pour choisir la bague – un simple solitaire d'un tiers de carat serti d'or –, Meg l'avait appelé tard et lui avait demandé de venir le retrouver à leur arbre.

« Rejoins-moi plutôt ici », lui avait-il dit.

Cela faisait deux ans qu'il vivait dans la grange, et ils y passaient presque tout leur temps libre.

« Non, je… je préfère te voir dehors.

— D'accord. »

Il était tellement survolté qu'il n'avait pas remarqué la voix tendue de Meg. Il songeait trop à la manière dont il allait s'y prendre pour lui offrir la bague sous leur arbre. Ce plan lui convenait beaucoup mieux que l'espèce de demande officielle, genou à terre et tout le tralala, qu'il avait prévu de lui faire au cours d'un dîner chic. En plein air, dans leur retraite secrète. Oui, c'était l'idéal.

Le soleil déclinait et la température baissait aussi. Il avait enfilé sa veste en jean et fourré l'écrin dans une poche. Pendant qu'il traversait en hâte les vergers pour se rendre de l'autre côté de l'étang, il avait répété mentalement sa demande. À l'approche de leur chêne, cependant, l'expression de Meg avait suffi à lui faire lâcher la boîte riche de promesses bien serrée dans sa main droite ! Il avait sorti ses deux mains – vides – de ses poches.

« Que t'arrive-t-il ? »

Elle était assise au pied de l'arbre, les genoux enveloppés entre ses bras.

« J'ai réfléchi.

— Perte de temps », avait-il plaisanté, sans comprendre pourquoi son ventre se contractait bizarrement.

Meg avait haussé les épaules et s'était mordu les lèvres. Elle évitait son regard. Il s'était accroupi devant elle.

« Vas-y : accouche ! »

Son problème ne pouvait pas être tellement grave, en tout cas pas pour eux deux. Il avait sans doute un rapport avec l'argent et la ferme des Powell : on racontait partout que Spencer était sur le point de faire faillite.

« C'est fini, Carson », avait-elle dit, les yeux rivés à ses tennis.

D'ici peu, un trou décorerait le gros orteil de son pied gauche.

« J'en ai entendu parler. Ils ont l'intention de faire quoi ? »
Elle avait relevé brusquement la tête.

« Qui ?

— Tes parents. Ils déposent le bilan ? »
Elle s'était levée.

« Non. Je parle de *nous*. Je... je suis... Ça ne t'est jamais venu à l'esprit qu'on se faisait du tort l'un à l'autre ?

— Quoi ? Tu dérailles ! »

Avec ses yeux écarquillés et ses joues enflammées, elle n'avait effectivement pas l'air dans son assiette.

« Je suis sérieuse. Tu... tu as besoin de connaître d'autres. Tu sais, de sortir avec d'autres filles. On... on est trop proches. C'est malsain. À part moi, tu n'as jamais eu de vraie amie.

— Mais ça te plaît », avait-il objecté.

Il tâtonnait pour essayer de comprendre ce qu'elle lui disait.

« Qu'est-ce que tu entends par "trop proches" ? avait-il ajouté. Nous sommes faits l'un pour l'autre. Nous formons le couple idéal. »

La boîte, au fond de sa poche, prouvait qu'il le croyait de toute son âme. Pourquoi pas elle ? Pourquoi, subitement ?

« Non, nous sommes juste... enfin, tu sais, juste des gosses. Nous devons prendre un peu de distance pour... pour voir ce que le monde a d'autre à offrir. *Qui* d'autre à offrir, précisa-t-elle d'une voix qui se cassait.

— Nous ne sommes pas des gosses ! Je viens d'avoir vingt ans, tu en as dix-neuf. Nous sommes tous les deux majeurs. »

Une réponse, il en avait conscience, qui manquait de poids. De Meg émanait une conviction aussi puissante que l'attraction exercée par un champ magnétique. Il sentait déjà que toute objection serait vaine.

Elle avait embrassé les lieux d'un regard circulaire, comme si des ennemis étaient tapis dans les broussailles.

« Je ne peux plus te voir, avait-elle lâché. Pour notre bien à tous les deux. »

Il l'avait saisie par le poignet, mais elle se détachait. Déjà, elle le fuyait, avant même d'avoir fait un pas.

« Je t'aime, mais je dois partir. »

Elle s'était libérée brutalement. Les cheveux cuivrés qu'il aimait tant flottaient dans son dos comme la crinière d'une jument sauvage. Il n'allait pas essayer de la rattraper. Elle n'irait pas loin. Il en était persuadé.

Carson était incapable de choisir parmi les alliances proposées par la bijouterie de Philipsburg. Chaque anneau de platine ou d'or incrusté de diamants était joli, mais il ne parvenait pas à imaginer l'un d'eux à son doigt. Trop simple, trop sophistiqué, trop criard, trop large, trop étroit. Val et le vendeur, dont l'anglais était aussi approximatif que le néerlandais de Carson, commençaient à s'agacer de ses atermoiements.

Il repoussa le présentoir tendu de velours bleu marine.

— Notre vol décolle dans quatre-vingt-dix minutes. Je connais un magasin sympa à Ocala. Si on y passait à notre arrivée ? Je crois que je ne suis pas d'humeur à choisir pour l'instant.

— Mais les prix sont beaucoup plus avantageux ici, objecta Val. Carson esquissa un sourire ironique.

— Tu peux te permettre la différence. Viens.

Il se leva.

— Bon. Comme tu voudras.

Son expression démentait néanmoins sa réponse. Elle paraissait déçue.

— Si tu es vraiment certain qu'aucune ne convient.

Sans doute avait-elle un faible pour l'une des alliances, qu'il aurait dû également préférer. Elle avait peut-être essayé d'attirer son attention dessus, mais il avait raté l'allusion. Il était encore fatigué, et sa gueule de bois ne s'était pas tout à fait dissipée. Ici, on faisait la fête tous les soirs, et son corps de quasi-quadragénaire commençait à en ressentir les effets.

Val collectionnait les amis partout où elle passait. Des jeunes gens pleins d'énergie, compagnons de surf pour la plupart. Carson était plutôt bon nageur, après toutes les années au cours desquelles il avait fait la course avec Meg dans l'étang, mais il ne valait pas tripette sur une planche, et il passait donc la plus grande partie de son temps à observer, un verre à la main. Il attirait bien évidemment les gens, mais une fois qu'ils lui avaient déclaré apprécier sa musique et admirer ses qualités de compositeur, ils ne savaient en général pas quoi ajouter. Les conversations, quand elles se prolongeaient, tournaient en général autour de Val et de sa carrière, leur seul sujet d'intérêt commun.

Val. Elle possédait un charisme inouï. Souvent, Carson affirmait en plaisantant qu'elle avait dû recevoir à la naissance une dose supplémentaire de personnalité – peut-être celle qui manquait à son bassiste, Ron. Elle était gentille avec tout le monde, et il s'en voulut terriblement de ne pas avoir capté le message qu'elle avait essayé de lui transmettre à propos des alliances. Il se rassit donc pour les examiner une dernière fois.

Selon toute vraisemblance, elle souhaitait le voir choisir un anneau de platine, assorti à sa bague de fiançailles et à l'alliance qu'elle porterait avec. Ils s'étaient néanmoins mis d'accord sur le fait que son alliance à lui devrait avant tout correspondre à sa personnalité, comme celle de Val correspondait à la sienne. En vérité, Carson n'avait fait un choix idéal pour la bague de fiançailles que parce qu'il s'était rangé au conseil de la vendeuse de chez Tiffany, après lui avoir décrit sa future épouse. Ce qu'il lui fallait, avait déclaré la bijoutière, c'était la bague Schlumberger – un énorme diamant rond serti de pierres plus petites et agrémenté de quelques aigues-marines exceptionnelles, serti sur un simple anneau en platine. Il s'était laissé convaincre.

Il désigna alors l'alliance qui lui paraissait être son meilleur complément : un large anneau brillant incrusté de neuf petits diamants.

— Et celle-ci ?

Val hocha la tête avec empressement.

— Essaie-la.

Elle sourit de bonheur quand il formula le « oui » qu'elle espérait, et le força à sortir du magasin pour procéder à l'achat. Il ne devait pas connaître le prix du bijou, cela lui porterait malheur.

Il attendit sur le trottoir, content de lui avoir fait plaisir. Rien ne comptait davantage à ses yeux. Il porterait cette alliance, malgré son côté tape-à-l'œil. Il s'y habituerait. On pouvait s'habituer à pratiquement n'importe quoi, à condition de le vouloir. Il s'était habitué à être fâché contre Meg, habitué à vivre sans elle, alors qu'ils avaient passé toute leur enfance soudés l'un à l'autre. Il s'était habitué à se sentir incomplet, et il avait même réussi à utiliser ce sentiment et ceux qui l'accompagnaient comme base d'une carrière incroyablement lucrative. Il s'était habitué à vivre sur la route pendant de longues périodes d'affilée, habitué à l'odeur âpre de sueur et d'épuisement qui emplissait le bus de la tournée après un concert, habitué à compter sur Gene pour lui communiquer tous les détails précis de son agenda. Il s'était habitué à l'idée de ne jamais trouver une femme digne d'être épousée.

Et même s'il n'était plus assez jeune et romantique pour croire que Val était son âme sœur, *la* femme qui lui était destinée, celle qu'il avait attendue toute sa vie et autres fadaises de ce genre, ils formaient, dans son esprit, un couple plutôt bien assorti. Elle le détournait de ses idées noires et le divertissait. Elle était douce et affectueuse, et pas du genre

93

rabat-joie au lit. Elle était belle, dans le style garçon manqué. Et elle l'aimait. Cela suffisait ; cela devait lui suffire.

Ce soir-là, Carson et son père, James, longèrent la clôture de la plantation des McKay pour repérer les poteaux pourris. À soixante-cinq ans, James demeurait solide et n'avait pas un seul cheveu gris. Il remplaçait un à un les vieux poteaux de bois par des poteaux de fer, avec la méticulosité dont il faisait preuve dans tous les domaines. Grâce à une gestion rigoureuse et à leurs deux petits étangs aux eaux chaudes, les vergers des McKay comptaient parmi les rares exploitations de la région d'Ocala à avoir eu la chance de ne perdre que quelques arbres en 1989, quand les gelées avaient ruiné tant de malheureux. S'il en était allé autrement, Carson ne se serait jamais lancé dans la musique. Il serait resté pour aider à remettre la plantation sur pied. Il était impossible de prévoir comment tournaient les événements, de quelle manière se manifestait la chance.

Carson savait que cette inspection des poteaux n'était qu'un prétexte inventé par son père pour se retrouver en tête à tête avec lui. Fils unique, il avait forgé avec ses parents un lien intime, très solide, qui lui avait permis de survivre à ce qu'ils appelaient tous désormais « ces années-là » et qui lui soufflait, à présent, que son père avait en tête une autre préoccupation que ses poteaux. Mais Carson savait ne pas presser les choses et déambulait donc tranquillement à son côté dans l'herbe qui leur arrivait aux mollets, savourant la sérénité ambiante : le ciel strié de rose, la légère brise qui faisait frissonner les feuilles des citronniers tout proches, le trio de chevaux qui gambadaient dans une prairie ayant appartenu, très récemment encore, à Spencer et Anna Powell.

— Les nouveaux propriétaires retapent bien la ferme, on dirait, remarqua-t-il en désignant les bêtes.

Son père s'immobilisa.

— Oui. Bizarre de revoir de l'activité, après si longtemps.

— Combien de temps ?

Quoi ? Depuis qu'il y avait des pas temp ?

— Oui.

Carson ne se le rappelait pas, puisqu'il avait déménagé depuis plus de quinze ans.

— Oh, dix, voire douze ans. Vers l'époque où Julianne a épousé ce Canadien et déménagé à Québec.

La sœur cadette de Meg avait à peine dix-sept ans quand elle était tombée enceinte, juste avant sa terminale. Elle avait épousé le père, un étudiant québécois venu en visite dans sa famille pour l'été. Carson avait appris la nouvelle au téléphone alors qu'il était en tournée avec son premier orchestre. Il s'était demandé comment les choses auraient tourné s'il avait accidentellement conçu un enfant avec Meg. Elle aurait été obligée d'essayer de faire sa vie avec lui et aurait constaté qu'un amour aussi profond que le leur n'avait rien de répréhensible – s'il s'agissait de la véritable raison qui l'avait poussée à rompre.

Il n'avait jamais véritablement cru à cet argument. Meg s'était éprise d'Hamilton, elle avait été séduite par sa fortune et elle avait refusé de le reconnaître. Et le matin de son mariage, elle n'avait cherché qu'un peu de plaisir, au nom du bon vieux temps. Une dernière partie de jambes en l'air avec le garçon qu'elle considérait comme un bon amant, mais indigne d'être épousé. Il était sans le sou, après tout, sans perspectives d'une vie de luxe, à l'époque. Rien qu'un cul-terreux, un fils de planteur qui avait l'intention de le devenir aussi. Il ne pouvait pas jouer dans la même cour que Brian Hamilton, il ne pouvait pas offrir à Meg l'existence qu'elle souhaitait manifestement.

— Carson ?

— Excuse-moi, j'étais perdu dans mes pensées.

Peu importait. De l'eau avait coulé sous les ponts.

— Après le départ de sa cadette, poursuivit son père, Spencer a vendu le reste de son cheptel et s'est contenté de prendre des chevaux en pension. Je n'ai jamais su pourquoi.

— Tous ses échecs l'avaient peut-être fatigué. Dieu sait qu'il n'a jamais réussi à gagner quoi que ce soit avec l'élevage.

— Exact, dit son père. Et ça m'a amené à me poser des questions, à me demander d'où il avait bien pu tirer l'argent. Parce qu'à une certaine époque on ne parlait que de sa faillite et de sa saisie – il avait des dettes partout.

— Je me souviens, dit Carson.

— Mais quelque chose s'est retourné en sa faveur. C'est seulement la semaine dernière, à la coopérative, que j'ai appris ce qui s'était passé. (Son père reprit leur marche.) David Zimmermann me prend à l'écart et me demande : « Dis donc, tu es au courant pour Spencer Powell ? » Alors moi : « On a été voisins pendant une trentaine d'années, jusqu'à il y a deux semaines. – Dans ce cas, me lance Dave, tu es sûrement au fait de toute cette histoire d'argent. »

— Quelle histoire ? demanda Carson, davantage par politesse que par intérêt.

— Exactement ce que j'ai répondu. Parce que je n'ai jamais rien entendu raconter. Mais de toute façon, c'est pas mon genre d'écouter ça. Spencer ne s'est jamais répandu sur ce sujet et j'ai autre chose à faire que de traîner à la coopérative et de cancaner comme ces types à la retraite. Alors Dave me dit : « Entre nous, je te fais confiance, James, pour pas causer d'ennuis », et le voilà qui se met à me raconter l'histoire de la vente de la ferme. Il semblerait que la femme de Dave – Linda, tu te souviens, c'est l'avocate de l'agence immobilière – ait fait libeller un chèque plutôt conséquent quand elle a monté le dossier officiel. Trois cent quatre-vingt-sept mille dollars, un peu plus du tiers de la somme obtenue par Spencer pour la vente.

— Il a donc dû trouver un moyen d'hypothéquer, et ça a réglé ses problèmes.

— C'est ce qu'on pensait. Mais c'est ça qui est drôle : il n'avait aucune hypothèque. Enfin il n'en avait plus, d'après les registres, depuis 1989.

Carson réfréna son impatience.

— Bon. Il devait avoir autre chose, lâcha-t-il.

— Non. Aucune trace de la moindre dette de ce montant – selon Dave. Tiens-toi bien : ce chèque a été libellé au nom de Bruce Hamilton en personne.

Tel était donc le but de leur promenade, songea Carson. Il s'était passé quelque chose entre Meg et son beau-père, et son père n'avait pas voulu évoquer le sujet devant Val, croyant que tout ce qui touchait Meg demeurait un sujet épineux. Cette tentative paternelle de continuer à le protéger d'un souci aussi lointain avait quelque chose d'un peu ridicule. Ce sujet était dépassé, clos. Il allait de l'avant. Pour le prouver, il allait parler de Meg simplement, montrer qu'il n'était pas nécessaire de tourner autour du pot.

— Cette histoire d'argent n'est pas si compliquée à comprendre, déclara-t-il. Quand Meg a épousé Brian, ils ont dû prêter à Spencer de quoi régler son hypothèque. Un prêt amical entre membres d'une même famille.

Son commentaire lui valut un hochement de tête approbateur, accompagné d'un haussement de sourcils indiquant que son père avait compris qu'ils pouvaient désormais parler de Meg sur un autre ton.

— Bien sûr, mais on a quand même du mal à concevoir ce genre de générosité. Hamilton n'avait aucune garantie de récupérer son argent. N'oublions pas que nous parlons de Spencer Powell !

Carson passa une main dans ses cheveux. Cette conversation commençait à le fatiguer. Jamais il ne l'admettrait après son commentaire détaché, mais elle le hérissait, inexplicablement.

— Ce n'est sûrement qu'une transaction plus ou moins louche de la part d'Hamilton. Le contraire m'étonnerait.

— Tu as peut-être raison, répondit son père. Mais dans ce cas, je me demande pourquoi Spencer a tout remboursé comme ça, par un chèque normal libellé à l'ordre d'Hamilton. Ça fait une grosse rentrée d'argent d'un seul coup. Hamilton va le sentir passer au moment de ses impôts et ça risque de déclencher un contrôle fiscal.

— Spencer n'y a peut-être pas pensé, ou il s'est dit que ce n'était pas son problème, répliqua Carson.

— Possible. Mais ce qui m'intrigue, c'est la raison pour laquelle Spencer a tout remboursé si rien ne l'y obligeait.

Le père de Carson observa les chevaux en se grattant la joue. Le comportement de son vieil ami continuait à le déconcerter.

Carson essaya de chasser la petite bête qui lui suggérait que cette histoire d'argent était moins simple qu'elle n'y paraissait. Il était vraiment prêt à abandonner le sujet.

— Tu sais, dit-il, j'ai toujours pensé que Meg avait épousé Hamilton pour son argent. Il semblerait que Spencer en ait bien profité aussi. J'ignore de quoi il retourne, mais dans le fond, plus rien de tout cela n'a d'importance. Ce qu'ils ont fait ou non ne nous regarde plus depuis longtemps. En outre, nous avons des sujets d'intérêt plus passionnants, non ? (Il posa les mains sur les épaules de son père et lui adressa un sourire chaleureux.) Si on te faisait tailler un smoking sur mesure, par exemple ?

15

— Bon travail.

Mme Henry rendit son contrôle d'histoire à Savannah. Dans l'angle droit supérieur de la feuille était griffonnée sa note à l'encre mauve, un superbe 104, équivalent à un A+.

Savannah jeta un coup d'œil à celle de Rachel, qui leva sa copie.

— 82, annonça cette dernière à son amie. C'est ta faute, parce que tu ne m'as pas laissée réviser avec toi.

— Tu ne manques pas d'air ! s'exclama Savannah. Tu n'as pas assez étudié, c'est tout.

Rachel, vêtue ce mercredi d'un tee-shirt jaune moulant qui la boudinait – elle était un peu ronde –, tira en hâte sa chaise vers l'allée pour chuchoter à l'oreille de Savannah :

— Alors, quand est-ce que tu me racontes qui t'occupait comme ça hier soir ? Je n'ai même pas réussi à te soudoyer avec un cornet de glace au beurre de cacahuètes.

Une proposition pourtant fort alléchante. En général, Savannah se laissait volontiers entraîner par Rachel, car elle adorait ce parfum. Il comptait au nombre de la foule d'aliments interdits chez elle, car son père ne se contentait pas d'être allergique aux chiens, il l'était aussi gravement aux cacahuètes. La veille, cependant, Savannah avait quelque chose de beaucoup plus important à faire : régler les détails de son voyage à Miami.

— Il ne s'agit pas seulement de « qui », répondit-elle, mais aussi de « comment ». Je ne peux pas te le dire tout de suite, mais je te promets de le faire bientôt.

À la dernière seconde, pour ne pas courir le danger que Rachel crache le morceau et fasse tout capoter. En dépit de toutes ses bonnes intentions, Rachel était trop proche de sa sœur, Angela. Et si l'on pouvait faire confiance à Angela pour le tout-venant, un plan de cette dimension risquait de faire ressortir son côté moralisateur de sœur aînée. Une éventualité que Savannah devait à tout prix éviter.

Rachel se recala sur sa chaise.

— Très bien, dit-elle. Comme tu voudras.

— C'est quoi, son problème ? Sa note l'énerve ?

Cette question émanait de Caitlin Janecke, assise à la gauche de Savannah, la fille la plus gâtée qu'elle connaisse.

Savannah passa en revue le short kaki ceinturé griffé Hollister de Caitlin et son tee-shirt en cachemire mélangé rose, auquel était assorti un nœud d'un rose parfaitement identique, pour rehausser ses cheveux d'une blondeur de rêve. Caitlin était la perfection incarnée, de la racine des cheveux à ses longues jambes bronzées et à ses chaussures en chevreau. Non, eut envie de lui répondre Savannah, elle refuse de croire que tu as fait des pipes à trois types différents pendant le week-end. Cette information émanait d'une source fiable : Riley, la propre sœur de Caitlin. Riley avait assisté à la même fête que sa sœur, mais elle s'était contentée de faire une gâterie à un seul garçon, et avait précisé : « Oh ! là ! là ! tu peux pas imaginer, j'ai jamais rien fait de plus dégueulasse ! » Savannah aurait bien aimé avoir davantage de détails.

Le moment n'étant néanmoins pas indiqué pour se lancer dans ce sujet, elle se contenta de répondre :

— Elle n'a pas travaillé.

— Et toi ?

— Pas vraiment non plus, répondit-elle avec un peu de morgue.

— Ça alors ! Mes parents m'obligent à bosser tous les soirs, et je n'ai obtenu qu'un 91. Ça doit être sympa d'être si douée.

Ce compliment, quoique formulé à contrecœur, étonna Savannah.

— Ouais…, fit-elle, soudain contrariée.

Dans le fond, Caitlin n'était peut-être pas si peste que ça… De plus, cela ne déplaisait pas à Savannah de s'entendre jalouser par une fille aussi populaire. « Douée » était un terme qui la décrivait bien, un mot agréable, bien préférable à l'étiquette de « hippie » qu'on lui collait en général d'un air méprisant, comme si elle ne s'était pas lavée et qu'elle empestait. Ce lycée était destiné à des clones de Caitlin, des filles dont les parents jetaient leur argent par les fenêtres. Un établissement de bonne qualité pour préparer aux études supérieures, mais où l'originalité était plutôt mal perçue, sauf dans le domaine des beaux-arts, comme la peinture ou la composition musicale.

Le problème, c'était que Savannah devait encore le supporter deux ans. Mais si elle arrivait à quelque chose avec Kyle – il faudrait bien qu'elle finisse par lui avouer son âge, en espérant qu'il ne la laisserait pas tomber ensuite –, elle en souffrirait beaucoup moins.

Elle se plaisait à penser qu'en plus d'être « douée » elle possédait un grand sens de l'organisation et beaucoup de détermination. Face à un obstacle, elle ne reculait pas. Elle trouvait un moyen de le contourner. Depuis sa plus tendre enfance. Sa grand-mère Shelly aimait raconter comment sa petite-fille s'était un jour échappée de son salon, pourtant séparé des pièces adjacentes par des barrières pour enfants, pendant qu'elle était aux toilettes. « Quand je suis revenue – à peine deux minutes après, vous vous rendez compte ! –, Savannah avait disparu. Elle s'était volatilisée ! J'ai regardé sous les meubles, derrière, j'ai fouillé toute la maison en me disant qu'elle avait peut-être réussi à escalader l'une des barrières. Je me trompais totalement ! Elle avait poussé la grille de protection d'une fenêtre et avait réussi à se faufiler au-dehors. Je l'ai retrouvée dans le patio. Elle avait tiré une chaise à côté de la fontaine pour pouvoir atteindre l'eau. Elle était toute trempée et elle pouffait de rire, heureuse comme une reine ! » Sa grand-mère se servait de cette anecdote pour souligner la ressemblance entre Savannah et son père – peut-être réelle à certains égards : comme lui, elle était axée sur les résultats et opiniâtre. Quoi qu'il en soit, Savannah avait l'intention de se servir de ses facultés pour faire le bien, et non le mal.

L'adolescente rangea son livre d'histoire et son classeur. Quelle serait la réaction de sa grand-mère et du reste de sa famille s'ils apprenaient comment elle s'y prenait pour organiser son voyage à Miami ? Sa mère avait intérêt à mieux ranger ses cartes de crédit. Quand le relevé arriverait, Savannah aurait inventé une bonne excuse, au cas où le pot aux roses serait découvert. Ce qui comptait, même si elle se faisait prendre, c'était que d'ici là elle aurait vu Kyle à Miami.

Après les cours, Rachel et elle se rendirent ensemble au vestiaire pour passer leur tenue de soft-ball. Rachel avait repris ses habitudes de pipelette et se répandait sur un certain Hunter, dont le frère était sorti à plusieurs reprises avec sa sœur Angela, et sur l'un des amis de ce Hunter.

— Il est sexy. Enfin, ils sont sexy tous les deux. J'ai l'impression que je plais à Hunter. Toi, tu pourrais peut-être sortir avec R. J. Il a eu son bac l'an dernier, et il est à la fac. Tu trouves ça trop vieux, un étudiant de première année ?

Savannah laçait ses chaussures à crampons. Elle se dit qu'elle pouvait faire quelques confidences à Rachel.

— Absolument pas ! répliqua-t-elle. En fait, j'ai rencontré quelqu'un. Il a à peu près cet âge-là et je veux voir comment ça fonctionne avec lui avant de m'intéresser à d'autres garçons.

— Toi ? Tu as rencontré quelqu'un ? Qui ? Où ? Ça alors, tu aurais quand même pu me le dire ! Je suis ta meilleure amie.

— Je fais quoi, là ?

Elles sortirent du vestiaire, leurs semelles cliquetant sur le sol carrelé du couloir qui menait au terrain d'entraînement. Savannah évoqua Kyle en termes très élogieux, mais aussi très vagues et pas tout à fait véridiques. Se confier à Rachel, même partiellement, la réconfortait, comme si partager Kyle avec sa meilleure amie lui donnait en quelque sorte de la consistance. À plusieurs reprises au cours de la semaine écoulée, elle n'aurait pas cru qu'il existait pour de bon si elle n'avait pas entendu sa voix, si elle n'avait pas discuté avec lui de leurs projets d'avenir jusqu'à trois heures du matin.

Elle se vit allongée dans le noir, le téléphone collé à l'oreille, et eut de nouveau la sensation que sa voix l'imprégnait tout entière.

« Tu veux faire quoi, quand tu auras obtenu ta licence ?

— J'aimerais bien trouver un job dans les Eaux et Forêts. Mon père veut me pousser dans les affaires, mais il peut toujours attendre.

« — Qu'est-ce que tu penses de ça : toi et moi, on pourrait acheter un bout de terrain et fonder notre propre réserve naturelle. Ton père accepterait de t'avancer la somme nécessaire, non ? Dans la mesure où il s'agit d'une entreprise ? Je demanderais bien au mien, mais on est en froid.

— À cause de quoi ?

— Bof, je n'ai pas vraiment envie d'entrer dans les détails. C'est le passé. Alors que toi et moi, c'est l'avenir. Enfin, ça pourrait l'être. Quel pied, toi et moi dans la nature sauvage... »

Elle adorait son attitude, cette façon qu'il avait de partager ses rêves, de l'intégrer à son avenir.

— Il a l'air génial, et je te parie qu'il est encore plus mignon en chair et en os, était en train de remarquer Rachel. Et puis, dix-neuf ans, ce n'est pas si vieux que ça.

— C'est ce que je me disais, acquiesça Savannah, s'excusant intérieurement d'avoir menti sur l'âge de Kyle.

Elle raconterait bientôt la vérité à son amie, et de toute façon, même si elle devait inventer une centaine de mensonges avant la fin de son week-end avec Kyle, le jeu en valait largement la chandelle.

Une fois sorties, elles descendirent les larges marches de ciment et traversèrent la pelouse recouverte de trèfles qui s'étendait entre le bâtiment principal du lycée et le terrain de base-ball. Quelques abeilles bourdonnaient autour de leurs chevilles, agacées d'être dérangées dans leur important labeur.

Savannah ne cessait de jeter et de rattraper une balle.

— Kyle et moi, on a prévu de se voir le jour de la fête du Travail, annonça-t-elle, sans préciser, bien entendu, qu'ils avaient fixé leur premier rendez-vous à Miami.

— Vraiment ? Comment comptes-tu convaincre ta mère de te laisser sortir un lundi ?

— Un lundi ?

Savannah s'immobilisa brusquement. La balle alla rouler dans les trèfles. Rachel éclata de rire.

— Ben oui ! Petite futée ! La fête du Travail, le 1er mai, c'est lundi prochain. Tu croyais que c'était quand ?

102

— Vendredi. Le 5 mai... *Cinco de Mayo*[1].

La lumière se fit dans son esprit.

— Oh ! là ! là ! s'exclama-t-elle. J'ai confondu !

Le rire de Rachel fusa plus haut.

— Mon Dieu, que c'est drôle ! Comment as-tu pu ? Tout le monde le sait ! Savannah lui donna un coup de coude.

— Ferme-la ! Je me suis emmêlé les pinceaux.

— C'est clair ! Mais bon, tu peux quand même le voir vendredi.

— Peut-être, marmonna Savannah.

— Voyons, ne réagis pas comme ça. Ça arrive à tout le monde de se planter. Il ne t'en voudra pas. Je suis sûre qu'à l'heure qu'il est il bave à l'idée de te rencontrer, comme n'importe quel garçon.

Pourvu que Rachel dise vrai ! C'était peut-être dingue, mais elle s'était vraiment attachée à Kyle. Personne d'autre ne lui offrait le même genre d'attentions, ne la rassurait autant. D'une certaine façon, il prenait la place de sa grand-mère.

— Merci, dit-elle à son amie.

— Pas de quoi. Au fait, peut-être que tu pourrais me brancher sur un de ses copains ?

16

Meg en terminait avec sa troisième représentante en pharmacie de la matinée, une jeune femme blonde légèrement revêche, vêtue d'un tailleur noir strict et manifestement ambitieuse, quand Manisha frappa à la porte de son bureau.

— Formidable, dit Meg. J'espérais que tu en aurais terminé avant le départ de Mme Trumbull. J'aimerais que tu jettes un œil à ce stérilet qu'elle nous propose. Ses

------

1. *Cinco de Mayo :* jour férié en Floride qui célèbre la bataille de Puebla contre les Français.

caractéristiques me paraissent correctes, mais je ne veux pas décider sans ton avis.

Manisha, aussi petite et brune que Meg était élancée et rousse, pénétra dans la pièce.

— Comme tu voudras. Et n'oublie pas d'appeler l'orthopédiste.

Meg sursauta.

— Ah oui, c'est vrai !

Toute la semaine, elle avait voulu lui téléphoner, mais elle n'avait cessé de remettre son appel à plus tard, de l'oublier, de se le rappeler, de le repousser encore.

— Je vais le faire depuis ton poste. Je reviens tout de suite.

L'orthopédiste, Cameron Lowenstein, faisait partie des nombreuses connaissances de golf de Brian. Il n'était néanmoins pas un ami, du fait de son comportement « bizarre », selon Brian. « Il pratique le zen, ce n'est pas mon genre, lui avait-il confié un jour. Mais il est fort. Je connais un tas de types qui le consultent. Il me débloque toujours l'épaule. » Ces soins hebdomadaires lui permettaient de continuer à s'adonner à sa passion.

Lowenstein décrocha en personne, ce qui surprit Meg. Il accepta de la recevoir dès la fin de ses rendez-vous, une heure plus tard environ.

— Je suis sûre que c'est un problème très simple, déclara-t-elle après lui avoir décrit ses symptômes. J'espère ne pas vous faire perdre trop de temps.

— Ravi de vous rendre service, répondit Lowenstein. Votre époux est l'un de mes patients préférés.

De retour dans son bureau, Meg trouva Manisha assise sur le bord de la table. Elle balançait une jambe dans le vide et parlait de son nouveau chiot, un sharpei.

— Je n'ai jamais vu autant de rides de ma vie. Il en a plus que mon arrière-grand-mère, même si leurs visages sont à peu près identiques, à la fourrure près. Pour tout avouer, je trouve que le chien est le plus joli des deux. Mais de toute façon, ni l'un ni l'autre n'a à se soucier de ses rendez-vous galants. Par conséquent, tout est nickel.

Meg sourit.

— Et le stérilet, il est nickel aussi ?

— En fait, répondit Manisha, Laurie n'est pas tout à fait convaincue de son efficacité, parce qu'il n'a pas empêché sa sœur de tomber enceinte. Personnellement, je pense que c'était le destin. Nous devrions l'essayer.

Meg ne fut pas du tout surprise que Manisha ait réussi à transformer la visite d'une représentante un peu agressive en conversation amicale. Elle ne connaissait personne de plus chaleureux, de plus extraverti que Manisha. Et elle admirait sa foi dans le destin. La devise de son amie se résumait en fait à trois A : *Admettre, Apprécier, Accepter.* Si Meg arrivait à l'appliquer, elle parviendrait peut-être à considérer comme naturels les liens si lâches qui constituaient sa vie de famille. Cela l'aiderait alors à mieux dormir, à prendre plus facilement les choses et à laisser les tracas de l'existence couler sur elle comme l'eau paisible d'une rivière sur les galets.

— Alors, dit Manisha après le départ de Laurie Trumbull, tu as rendez-vous ?

— Dans une heure environ.

— Formidable ! Comment va ton bras aujourd'hui ?

— Bien. Juste un peu fatigué. En gros, il a fonctionné normalement toute la semaine. Je perds probablement mon temps.

Et elle ne pouvait pas se le permettre. Cette simple visite dans l'après-midi l'obligeait à persuader Brian d'aller chercher Savannah au soft-ball et de la retrouver ensuite à la résidence Bel Horizon pour dîner avec son père, contrainte qui ne ferait plaisir ni à l'un ni à l'autre. Malgré les années écoulées, les deux hommes n'avaient pas trouvé de terrain d'entente, si bien que Brian évitait autant que possible de voir Spencer. En outre, cela l'agaçait au plus haut point d'avoir à quitter son travail plus tôt que prévu pour une raison indépendante de sa volonté.

Manisha croisa les bras et lui adressa ce regard que Meg qualifiait de maternel.

— Peut-être que tu perds ton temps, mais vas-y quand même. D'accord ? Tu n'as pas envie de te retrouver dans la même situation que dimanche dernier ?

Meg était hantée par l'image du bébé mort-né. Elle n'était peut-être pas responsable, mais...

— Non, reconnut-elle. C'est pour ça que j'y vais et que je lui ai téléphoné.

— Parce que je te l'ai rappelé, la gronda Manisha.

— Je plaide coupable.

— Moi, je pense que tu as besoin de bonnes vacances. Une semaine sur une île isolée, pas de portable, pas de bipeur, pas de femmes en plein travail. Tu aimes toujours nager, non ?

Meg fit oui de la tête.

— Mais j'en ai rarement l'occasion. J'ai l'impression que notre piscine n'est là que pour la galerie. Est-ce que je t'ai raconté que j'avais battu le record du cent mètres nage libre de mon lycée ?

— Oui. Je te prescris donc un maillot de bain et de la crème bronzante, à prendre avec un voilier de location, tous les jours, pendant sept jours.

— Merci, docteur, répondit Meg avec un sourire. Je suis guérie !

Manisha s'approcha de la porte.

— Depuis six ans que nous sommes associées, je t'admire : tu travailles dur, tu essaies de contenter tout le monde. Mais tu ne dois pas oublier de t'occuper de toi. Un pot vide ne peut pas en remplir un autre.

Assise dans le cabinet du Dr Lowenstein, Meg écoutait ses commentaires : ses radios étaient nettes, ne montraient aucun signe de compression de la colonne vertébrale ou des articulations, aucun déplacement.

— Je ne vois rien à remettre en place, concéda-t-il comme s'il était presque déçu.

— Rien, répéta Meg.

— Absolument rien. Votre squelette est en parfait état. Ce qui signifie que le coupable est invisible, ou tout au moins qu'il échappe aux rayons X. Je vous conseille pour l'instant d'attendre de voir si vos problèmes persistent, et, si c'est le cas, d'essayer ça...

Il lui tendit une carte de visite sur laquelle était gravé un nom imprononçable, accompagné de la mention « acupuncteur et parapsychologue ».

Meg essaya d'ignorer la cravate du Dr Lowenstein, dont les motifs violet et marron évoquaient des régurgitations de nouveau-né. Dans le domaine vestimentaire et dans celui des recommandations, il avait effectivement des goûts douteux. Elle pouvait encore comprendre qu'il lui suggère un acupuncteur, mais la parapsychologie ?

Elle passa de sa cravate à ses yeux sombres, profondément enchâssés dans leurs orbites sous des sourcils noirs broussailleux.

— Vous ne pensez pas que je devrais d'abord voir un neurologue ?

— Vous seriez surprise des résultats obtenus par l'acupuncture. Je m'étonne que vous n'en soyez pas déjà adepte.

Avec ses sourcils en accent circonflexe, il lui faisait penser à Groucho Marx.

— Cependant, reprit-il, même si je répugne à y faire allusion...

— Oui ? fit-elle, loin d'imaginer ce qu'il allait dire, même si elle méditerait par la suite ses propos beaucoup plus longuement qu'elle ne le souhaitait.

— Vos symptômes... faiblesse répétée du bras et de la main, peut-être de la jambe, trébuchements...

— Ça ne m'est arrivé qu'une fois. Deux, peut-être.

Voire trois, songea-t-elle, repensant à présent qu'elle s'était cogné les orteils contre une marche la veille au soir.

— Ces symptômes, quand ils apparaissent en l'absence de douleur et de malaise, d'un quelconque signe de compression vertébrale et du moindre dysfonctionnement physique, suggèrent une SLA.

Tout d'abord, la portée de ces trois initiales lui échappa, comme un poisson argenté vous file entre les doigts. SLA, pensa-t-elle. SLA. Lorsqu'elle comprit enfin à quelle maladie il faisait allusion, elle se figea et cilla plusieurs fois.

— Sclérose latérale amyotrophique. Maladie de Charcot ou de Lou Gehrig[1], articula-t-elle.

— Éventualité des plus improbables.

— Évidemment.

— Il existe une centaine de scénarios plus plausibles, précisa-t-il.

Dans ce cas, pourquoi avoir évoqué celui-ci ?

---

1. Du nom d'un célèbre joueur de base-ball, mort de cette affection en 1941. (N.d.T.)

— Si vos symptômes persistent, il faudra que vous vous adressiez à un neurologue, mais essayez aussi l'acupuncture. Ça ne pourra pas vous faire de mal.

Meg esquissa un faible sourire et se pencha pour ramasser son sac.

— Je verrai, dit-elle en se levant. Merci de m'avoir reçue en urgence. Il balaya sa gratitude d'un geste large.

— Je vous en prie. Je suis toujours ravi de pouvoir aider un collègue.

— Si jamais vous tombez enceinte... répliqua-t-elle, s'obligeant à repousser l'image cauchemardesque du diagnostic qu'il venait d'évoquer pour se réfugier dans le cadre beaucoup plus rassurant de l'humour. Ou si vous avez besoin d'un frottis en urgence...

Il lui tendit la main.

— Je vous appellerai. Prenez soin de vous.

Une averse venait de tomber. De la vapeur flottait encore dans l'air poisseux. Meg traversa l'asphalte brûlant du parking. Son humour s'évaporait comme l'eau de pluie sous la chaleur du soleil qui cognait de nouveau. Après réflexion approfondie, chacun des gestes maladroits récents dont elle se souvenait prenait un caractère suspect. Peut-être présentait-elle ces symptômes depuis des mois et n'y avait-elle prêté aucune attention. Comme pour prouver à Lowenstein qu'il faisait fausse route, elle marcha d'un pas stable et mesuré, ses clés bien serrées dans une main et son sac dans l'autre.

Elle en connaissait assez sur la SLA pour savoir que ses risques d'en être atteinte étaient infimes. Mais par ailleurs, ses symptômes correspondaient bien à cette maladie rare. Elle s'arrêta près de sa voiture pour essayer d'analyser les autres éventualités... Rien ne lui vint à l'esprit, tant elle était obsédée par les maux dont souffraient les personnes atteintes de SLA : perte progressive de la motricité des bras, des jambes, de la tête, des lèvres et des poumons. Passage de la canne au déambulateur, puis du fauteuil roulant au lit. Recours à une aide à domicile surchargée, ou à un membre dévoué de la famille, pour s'alimenter, avant de passer aux perfusions, puis au respirateur artificiel pour survivre, si le patient y tenait, car il n'existait ni retour en arrière, ni guérison, ni même, elle en

108

avait pratiquement la certitude, de médicament susceptible de retarder le déclenchement des symptômes.

Elle contempla les palmiers qui bordaient la rue – un spectacle aussi normal et familier que celui de son propre visage – et, au-delà des troncs d'arbre, les motards qui passaient, citoyens anonymes, en apparence satisfaits de leur place sur cette planète. Elle était certainement aussi ordinaire qu'eux. Elle ne pouvait être atteinte de SLA, ni d'aucun mal aussi sinistre et tragique. Tous les sacrifices qu'elle avait consentis pour ses parents et ses sœurs, pour le bonheur de Savannah et de Brian, lui valaient certainement un meilleur karma que le diagnostic asséné comme un coup de poignard par le Dr Lowenstein. Non ?

En elle, la femme terrorisée, désireuse de croire qu'elle avait mérité sa chance, se disputait avec le médecin bien informé sur cette vérité incontournable : des choses terribles s'abattent tous les jours, à chaque instant, sur des êtres bons, aussi inexorablement que le soleil se lève et se couche.

17

À la fin de son entraînement, Savannah fut surprise de voir la nouvelle voiture de son père pénétrer dans le parking du terrain de sport. Elle était bien incapable de se souvenir de la dernière fois où elle l'avait vu avant dix-neuf heures un jour de semaine. Elle le regarda faire avancer précautionneusement la BMW noire sur les gravillons, pour éviter de soulever de la poussière.

Elle s'approcha de sa vitre, réfrénant une envie pressante de traîner les pieds.

— Où est maman ?

— Elle n'a pas pu se libérer à l'heure. Allez, monte. Tu dois prendre une douche et te changer pour notre dîner avec papy Spencer.

Elle n'avait pas le temps de dîner là-bas : elle devait parler à Kyle de Miami, le plus vite possible.

— C'est aujourd'hui ?

— Il paraît.

— Pourquoi est-ce que maman n'est pas venue me chercher ? Un accouchement ? Elle nous rejoint, non ?

Elle ne se voyait pas dîner seule avec son père et son grand-père maternel. Ces deux-là ressemblaient à deux aimants qui se repoussent.

— Oui, oui. Monte ! insista-t-il. Elle avait un rendez-vous.

Savannah contourna la voiture en laissant traîner sa batte d'aluminium dans les graviers. Kyle allait être furieux... Pendant ses deux heures d'entraînement, elle avait essayé sans succès d'imaginer une solution pour se rendre à Miami.

L'intérieur de la 740 flambant neuve que son père avait commandée sur mesure à l'un de ses clients dégageait une odeur agréable de cuir souple, de moquette neuve et de linge frais – émanant d'un désodorisant discrètement placé à côté du genou du conducteur. Savannah boucla sa ceinture de sécurité et effleura le siège cousu main. Sa propre voiture aurait également un intérieur en cuir, mais pas comme celui-ci. Ce serait une Honda Accord à deux portes, équipée d'options que son père estimait pratiques – cuir ordinaire, parce qu'il s'essuyait très facilement, et système GPS pour ses déplacements. Elle était censée durer jusqu'à la fin de ses études supérieures. Brian lui avait dit que quand elle obtiendrait son diplôme, elle pourrait choisir un véhicule qui lui plairait, comptant lui apprendre ainsi quel bénéfice on pouvait tirer de la poursuite d'un objectif à long terme.

En fait, Savannah se moquait complètement de la voiture qu'elle conduirait, maintenant ou plus tard. Du moment que celle-ci était montée sur roues et lui permettait d'organiser ses déplacements sans avoir à dépendre de sa mère, de son père ou de quiconque, et de faire l'école buissonnière pour aller voir Kyle à Naples[1] si l'envie lui en prenait, elle serait comblée. Les conversations de ses amies tournaient autour des modèles plus classe dont elles avaient envie : pour ses seize ans, Caitlin avait reçu à sa demande une Austin Mini peinte en rose bonbon ; les parents d'Holly Showalter, élève de terminale, lui avaient promis une Saab décapotable pour

---

1. Ville du sud-ouest de la Floride.

son bac ; Lydia Patel, la fille du Dr Manisha, comptait bien « hériter » de la Mercedes de son père à l'occasion de ses seize ans, en août. Une bande de gosses pourries, comme ne cessait de le lui rappeler son grand-père Spencer. Avec sa nouvelle Honda sur le point de lui tomber du ciel, elle-même était beaucoup plus gâtée que la plupart des jeunes. Elle aurait dû apprécier sa chance et en éprouver de la reconnaissance. Sa mère n'avait pas été une enfant privilégiée. Elle avait dû travailler dur pour en arriver là où elle se trouvait. Sa grand-mère Anna le lui avait souvent raconté. Mais, par-dessus tout, Savannah avait l'impression d'étouffer et il lui tardait de s'échapper de ce cocon de luxe pour sauter dans celui de sa propre vie, quelle qu'elle soit, de mener une existence intéressante, utile, avec des gens qui, comme elle, créeraient, chercheraient et se poseraient des questions. Le luxe était ennuyeux, incolore, inodore, et surestimé.

Son père la sortit de sa rêverie.

— Comment s'est passé ton entraînement ? lui demanda-t-il.

— Bien.

— Tu occupes quel poste, à présent ?

— Le même qu'avant.

— C'est-à-dire... ?

Elle en resta sidérée. Comment pouvait-il avoir oublié ? Dans le fond, pourtant, c'était normal : il ne l'avait pas vue jouer depuis le CM2.

— Tu parles sérieusement ?

— Quoi ?

— Je sais que tu es trop occupé pour assister à l'un de mes matches, mais tu ne connais même pas mon poste ?

Il soupira.

— J'ai beaucoup de soucis, Savannah.

— Ailier droit, mentit-elle.

Elle avait volontairement choisi la pire position sur le terrain. De notoriété publique, les ailiers droits constituaient les maillons faibles d'une équipe, ceux qui participaient le moins à l'action. Son père ne pouvait l'ignorer : le base-ball était sa seconde passion après le golf. Il avait pratiqué ces deux sports au lycée et à l'université. Existait-il une chose qu'il faisait de travers ?

— Ah oui, c'est vrai.

Elle tira une sorte de satisfaction de son ton déconcerté, comme si son père se sentait honteux d'avoir oublié un détail dont il aurait dû se souvenir.

— Je me disais qu'on pourrait t'envoyer en stage pour améliorer tes frappes, dit-il ensuite. Tu frappes à combien ?

— Cent quarante-cinq, mentit-elle de nouveau, pour continuer à le mener en bateau.

Il était aussi prévisible que sa mère, quoique de manière différente. Peu importait à sa mère qu'elle fût ultradouée pour les études, joueuse de soft-ball, chanteuse ou compositrice. Elle ne lui tiendrait pas rigueur d'obtenir un zéro en géométrie ou de miauler au lieu de chanter. Même si cela ne s'était jamais produit, Savannah avait la conviction qu'elle n'en ferait pas une maladie. À dire vrai, Meg était tout simplement trop occupée pour s'en apercevoir. Son père, en revanche, accordait énormément d'importance aux apparences dans tous les domaines, même si elles ne correspondaient en rien à la réalité. Il ressentait comme une offense personnelle le fait que son enfant soit reléguée au poste d'ailier droit et ne frappe qu'à cent quarante-cinq, et il s'estimait contraint d'intervenir. C'était son devoir de père. Si elle n'avait pas déjà été motivée, la pression de ses attentes, de son « aide », aurait lesté Savannah autant que du ciment frais.

— Il faut que tu remontes vite ta moyenne, insista-t-il. Je connais un des coaches des Marlins. Si je lui passais un coup de fil pour te faire prendre quelques cours de rattrapage le samedi ?

— Qu'est-ce que ça peut faire ? répliqua-t-elle sèchement. Pourquoi ne me trouves-tu jamais assez bonne telle que je suis ?

Elle vit que sa véhémence le décontenançait. Dommage pour lui. Elle en avait par-dessus la tête qu'il ne l'accepte jamais pour elle-même.

— Je veux juste t'encourager à atteindre ton maximum.

— Et si cent quarante-cinq est *déjà* mon maximum ?

— Ce n'est pas le cas. Pense à ce que je t'ai dit à propos du choix d'une profession : tire le maximum de tes capacités innées. Tu es une enfant douée.

— Je ne suis pas une *enfant*.

112

— Tu es une *jeune fille* douée, se reprit-il, mais ne pas cultiver à fond tes dons, comme trop te consacrer à la biologie par exemple, c'est du gâchis. Mais à propos de ta frappe...

— Pourquoi ? l'interrompit-elle. Tu parles de gâchis parce que je veux préserver les lamantins de l'extinction ? Où est le mal, en dehors du fait que je gagnerai moins d'argent que tu ne le souhaites ?

— Tu pourrais *aider* les gens... *et* être bien payée. Laisse-moi te prendre en stage cet été. Tu verras que permettre aux contribuables de garder leur argent au lieu de le refourguer au gouvernement peut être très épanouissant.

Savannah le fusilla du regard. Il était complètement à côté de la plaque !

Ils parcoururent le reste du trajet sans plus s'adresser la parole.

Dès qu'elle entra dans sa chambre, Savannah essaya de joindre Kyle sur son portable, mais il était sur boîte vocale. Elle lui laissa un petit message plein d'entrain pour lui annoncer qu'elle était vraiment navrée, mais que, en définitive, elle ne pourrait se rendre à Miami le lundi. Elle lui demanda de la rappeler plus tard ou de se connecter avec elle.

— On arrivera peut-être à organiser quelque chose pour le week-end prochain, conclut-elle d'un ton volontairement suggestif.

Mon Dieu, songea-t-elle, *pourvu qu'il trouve que j'en vaux la peine.*

Savannah avait pris place avec ses parents et son grand-père à une table pour quatre de la salle à manger de Bel Horizon, qui lui rappelait celle d'un navire de croisière sur lequel elle avait voyagé petite fille. Tous les passagers de ce bateau lui avaient paru aussi décatis que les pensionnaires de la résidence. Dans les deux cas, le décor était du style « sénilité intemporelle », selon l'expression de son grand-père : papier mural pastel, tables drapées de nappes, sol carrelé.

— Rien pour vous émoustiller, déclara Spencer. Dans un endroit pareil, ça vaut mieux.

113

Avec ses soixante-dix ans à peine révolus, il était l'un des plus jeunes résidents et il semblait prendre plaisir à vieillir certains de ses voisins plus âgés. Savannah remarqua que sa mère était distraite, qu'elle leur laissait le soin d'entretenir tant bien que mal la conversation. Son père n'ouvrait pratiquement pas la bouche, sauf pour parler aux gens qui ne cessaient de l'appeler sur son portable ; avant même qu'ils aient eu le temps de terminer la visite de l'aile résidentielle, il s'était déjà éclipsé à trois reprises. Résultat : c'était sur elle que reposait la responsabilité de la conversation. Jusque-là, elle avait parlé soft-ball, études et manière de télécharger les chansons sur son iPod, un système qui fascinait son grand-père.

— Bon sang, j'aurais aimé être doué pour tout ce bataclan informatique ! Ces types d'Apple vont avoir la peau de Bill Gates, affirma-t-il.

Il leur décrivait à présent un trio de vieillards en fauteuil roulant qui traquaient partout les infirmières et les vieilles dames, et qui échangeaient des messes basses dans les couloirs.

— Tu te rends compte, Savannah, aucun de ces vieux schnoques ne vit dans mon aile. Ils les parquent là-bas (il lui désigna l'autre extrémité de la salle à manger), dans l'aile réservée aux personnes assistées. J'y fais un tour de temps en temps, rien que pour rigoler. De l'autre côté du parking, tu as la maison de retraite pour ceux qui sont quasi morts.

— Papy…

Il la fit taire d'un geste de la main.

— Ne me donne pas du « papy » ! Quand tu auras mon âge, tu comprendras. La vie est faite pour les vivants. Les autres, ils font que gaspiller l'argent et l'oxygène dont d'autres pourraient avoir besoin. Pas vrai, Meggie ?

Celle-ci ne répondant pas, Savannah lui donna un coup de pied.

— Hum ?

— Papy te parle.

— Comment, papa ? Pardon, je pensais à autre chose.

— Ça se voyait. Je disais que ça sert à rien que les gens s'accrochent quand leur vie est terminée, comme la plupart des types de la maison de retraite. C'est pitoyable, tu trouves pas ?

— Je trouve surtout que nous devrions tous prendre un dessert.

Savannah sauta sur cette occasion d'égayer leur repas, malgré son désir de surveiller son poids pour être mince comme un fil quand elle verrait Kyle.

— Oh oui, une glace ! Il est où, ce distributeur automatique, papy ?

— Là-bas, près des portes de la cuisine. Tu l'as repéré ?

Deux vieillards au dos courbé s'y bousculaient pour se servir en premier.

— Oui. Tu viens, maman ? On va l'essayer.

— Si tu m'en rapportais une ? Ma journée a été longue.

Savannah se leva.

— La mienne aussi, dit-elle. Ce n'est pas pour ça que je vais me lamenter dessus.

— Cette fille n'a pas tort, observa son papy.

— Franchement, papa, je préfère ne pas bouger.

La voix tranchante de sa mère ébranla Savannah. Qu'est-ce qui la tracassait au point de la mettre si à cran ?

Le portable de son père recommença à sonner. Il consulta l'écran d'accueil et fit le geste de se lever pour prendre l'appel dehors.

— Pour l'amour du ciel, Brian ! s'exclama Meg. Tu ne peux pas éteindre ce truc ?

Tous se figèrent. Le regard de Savannah passa du visage enflammé de sa mère à celui, déconcerté, de son père, qui coupa son portable et se rassit.

— Si nous nous conduisions en personnes civilisées ? dit-il d'un ton très calme malgré son front rembruni.

— Les gens civilisés ne passent pas leur temps à téléphoner quand ils dînent en famille. Tu le saurais, s'il t'arrivait de manger avec nous.

— Ça suffit, Meg.

— Pourquoi ? D'après moi, rien ne te suffit jamais.

Savannah n'en croyait pas ses oreilles : sa mère faisait une scène. Ses parents ne se disputaient jamais.

Brian se leva.

— J'ignore quel est ton problème, lança-t-il, mais je n'ai pas besoin de ce genre d'histoires. Nous pourrons en parler plus tard, quand tu seras à même de te comporter en adulte.

— C'est ça, va-t'en, voilà une preuve de maturité, répliqua sa mère, alors que son père restait figé.

Il paraissait indécis, attitude que Savannah ne se rappelait pas l'avoir jamais vu adopter.

Son grand-père posa la main sur celle de sa mère.

— Laisse-le partir, Meggie. Je n'ai pas rendu tout cet argent à Bruce pour rien. Tu n'as plus à accepter les conneries du grand ponte.

— De quoi parles-tu ?

— De l'argent. Tu sais bien.

Il inclina la tête en direction de Savannah, qui sombra dans la perplexité. De quel argent parlait-il, et qu'avait-il à voir avec elle ?

Sa mère paraissait elle aussi troublée, mais son visage s'éclaira subitement.

— Quand est-ce que tu as donné l'argent à Bruce ?

— Je suis sûr de te l'avoir dit...

— Non, papa, je m'en souviendrais. Brian ?

— Je ne parlerai pas de ça devant Savannah.

Brian lui jeta un coup d'œil, puis il leur tourna le dos et sortit de la pièce.

— Et flûte ! s'exclama sa mère. Pardon à tous les deux, ajouta-t-elle après s'être frotté le visage. Je suis d'humeur massacrante ce soir. On aurait dû reporter ce dîner.

Savannah voulait savoir de quoi il retournait et comprendre ce qui avait pu mettre sa mère dans un état pareil. Mais elle hésitait à la questionner, de crainte de s'attirer aussi ses foudres. Il ne lui manquait plus que de se mettre dans le pétrin, d'être interdite d'ordinateur ou de portable – interdite de Kyle !

— Écoute, papa, reprit sa mère, je crois que nous allons en rester là. Je t'appelle demain, d'accord ? Savannah, tu veux bien prendre le volant ?

Elles s'en allèrent sans même avoir essayé le distributeur de glaces. Savannah en fut bizarrement attristée, alors qu'au départ, elle n'y tenait pas vraiment.

Kyle n'était pas en ligne quand Savannah se connecta à vingt et une heures, ni cinq, ni dix, ni quinze minutes plus tard ; cela la perturba davantage que le problème mystérieux qui divisait ses parents. Assise sur son lit, elle ignora les messages de Rachel. Elle se demandait si Kyle avait écouté le sien et s'il avait changé d'avis. Un garçon de son âge, avec un physique pareil, devait être poursuivi par un troupeau de femmes prêtes à lui tomber dans les bras. Rien ne l'obligeait à porter son choix sur une fille incapable de se souvenir du jour de la fête du Travail.

Elle brancha ses écouteurs et sélectionna les chansons du vieux CD de Carson McKay de sa mère qu'elle avait téléchargées. Parfois, les anciennes ballades – les siennes comme celles d'autres groupes – lui parlaient vraiment. Les mélodies, et des paroles qui évoquaient souvent ses propres soucis et chagrins, lui apportaient un réconfort dans les moments où elle avait le sentiment que sa vie serait une catastrophe. Adossée à ses stupides oreillers mauves, elle ferma les yeux pour se concentrer sur la voix de Carson interprétant une chanson intitulée « Burried Alive [1] », où il était question d'un randonneur égaré dans une tempête de neige qui s'imaginait mourir de froid et ne jamais revoir la femme qu'il aimait. Elle se rappela l'avoir entendue dans leur ancienne maison de Gainesville, où ils avaient vécu jusqu'à la fin de l'internat de sa mère. Un souvenir aussi fugace qu'un éclair, d'une rareté profondément émouvante : elle devait avoir environ quatre ans et était à califourchon sur la hanche de Meg qui valsait dans le salon.

Elle ignorait, à l'époque, que sa mère et Carson avaient été voisins durant leur enfance, et qu'ils avaient fréquenté les mêmes écoles. Elle ne l'avait appris que plusieurs années après leur retour à Ocala. À douze ans, peut-être. Sa mamy Anna en avait parlé un jour où sa mère et elle lui rendaient visite à la ferme. Elle leur avait raconté comment leurs voisins, les McKay, agrandissaient leur maison grâce à l'argent que gagnait Carson.

— Tu veux dire Carson McKay, la rock star ? avait demandé Savannah.

Sa grand-mère le lui avait confirmé, avant d'ajouter :

— Excuse-moi, Meggie, je croyais qu'elle était au courant.

---

1. « Enterré vivant ». (N.d.T.)

Savannah n'avait pas compris les raisons des excuses de sa grand-mère, lesquelles, dans le fond, lui importaient peu. En revanche, elle était tout excitée à la perspective de rencontrer un jour le célèbre Carson McKay.

— Il faut qu'on aille au prochain concert qu'il donnera ici ! s'était-elle exclamée. Il nous laissera peut-être entrer en coulisses.

En dépit de son jeune âge, elle admirait déjà sa musique et le fait qu'il s'accompagnait au piano, comme un autre des chanteurs préférés de sa mère, Freddie Mercury.

Elle sentit son portable bourdonner dans la poche de son short. Elle le sortit en hâte, ôta ses écouteurs et souleva le couvercle.

Elle ne reconnut pas le numéro affiché sur l'écran d'accueil.

— Allô ?

— Salut, ma belle.

Kyle.

— Salut ! Tu m'appelles d'où ?

— De chez un pote ; mon portable est quasi HS. Il fallait absolument que je parle à ma nana préférée.

Sa « nana préférée » ! Il ne lui en voulait donc pas d'avoir modifié leurs plans. Ou alors... il n'avait pas écouté son message.

— Je suis vraiment contente que tu me téléphones.

— Et moi, je suis content que tu sois contente. Tu crois que tu serais aussi contente de me rencontrer ce week-end, disons vendredi soir ?

— Sérieusement, ce week-end ?

— Je veux pas attendre jusqu'à lundi pour voir ta frimousse. Alors, je me suis dit que j'allais faire un petit bout de chemin pour voir ma nana préférée. Ma caisse est déglinguée, mais on peut descendre à Miami dans la tienne. Tu garderas ton billet pour une autre fois.

Et flûte, il n'avait effectivement pas reçu son message.

Elle entendit des rires à l'arrière-plan.

— On dirait que tu fais la fête.

— Ouais... quelques copains qui passaient par là. On s'amuse un peu.

— Tu es soûl ?

— Moi ? Non, non. La boisson, c'est pas mon truc.

D'autres rires.

À deux jours du week-end, elle allait devoir s'organiser en quatrième vitesse.

— Normalement, je dois encore rentrer chez moi ce week-end, dit-elle. Laisse-moi voir comment je peux me débrouiller. Je te rappelle au même numéro.

— D'acc. J'attends.

Elle raccrocha et balaya sa chambre du regard, transportée de bonheur. Comment faire ? Comment le rencontrer à l'insu de tout le monde ? Où allait-il dormir ? Pouvait-elle raconter à ses parents qu'elle passait la nuit chez Rachel... et descendre avec lui dans un hôtel ? Elle prétendrait que sa voiture était en réparation.

— Ressaisis-toi, ma fille, s'ordonna-t-elle tout haut, alors qu'elle bondissait presque de joie.

Elle reprit ses esprits, concocta un plan qui se tenait, et appuya alors sur la touche Appel pour parler à Rachel.

18

De retour du dîner avec son père, Meg s'endormit d'un sommeil agité dans le petit salon. Elle rêva de Bride, la jument qu'ils avaient dans son enfance... Elle enfermait Bride, sur le point de pouliner, dans sa stalle, à la nuit tombante. Une telle obscurité régnait dans l'écurie qu'elle ne distinguait pas ses propres pieds. Puis elle se retrouvait mystérieusement perchée sur une caisse de bois, l'étrille dans une main, le bras tendu vers le toupet de Bride. Elle lui murmurait des mots apaisants. Bride se crispait, faisait un écart, la projetait en arrière et la clouait au mur, puis elle tombait en titubant dans la paille, l'entraînant dans sa chute. Meg sentait ses jambes se plier, son dos érafler le mur. Mais dans son rêve, elle n'avait pas mal. Son inconscient lui épargnait les sensations physiques qu'elle avait éprouvées lors de cet accident survenu quand elle avait dix ans. En revanche, les ténèbres, l'enfermement traumatisant, ses hurlements qui ne servaient qu'à érailler sa voix, tous ces détails étaient bien présents dans son cauchemar.

Les grognements et les gémissements effrayants de Bride se répercutaient dans le noir. Épouvantée, Meg se convainquait, au fil des minutes qui s'étiraient comme des heures désespérées et haletantes, qu'elles allaient mourir là toutes les deux. Jamais elle n'aurait la force de soulever une jument de cinq cents kilos, de sortir à l'air libre le poulain – qui serait d'ailleurs mort-né. Elle savait tout cela dans son rêve, mais elle ne tirait aucun réconfort du fait que pour s'en souvenir, il fallait qu'elle ait survécu à ces instants atroces. Dans le cauchemar, elle n'arrivait plus à respirer. Bride la comprimait jusqu'à l'aplatir complètement, la rendre invisible. Condamnée.

La porte du garage qui se refermait avec fracas la réveilla. Trempée de sueur, elle consulta sa montre : deux heures et quart. Peu à peu, son pouls se ralentit. Elle attendit l'entrée de Brian, ses explications. Mais il se faufila dans la pièce sans un regard, déchaussé, les pans de sa chemise flottant dans le dos. Elle s'assit, soulagée d'avoir une fois de plus échappé à Bride, et tenta de rassembler ses idées pour revenir au présent. Au problème de Brian, qui avait préféré quitter Bel Horizon et s'enivrer plutôt que de rentrer à la maison pour discuter de la question soulevée au dîner.

Un bruit sourd et un craquement lui parvinrent, suivis d'un « Merde ! » de Brian.

Une épouse plus attentionnée se serait levée pour aller voir s'il ne s'était pas fait mal. Une épouse plus attentionnée aurait exigé de savoir où il avait passé les six heures précédentes. Dans un bar ? Chez un ami ? Chez une femme ? Une épouse plus attentionnée ne se serait pas jetée sur son portable pour appeler son beau-père en pleine nuit afin d'obtenir une réponse à une autre question, celle que Brian avait esquivée plus tôt et qu'il était manifestement toujours décidé à éviter.

Bruce ne décrocha qu'au bout de cinq sonneries.

— Allô ?

— C'est Meg. Pardon de vous appeler à une heure pareille.

— Brian va bien ? (Il paraissait affolé.) Que se passe-t-il ?

Cette crainte à propos de son fils aîné, de son héritier, se comprenait. Comme le reconnaissait elle-même Shelly, ils avaient couvé Brian – « un peu trop peut-être », ajoutait-elle avec un sourire complaisant – depuis sa première crise d'allergie. Survenue à deux ans, à cause d'un toast au beurre de cacahuètes. Il avait failli mourir parce que leur gouvernante de l'époque, Esmeralda, croyant qu'il s'étouffait, avait essayé de l'aider à coups de claques dans le dos. Heureusement, Shelly était rentrée de son cours de peinture à l'huile juste à temps pour appeler l'ambulance ; une dose très élevée d'épinéphrine avait sauvé la vie de Brian. À partir de là, Shelly et Bruce avaient vécu dans la crainte perpétuelle d'une ingestion accidentelle de cacahuètes – entières, sous forme de poudre, ou d'huile d'arachide : on trouvait ce machin dans tout. Quand Meg avait commencé à sortir avec Brian, Shelly avait même consacré une semaine à son éducation anti-cacahuètes, expéditions au marché et cours de cuisine inclus.

— Brian va bien, répondit Meg. Enfin, je crois. Il vient de rentrer en titubant, ivre mort.

— Vous avez bu aussi ? lui demanda Bruce.

D'inquiète, sa voix était devenue circonspecte.

— Non, en fait, je dormais. Mais peu importe. J'irai droit au but : est-ce que mon père vous a remis récemment de l'argent ?

Bruce toussota.

— C'est entre Spencer et moi.

Elle entendit Shelly demander à son mari qui était au téléphone et Bruce lui répondre : « Meg... tout va bien. »

— Bruce, je n'ai plus vingt et un ans. Il est tard, je suis de mauvaise humeur, et mon père a fait une allusion dont je voudrais avoir la confirmation. Il vous a remboursé ?

— Je lui ai dit de n'en rien faire. Mais il est têtu comme une mule.

C'était donc vrai.

— Le montant total ?

— Oui.

— Et vous l'avez pris ?

— Il a insisté. Je le place sur un fonds fiduciaire pour notre petite-fille, ça vous va ? Et, dans le cas où Spencer se brûlerait de nouveau les ailes – ce qui ne devrait pas arriver si vous surveillez ses dépenses –, je suis sûr que nous pourrons l'aider à s'en sortir.

— Merci, mais si c'est nécessaire, je m'en chargerai. Brian était au courant de ce paiement ?

— C'est à vous deux d'en discuter.

Réponse qui équivalait à un « oui ».

— Nous n'y manquerons sans doute pas, répliqua-t-elle.

— Brian est près de vous ? demanda Bruce d'une voix lasse.

— Non, il a dû s'écrouler sur le lit et tomber dans les pommes. Appelez-le demain matin, s'il vous plaît. Excusez-moi de vous avoir dérangé.

Les pièces du puzzle s'imbriquaient : les propos de son père au dîner – « Je n'ai pas rendu tout cet argent à Bruce pour rien. Tu n'as plus à accepter les conneries du grand ponte » – prenaient un sens.

Mais pas le comportement de Brian. Pourquoi ne lui en avait-il rien dit ?

Elle gagna la cuisine, à l'autre bout du couloir, à pas feutrés. La pièce était de nouveau silencieuse et vide. De la porte-fenêtre, Meg contempla les chatoiements lumineux projetés par l'eau éclairée de la piscine. À cette heure de la nuit, les lampes auraient dû être éteintes. Elles étaient contrôlées par un système automatique qui mettait également l'arrosage en route à l'endroit adéquat et faisait passer un léger courant électrique dans la clôture arrière de leur jardin, pour empêcher les alligators et les daims d'y pénétrer. Cet irréel et ravissant éclairage représentait un cadeau nocturne inattendu. Mais la commande était manifestement déglinguée, tout comme elle-même craignait d'avoir un bug au cerveau.

Quelque chose ne fonctionnait à l'évidence pas correctement dans sa vie. Elle observa les reflets lumineux dansant sur le plafond du portique et sur le sol carrelé de larges mosaïques importées d'Espagne. Elle voulait réparer ce bug le plus vite possible. Cet acupuncteur-parapsychologue que lui recommandait Cameron Lowenstein savait peut-être raccommoder les vies. Un ensemble d'aiguilles ultrapointues et quelques connaissances en parapsychologie, étaient-ce de cela qu'elle avait besoin pour se remettre sur les rails ?

Peu désireuse d'aller se coucher auprès de Brian, Meg s'installa à la table de la cuisine avec le dernier cahier de sa mère, pour lire un passage qu'elle n'avait fait que survoler :

10 août 2005
Minimum 21,5 °C ; maximum 30,5 °C. Gros orage cet après-midi.

J'ai passé la plus grande partie de la soirée au téléphone avec Julianne, pour la calmer. Allan s'est cassé le poignet, et il faut l'opérer. Elle ne sait pas gérer les crises. Elle n'a jamais su, probablement parce qu'elle avait trop de sœurs pour la protéger pendant son enfance.

À propos de crise, Spencer a eu mal aux reins toute la journée, mais il ne veut rien faire. Les hommes sont vraiment têtus. J'ai essayé de joindre Meggie pour lui demander conseil, mais elle était en plein milieu d'un accouchement prématuré. J'espère que ça ne va pas donner un autre de ces bébés tout chétifs d'une livre, branchés sur des tas de tubes et d'aiguilles. J'ai regardé une émission là-dessus la semaine dernière. Assez petit pour tenir dans une main, rien que de la peau transparente étirée sur des os aussi friables que ceux d'un oisillon. Pauvres choses ! J'ai toujours cru qu'il fallait laisser la nature faire son œuvre. Un bébé né avant d'être capable de respirer est un bébé rappelé à la Sainte Vierge. Je trouve que c'est de la cruauté de le garder ici. Et je sais de quoi je parle, puisque j'ai perdu mon minuscule petit garçon un an avant l'arrivée de Meggie. Je sais ce qu'on ressent.

Ça par exemple, je vois vraiment les choses en noir ce soir ! Il faut que je me reprenne. Je n'ai jamais été du genre à trop ruminer le passé. Ça explique sans doute pourquoi j'ai réussi à ne pas m'écrouler à cause de Spencer pendant toutes ces années. Bien sûr, j'aurais préféré garder Julianne un peu plus long-temps à la maison, et j'aimerais bien que Beth s'attache à un homme plus de trois semaines. Mais elle m'a dit qu'elle ne voyait aucun exemple de mariage réussi pour l'y inciter. « Regarde Kara, Julianne et Meggie. » « Regarde-nous, papa et moi », lui ai-je répondu. Sur ce, elle m'a aligné ses récrimina-tions comme une couvée de poules d'eau : Kara et Julianne ne sont que des usines à fabriquer des bébés ! Meggie est seule et déprimée. Quant à leur père, il est pire qu'un puits sans fond,

*l'argent lui a filé entre les mains toute sa vie. Jamais elle
n'épouserait un homme pareil. Sur ce, elle a ajouté : « Sans
vouloir t'insulter, maman. » Je savais qu'elle n'en avait pas
l'intention, bien sûr. Évidemment que ça n'a pas été le coup de
foudre avec Spencer, mais je l'aime. Comment expliquer la force
du véritable amour ? J'ai répondu à Beth que le véritable amour
ne cherche pas toujours à analyser une situation sous tous les
angles. Il frappe où bon lui semble, et nous ne pouvons rien
faire pour nous en défendre. « Ça t'est pas encore arrivé, me
suis-je contentée d'ajouter, mais un jour, tu verras. »*

*Malgré tout, Beth a raison à propos de Meggie. Il y a
quelques minutes, j'ai dit à Spencer à quel point je regrettais
qu'on l'ait laissée s'engager avec Brian. « Elle était adulte,
m'a-t-il répondu, on n'aurait pas pu l'arrêter. » « Bien sûr que
si », ai-je répliqué. Si je pouvais dénicher une lampe magique
au marché aux puces, avec un génie caché à l'intérieur, je ne
formulerais qu'un seul souhait : avoir de quoi rembourser
Bruce. Le joug que doit représenter cette dette pour elle !
Comment a-t-on pu ne pas s'en rendre compte ?*

Mais je connais la réponse.

Meg referma le cahier et glissa la main sur la couverture.
Une caresse.

Son père croyait lui avoir déjà parlé de l'argent, mais il ne
pouvait pas l'avoir fait. Se trompait-elle ? Au milieu de toute
l'agitation récente, de ce véritable tourbillon – elle l'avait aidé
à emballer ses affaires et à nettoyer sa maison ; elle avait coor-
donné ses rendez-vous avec l'agent immobilier, les inspec-
teurs et l'avocat ; fait procéder au débranchement de
l'électricité, du gaz et du téléphone ; prévenu la poste, ses
parents, ses amis, son médecin de son changement
d'adresse –, pouvait-il lui avoir confié qu'il avait libellé un
chèque à l'ordre de Bruce, remplissant ainsi l'un des derniers
vœux de sa mère, et pouvait-elle, de son côté, l'avoir oublié ?
Plausible *a priori*. Mais non : elle se serait souvenue d'une
nouvelle d'une telle portée. Elle aurait réagi comme à
présent : avec une indignation grandissante.

Car même si le remboursement de cette somme à Bruce
était un geste respectable, son père n'avait jamais fait la
moindre allusion, en presque dix-sept ans, au service qu'elle

124

lui avait rendu. Il s'était contenté de lui déclarer, lors de la réception de son mariage – un tralala somptueux, quatre tentes qu'il était censé avoir réglées de sa poche –, que cette union aurait des conséquences entièrement positives pour eux tous. Si seulement il l'avait remerciée à l'époque, elle ne serait pas à présent hors de ses gonds !

Elle se versa du lait, prit une pile de biscuits et alla s'asseoir près de la piscine, dans l'obscurité poisseuse. Le coassement d'une grenouille arboricole salua son passage entre les colonnes du portique. Elle enfonça les pieds dans l'eau. Au début, elle frissonna un peu, puis elle se détendit, au fur et à mesure qu'elle s'habituait à la température constante de 26,5 °C. Elle trempa alors la moitié d'un cookie dans le lait, attendit qu'il soit saturé de liquide, et se hâta de mordre la partie ramollie, comme elle le faisait lors des rares occasions où ils en avaient à la maison quand elle était petite fille.

Meg se souvenait d'avoir entendu dans un talk-show ou lu quelque part que les Américains faisaient une fixation sur les problèmes irrésolus de leur enfance. Elle en avait conclu que c'était pour cela qu'il y avait toujours des biscuits sur sa liste de courses, ainsi que toutes les céréales sucrées sans cacahuètes dont Savannah avait envie au moment où elle la dressait, des glaces, du vrai fromage et du soda à l'orange. Tout ce que Meg avait convoité dans son enfance emplissait désormais son réfrigérateur et ses placards. Tout ce qu'elle n'avait pas eu à l'époque, elle le donnait à présent à sa fille. Par exemple, une suite immense et gaie, alors que Kara et elle partageaient une chambre si étroite qu'elles pouvaient se tenir par la main depuis leurs lits. Quand Carson restait dormir, elles coinçaient un vieux lit de camp de l'armée perpendiculairement au bout, ne laissant qu'une vingtaine de centimètres vacants entre la commode et le lit. Quant à Julianne et Beth, c'était le même lit qu'elles partageaient dans leur chambre minuscule. Et la maison ne possédait qu'une salle d'eau.

Savannah disposait de sa propre salle de bains, avec une baignoire à pieds d'aigle et un lavabo à double cuvette, pour ses amies quand elle les invitait à dormir. Elle suivait des cours de guitare et de solfège, fréquentait des camps d'été à faire pâlir de jalousie la plupart des amateurs de belles vacances, et pouvait avoir tous les vêtements, chaussures, bijoux, peluches, poupées qu'elle désirait. Très récemment, elle avait eu droit à un portable, un PC et un iPod, et elle aurait bientôt une voiture flambant neuve. Lorsque Meg dressait mentalement la liste de tous ces biens matériels et songeait à leur mode de vie – cette piscine, cette villa de un million de dollars de style français, les voyages qu'ils s'offraient, leur appartenance à un country club ultrachic, pour ne citer que les plus voyants –, tout ce qu'elle avait pu offrir à Savannah, grâce à son mariage avec Brian et à son métier, l'aveuglait par sa démesure. Comme si cela constituait un remède universel.

— Je suis nulle, déclara-t-elle.

Elle enfonça le reste du biscuit dans le lait froid. Ses doigts le tenaient sans mal, comme si rien ne clochait chez elle, rien de plus que sa première hypothèse : une élongation, un nerf pincé peut-être, qui s'était décoincé tout seul au cours de la semaine écoulée. Elle en éprouva un soulagement presque aussi agréable que le chocolat froid et mouillé qui fondait dans sa bouche. Elle prit un deuxième cookie et le trempa aussi facilement que le premier.

Si seulement une semaine et une poignée de biscuits pouvaient régler tout le reste !

L'eau l'attirait. Son chatoiement avait tout d'un chant de sirène visuel auquel elle n'essaya même pas de résister : après avoir ôté son corsage et son pantalon, elle resta en équilibre au bord de la piscine, en culotte et soutien-gorge, puis elle plongea. Comme elle le faisait petite fille dans le grand étang limpide des McKay, Meg se laissa glisser jusqu'au fond, les yeux grands ouverts sur les pâles volutes de lumière au-dessus d'elle. Elle s'était transformée en nymphe d'une légèreté immatérielle, sans âge, ne faisant qu'un avec les molécules d'hydrogène et d'oxygène.

Quand ses poumons commencèrent à la piquer, preuve de la folie de son fantasme, elle remonta d'un coup de pied du fond du bassin. Elle fendit la surface et respira un grand coup. Puis elle entreprit de traverser la piscine en nage libre, du même mouvement fluide qui lui avait permis de gagner tant de courses autrefois. Le temps de quelques mètres délicieux, elle retrouva ses quinze ans, ses courses avec Carson et Kara jusqu'à l'autre rive de l'étang. Mais son rythme ralentit.

Son bras affaibli avait du mal à suivre le rythme de l'autre. Elle pataugea jusqu'aux marches et sortit de l'eau. Elle devait simplement se remettre en forme. « Ou tu t'en sers, ou tu les perds », soupira-t-elle. Elle sortit une serviette gigantesque d'un casier de rangement en teck et s'en enveloppa les épaules. Lowenstein n'y était pas du tout.

Elle ramassa ses vêtements et rentra dans la maison, laissant dans son sillage des empreintes de pieds mouillés. Elle ferma à clé, éteignit, et gagna la chambre que Brian et elle partageaient depuis qu'ils avaient fait construire la maison, huit ans plus tôt. Il s'était endormi au-dessus des draps, sa chemise à moitié déboutonnée. Il avait ôté son pantalon mais gardé ses socquettes crème, auxquelles la lumière rasante de la lampe de chevet donnait une couleur chair, si bien qu'on avait l'impression que les poils noirs de ses jambes s'arrêtaient subitement à dix centimètres au-dessus de ses chevilles. Il était ridicule et, pour couronner le tout, il ronflait la bouche grande ouverte, comme chaque fois qu'il dormait sur le dos. Monsieur le Grand Ponte, l'avait surnommé son père...

Bien vu !

Pendant qu'elle se séchait dans la salle de bains, Meg essaya de se souvenir de la réflexion exacte de Spencer au moment où elle l'avait quitté la semaine précédente. Il lui avait conseillé de ne pas laisser sa vie en suspens. Autre référence au fait qu'il avait remboursé Bruce. De même que ce soir, il avait alors essayé de lui faire comprendre que sa dette était épongée. Quant aux carnets de sa mère, ne s'agissait-il pas, comme du remboursement, d'un cadeau de sa part, d'un geste d'excuse se substituant aux mots qu'il ne savait prononcer ? Il voulait sans doute lui montrer qu'il l'avait libérée des entraves qu'il lui avait imposées. Si elle ne faisait pas fausse route.

Désormais, elle comprenait. Son père croyait lui avoir rendu sa vie en rachetant le titre de propriété. L'usage qu'elle en ferait n'était cependant pas aussi simple que ce qu'il imaginait.

Elle enfila sa chemise de nuit et se glissa sous les draps auprès de son mari qui ronflait de plus belle. Avant d'éteindre, elle prit le temps de l'examiner. Sa mâchoire et

127

son menton étaient saupoudrés de poils poivre et sel poussés depuis le matin. Son visage était plutôt agréable, dans le genre légèrement efféminé, typique de nombreux garçons du Sud qu'elle avait connus, et dont les familles possédaient des plantations, des hôtels de luxe... ou des banques. Comme si leurs traits s'étaient ramollis au fil des générations de privilèges acquis.

Brian était persuadé à l'avance de tout réussir : il s'était attendu à la conquérir, et c'était cette assurance, plus que son physique, qui l'avait attirée. Il s'était montré amical, sûr de lui, drôle. Il lui avait beaucoup plu quand elle avait appris à le connaître. Mais il ne lui avait jamais tourné la tête. Elle était restée amoureuse de Carson bien au-delà du jour où Brian lui avait fait sa proposition inattendue.

La preuve que l'argent n'achetait pas tout.

La lassitude s'insinuait dans chacun de ses muscles. Elle se servit de son bras gauche pour éteindre la lampe. Brian pivota face à elle. Son haleine empestait l'alcool. Elle se détourna vers les fenêtres. La lumière argentée de la piscine ondulait sur les rideaux transparents. Les paupières de plus en plus lourdes, elle suivit cette danse hypnotique.

Elle aurait aimé pouvoir dire que sa vie auprès de Brian était une catastrophe, être ravie de suivre le conseil de son père et de prendre la fuite, de voir les chaînes tomber de ses chevilles comme celles d'une esclave libérée. Mais même si leur relation était née de la volonté ambitieuse d'un jeune homme gâté par la vie de l'enlever à celui qu'il considérait comme son inférieur, elle ne pouvait pas dire que s'être laissé conquérir l'avait transformée en martyre. En aucun cas, elle ne pouvait prétendre en avoir vraiment souffert. Chaque fois que Meg songeait à le quitter, la même conclusion s'imposait à elle : Brian était un mari qui la soutenait, un père convenable. Ils formaient une famille, même si elle était loin d'être idéale.

— Ce n'est pas si facile, papa, chuchota-t-elle.

Ses chevilles étaient peut-être libérées, mais elle restait clouée sur place.

DEUXIÈME PARTIE

Il y a une fissure, une fissure en tout.
C'est par là que la lumière s'infiltre.

Leonard COHEN

19

— Alors, tu vas me la montrer ? demanda Val à Carson pendant qu'ils prenaient le petit déjeuner dans la cuisine des parents de Carson, le jeudi matin.

James et Carolyn, levés depuis longtemps, étaient partis tailler les citronniers avec leur équipe de travailleurs migrants.

Carson lui passa une carafe de jus d'orange.

— Tu es insatiable ! Tu l'as vue pas plus tard que cette nuit.

Elle sourit jusqu'aux oreilles.

— Pas *ça* ! Ta petite maison dans la prairie, celle que tu as construite avec ton père.

— Ah, la grange...

— Voilà. Tu m'as dit que je pourrais la voir aujourd'hui.

Il se souvenait vaguement de sa promesse, tout en la regrettant amèrement. Les rhums-coca lui avaient délié la langue à la veillée, alors qu'ils étaient tous confortablement installés autour du barbecue. Ses parents et lui avaient évoqué des souvenirs sans doute suscités par l'imminence de son mariage. La rénovation de la grange était venue sur le tapis – mais pas le nom de Meg. Val, cela se comprenait, s'était empressée de dire qu'elle voulait visiter la grange. Tout ce qui concernait les jeunes années de Carson à la ferme la fascinait : ils avaient reçu une éducation tellement différente qu'ils auraient aussi bien pu naître sur des planètes distinctes.

— Je te la montrerai si on a un moment, répondit-il. Il reste des tonnes de choses à faire : aller choisir les fleurs, passer chez le tailleur en fin de matinée...

Val esquissa un petit sourire ironique.

— C'est à deux pas !

Elle lui désigna le bâtiment, visible à travers les hautes fenêtres à battants qui comptaient au nombre des aménagements que les McKay avaient pu effectuer grâce à la réussite de leur fils.

— Pas difficile à glisser dans notre emploi du temps. J'ai du mal à croire que tu n'y aies pas remis les pieds depuis ton départ.

— En fait, j'ai toujours l'intention d'aller y effectuer du rangement. Si je m'installe à la maison chaque fois que je reviens, c'est parce qu'elle est beaucoup plus confortable, je te l'avoue. Climatisation, frigo plein. J'ai besoin du minimum.

Cet argument semblait plausible.

— Ta mère dit qu'elle va la transformer en atelier de peinture, non ? J'aimerais la voir avant.

Malgré son envie de remettre les choses à plus tard, aucune autre excuse ne vint à l'esprit de Carson. Et il ne voulait pas éveiller les soupçons de Val. Cela ne ferait que susciter des questions auxquelles il ne voulait pas répondre. Depuis leur rencontre, sept mois plus tôt, il avait réussi à glisser si subtilement sur sa relation avec Meg que Val ne songeait pas à placer cette dernière dans une catégorie différente des myriades d'autres femmes de son passé. Il commettait une sorte de mensonge par omission en minimisant cette relation – la seule qui avait vraiment compté pour lui avant Val – et avait la ferme intention de lui en dire plus un jour, mais pas tout de suite. Sans arriver à comprendre pourquoi, il répugnait de divulguer son histoire avec Meg. Ou alors, il ne supportait pas l'idée de passer pour un faible, ayant si longtemps souffert d'un chagrin d'amour. Quoi qu'il en soit, la perspective de faire visiter la grange à Val le mettait mal à l'aise. Le lieu était tellement imprégné de Meg qu'elle risquait de s'en apercevoir, de sentir sa présence – comme cela allait être le cas pour lui, il n'en doutait pas un instant.

Son portable sonna. Il jeta un coup d'œil à l'écran.

— C'est Gene. J'ai intérêt à répondre. Salut, Gene, comment ça va ?

— Comme d'habitude. Je travaille comme un malade pendant que tu fais joujou avec la Surfeuse.

— Tu n'as qu'à prendre des vacances.

— Tu plaisantes ? Ta carrière s'effondrerait comme une pute le dimanche matin. Au fait, qu'est-ce que tu fais demain soir ? Rien de prévu ? Bien. Parce que j'ai besoin que tu rendes service à un de mes vieux potes.

— Halte-là ! l'interrompit Carson. Je suis pris. Nous allons au théâtre en famille.

— Cette pièce est nulle. Envoie la Surfeuse la voir si ça te chante, mais toi, mon vieux, tu as rendez-vous avec un piano, deux guitares, une batterie et mon meilleur ami dans le voisinage, Johnny Simons.

— Elle s'appelle Val, répondit Carson sans s'énerver, et tu ignores de quelle pièce il s'agit, pour la bonne raison que je ne te l'ai pas dit.

— Ouais. Bon, bref, Johnny a un club génial à Orlando, et le groupe qui devait s'y produire demain soir vient d'annuler. Il m'en a parlé et, comme par hasard, je sais que toi, ma superstar, tu te trouves à une heure de route, que tu pourrais remplacer ce groupe et, par la même occasion, me rendre Johnny redevable à vie.

— En d'autres termes, constata Carson en riant, tout ça, c'est pour ta pomme !

— Comme d'habitude ! Alors, tu vas le faire ? Génial. Tu auras le même cachet que celui prévu pour le groupe, et je ne prendrai même pas mon pourcentage.

Gene lui communiqua tous les renseignements pratiques. Après avoir raccroché, Carson songea qu'un concert de ce genre, sans promotion, avec un bon public pratiquement garanti, serait un vrai plaisir, après tant de spectacles démesurés dans des stades bourrés de milliers de fans. L'ambiance allait lui rappeler ses débuts, sauf que personne ne lui demanderait : « Vous vous appelez comment, au fait ? » et qu'il ne suerait pas sang et eau pour trouver un autre bouge où se produire le week-end suivant.

— Je vais donner un concert dans un club demain soir, annonça-t-il à Val.

Il empila la vaisselle du petit déjeuner et la transporta dans l'évier. Les pattes de Shep, le bâtard tacheté de sa mère, cliquetèrent sur le carrelage. Le chien vint frotter le museau contre sa jambe pour l'obliger à poser par terre les assiettes, auxquelles restaient collés des reliefs d'œufs brouillés. Il lui tapota le dos.

— J'espère que tu ne m'en veux pas, dit-il. Gene était vraiment dans la panade.

— Ta mère ne va pas faire une crise ? Elle meurt d'envie de voir cette pièce.

— Et elle la verra. Tu devrais y aller aussi.

— Tu plaisantes ? Elle va me dévorer toute crue si tu me laisses seule en tête à tête avec elle et ton père.

— Maman ? Elle t'adore. Qu'est-ce que tu racontes ?

Val secoua la tête.

— Non, c'est toi qu'elle adore... et elle espérait que tu épouserais quelqu'un... d'autre. Elle me tolère, c'est tout.

Val disait vrai, et Carson s'étonna de sa faculté à saisir ces subtilités. Oui, malgré tous ses efforts pour soutenir son mariage, sa mère aurait souhaité le voir choisir une femme plus mûre, plus semblable à lui. Ou, pour être précis, plus semblable à elle. Une femme enracinée dans la terre, et non jaillie des vagues. Une femme qui aurait voulu éduquer des enfants, et non se comporter en enfant. Pourtant, Val n'était pas infantile. Simplement très juvénile, habitée par une énergie irrépressible, qu'elle tempérait en présence de ses parents.

— Maman et papa te trouvent tous les deux époustouflante. Mais si tu veux m'accompagner à Orlando demain, tant mieux. Comme ça, je n'aurai pas à ramasser des groupies pour m'aider à passer le temps.

— Je n'ai rien contre les groupies, répliqua Val, aussi pince-sans-rire que lui. Si on en cherchait quelques-unes ? Plus on est de fous, plus on rit.

— Ma cocotte, dit-il, ne me titille pas comme ça !

— Comme si tu étais capable de t'occuper d'autres filles !

Elle enroula les bras autour du cou de Carson et, d'un bond, lui enserra la taille de ses jambes nues. Il la saisit par les hanches pour la serrer contre lui.

Il aurait été du plus mauvais goût de lui révéler à cet instant le nombre de femmes dont il était capable de s'occuper à la fois. La cocaïne était un aphrodisiaque puissant pour tout nouvel utilisateur, et Carson n'était pas particulièrement fier de ses exploits de rock star débutante. Val en

134

connaissait certains, et pas uniquement par lui. Il savait que sa réputation le suivait sur bon nombre de pages web et dans une multitude de magazines. Mais, à trois semaines de leur mariage, il ne pouvait opposer qu'une réponse diplomatique à son défi.

— Comme si je pouvais désirer une autre femme que toi, déclara-t-il donc.

Elle pressa le nez et le front contre les siens.

— Bien répondu, dit-elle avant de l'embrasser. Tu m'emmènes à la grange ? ajouta-t-elle d'une voix un peu rauque.

La grange... Ce n'était pas demain qu'il l'y emmènerait dans ce but.

Il baissa les bras pour la laisser retomber sur ses pieds.

— Non, répondit-il. On a intérêt à accélérer le rythme si je veux me produire demain soir. Je dois préparer une liste de chansons, la transmettre aux musiciens et répéter un peu cet après-midi. On ferait mieux d'y aller.

Val fit semblant de bouder.

— On pourrait oublier ce mariage grandiose et se contenter de fuguer, lui proposa-t-il alors.

— Tu plaisantes ? Ma mère me tuerait ! Elle m'en veut déjà à mort de choisir les fleurs sans elle.

La mère de Val leur reprochait aussi de célébrer leur mariage à Saint-Martin et non à Malibu ; tout comme le directeur de la station de Saint-Martin leur en voulait de ne pas faire appel à un fleuriste local, parce que Carolyn tenait à soutenir ses collègues pépiniéristes de la région d'Ocala. Carson était convaincu que, s'il y réfléchissait mieux, il n'aurait aucun mal à ajouter une foule de noms à la liste des gens déplorant que leur mariage n'ait pas lieu là où ils l'auraient voulu et ne corresponde pas à l'idée qu'ils s'en faisaient. Jamais il n'aurait imaginé qu'un mariage puisse causer autant de désagréments.

Il donna une tape taquine à Val.

— Très bien. Prépare tes affaires. On y va.

20

En fin de matinée, Carson conduisit Val et son père en ville pour régler le problème des smokings. Les autres hommes invités à la réception avaient déjà envoyé leurs mesures au tailleur qu'il avait choisi, un immigré thaïlandais répondant au nom de Penguin Pete, qu'il estimait beaucoup. Même si ce dernier s'était installé à Ocala, ce qui n'était pas pratique, il lui confiait la fabrication de tous ses costumes – enfin, des rares costumes de sa garde-robe, car il n'était pas du genre à en porter. Pour lui, « tenue habillée » signifiait un jean non troué et une chemise avec col.

Le nom de Pete était l'un des rares détails dont il avait été capable de se souvenir au retour de sa première visite en Thaïlande, où il avait donné un concert à Bangkok en 2000. Durant son séjour là-bas, il s'était démené pour oublier la promesse faite à Meg de l'y emmener à l'occasion de son quarantième anniversaire. La cocaïne fournie par l'organisateur du concert, un Chinois au débit de mitraillette appelé Jinn, l'avait remarquablement aidé à combattre ce souvenir. Cependant, il ne s'était pas contenté de s'obliger à ne pas songer à son avenir sans Meg : il s'était diverti, lors de ses deux soirs de relâche et après son concert, avec une flopée de femmes affriolantes mais interchangeables à la chevelure corbeau – celles-là mêmes dont il n'avait pas souhaité parler à Val le matin.

Pete, parent de Jinn par le biais de liens maritaux compliqués, lui avait déjà fabriqué un smoking qu'il avait porté à la cérémonie des Oscars, deux ans plus tôt. Taillé dans du velours vert forêt avec des revers de soie noire, celui-ci avait fait un tabac et avait valu à Carson des échos dans tous les torchons people imaginables. Pete avait découpé certains articles dans des journaux thaïs, qu'il avait scotchés le long de l'un des grands miroirs de sa boutique.

Le magasin lui même ne correspondait en rien aux critères de la célébrité. D'une surface d'à peine cinq mètres carrés, on aurait dit qu'il avait été directement transplanté d'une ruelle de Bangkok, avec ses mystérieux parfums d'épices et sa patine due à l'âge, sa poussière et son humidité, lesquels faisaient sans doute que Pete s'y sentait chez lui. Quant aux clients, qui se serait plaint, au vu de costumes aussi magnifiquement taillés ?

Pete montra à Val les photos collées sur le miroir, dans l'angle gauche au fond de la pièce.

— Regardez ça, mademoiselle. Il avoir droit tapis rouge avec mon costume.

— Tout le monde a droit au tapis rouge, objecta Carson, ajoutant dans la foulée : je ne critique pas le costume.

Pete, qui devait bien mesurer une trentaine de centimètres de moins que Carson et qui arborait une espèce de tenue de toréador, leva vers lui un regard contrarié.

— Non, non, vous avoir l'air *célébrité* grâce à ce costume. Sinon, ils vous reconnaître pas, ils vous obliger à rester derrière barrière comme simple mortel.

— Si c'est vous qui le dites. De toute façon, c'est un superbe smoking. Mais Mlle Val pense à tout autre chose pour notre mariage. Valerie, dis-lui ce que tu voudrais.

Pete fit signe à la jeune femme de l'accompagner dans l'arrière-boutique, au-delà d'un rideau en perles de bois.

— Oui, oui, venez ; on va boire thé, vous me dire vos idées et Doreen, elle mesurer vos hommes.

Val jeta un regard en arrière à Carson, comme si elle attendait qu'il vienne à son secours, mais il se contenta de l'encourager d'un sourire, et s'approcha d'une petite estrade érigée dans un coin où l'attendait l'épouse cubaine de Pete, Doreen, un mètre de couturière et un minuscule carnet à spirale à la main. Doreen, la cinquantaine plantureuse et rubiconde, portait un corsage court à volants turquoise, profondément échancré, et plus d'une dizaine de fins bracelets d'argent à chaque poignet. Carson s'aperçut que son père n'était pas insensible, loin de là, à son décolleté.

— Papa, si tu passais en premier ? proposa-t-il.

— D'accord, répondit James.

C'était la première fois qu'il mettait les pieds dans la boutique. Carson se rendit compte que l'endroit, comme ses propriétaires, le décontenançait un peu. Son père était un sauvage. Une grande force de persuasion avait été nécessaire pour le convaincre de se rendre à Seattle quatre mois plus tôt, car il n'aimait pas laisser ses vergers, prétendant qu'il manquerait à ses arbres, lesquels donneraient des fruits acides la saison suivante.

— Mettez-vous *dévout* ici, ordonna Doreen avec son accent cubain à couper au couteau, tous bracelets cliquetant. On *sé penché* pas, on *sé tortillé* pas. *Que bueno.* On *mesoure* correctement et *lé costumé tomber parfé.*

Son visage rond était sérieux.

— Tu as intérêt à lui obéir, dit Carson. Elle a été élevée par des bonnes sœurs très sévères.

Doreen étira le mètre pour mesurer les épaules de James, puis ses bras bronzés.

— Alors, demanda-t-elle, *señor Musica, esta* qui, *botré* témoin ?

— Papa, ici présent.

— Oh, *qué* vous êtes *gentile*. Quel *buen hijo* ! s'exclama-t-elle, tout en passant le mètre entre les jambes de son père.

James frémit légèrement.

— C'est vrai, acquiesça-t-il. Je ne peux pas me plaindre.

Il adressa à son fils un sourire franc, signe qu'il ne lui en voulait plus de l'avoir lâché. Au début de la carrière de Carson, le sourire de James était forcé. Les dimanches après-midi et le soir en semaine, père et fils avaient failli faire sauter la ligne téléphonique à plusieurs reprises. Carson défendait son départ et ses choix, et James lui opposait que le métier de chanteur et de compositeur revenait à peu près à s'inscrire au RMI, malheur garanti en prime. De plus, à imaginer que la chance tourne en sa faveur, il devait savoir à quoi ressemblaient l'hépatite, l'herpès, l'addiction à la drogue et le sida. « Tous ces trucs dont tu ne veux pas entendre parler, crois-moi, ils fleurissent dans ce métier. »

Mais c'était à une autre maladie que Carson ne voulait pas penser. Une maladie endémique dans les vergers d'orangers, de citronniers et de pamplemoussiers où il aurait dû passer ses journées s'il ne s'était pas déplacé de club en club, de ville en ville. Là où il avait pratiquement passé toute sa vie, en compagnie de Meg, à attraper les lucioles et à chasser des rêves adolescents par de brumeuses nuits estivales. S'il y était resté, cela s'en serait bien plus ressenti. Son chagrin d'amour n'avait pas disparu : il l'avait accompagné à

Jacksonville, Durham, Pittsburgh et Cleveland ; il avait traversé le Mississippi avec lui à Minneapolis, l'avait suivi à Denver, Las Vegas et San Diego. Il diminuait, certes, se cachait dans les criques secrètes de son cœur, des lieux qu'éclairaient rarement les feux de ses activités quotidiennes. Carson se demandait à présent si sa fuite n'avait pas maintenu sa peine sous scellés, et si cette dernière n'aurait pas au contraire été totalement effacée, par surexposition, s'il était resté à la ferme et y avait fait sa vie.

Doreen en termina avec son père et le poussa du coude vers l'estrade.

— À toi ! ordonna-t-elle à Carson.

— Je vais voir comment s'en sort Val, dit James.

— Bonne idée. Bois un thé. Celui de Pete est délicieux.

Carson grimpa sur la plate-forme de bois et écarta les bras, pendant que son père traversait l'écran de perles pour entrer dans la pièce du fond, d'où leur parvenaient tour à tour les timbres aigu et plus grave des voix de Val et de Pete, qui semblaient jusqu'à présent bavarder agréablement.

— Je ne crois pas avoir changé de taille, annonça-t-il à Doreen. Val me donne des leçons de surf. Enfin, elle essaie.

— Oh, surfing ! J'ai vu le film, vous savez, avec *lé musculos dé* Swayze. *Oh dios ! El otro souper* sexy ? Matrix ?

— Keanu Reeves, précisa Carson. Oui, j'ai vu le film aussi. Val est une championne de réputation mondiale et une pro...

— Non ! fit Doreen en s'accroupissant sur les talons. *Esta niña pequenita ?* Les vagues vont l'avaler. Plaisantez pas avec moi, *señor Musica*.

— Je ne me permettrais pas. Posez-lui vous-même la question. Elle a une compétition la semaine prochaine à Bali.

Doreen était en train d'en terminer avec les coutures extérieures et intérieures du pantalon.

— Bali ? Oh, *no facile la vida !* Vous va aussi, *yé soupposé ?*

— Non, je ne suis pas libre. Je donne un concert de charité mercredi prochain à La Nouvelle-Orléans.

Doreen secoua la tête.

— Tellement *occoupé. Como va couisiner para vos*, si vous êtes même pas dans le même *païs ? Porqué* vous *marié ouné* femme qu'elle est pas toujours là ?

Carson tint sa langue, car, la fois précédente, Doreen s'était lancée dans une longue diatribe parce qu'il s'était rendu à la cérémonie des Oscars en compagnie d'une actrice ayant interprété un personnage qu'elle détestait. Elle lui avait cité une demi-douzaine de comédiennes bien meilleures qu'elle. Des femmes qui ne faisaient certainement pas la cuisine tous les soirs à la maison. Doreen était capricieuse, mais gentille, honnête, et supérieurement douée pour les finitions. Carson l'appréciait beaucoup.

Il tournait le dos à la porte quand la sonnette placée au-dessus retentit. Il aperçut la cliente dans le miroir avant qu'elle ait eu le temps de s'adapter au contraste entre la lumière aveuglante de la mi-journée et l'obscurité du magasin.

— *Hola, señora* Hamilton ! *Yé* viens tout *dé souite*. Ces mots sonnèrent si étrangement aux oreilles de Carson qu'il en resta les yeux écarquillés.

Nulle part où se cacher. Subitement, il eut l'impression d'avoir les poumons comprimés, le cerveau incapable de formuler une pensée cohérente. Devait-il se manifester ou attendre qu'elle l'aperçoive ?

— Prenez votre temps, dit Meg, qui ne l'avait toujours pas reconnu.

Pour l'instant, il n'était qu'un individu anonyme, plutôt grand, en short sombre et tee-shirt, qui lui tournait le dos. Il la regarda s'approcher du comptoir en coinçant ses lunettes de soleil, accrochées au bout de sa main gauche, dans ses cheveux cuivrés.

Doreen le poussa au bas de l'estrade.

— Fini ! annonça-t-elle.

Carson s'écarta à gauche, dans l'angle, et aperçut alors l'issue de secours possible : il n'avait qu'à s'approcher en hâte de l'embrasure de la porte protégée par le rideau de perles et glisser devant les miroirs avant que Meg ait le temps de détourner son attention des cartes de visite exposées sur le comptoir. Totalement indécis, il sentait son cœur battre comme un tambour.

C'était compter sans Doreen. Elle le prit par le bras et, sans lui laisser le temps de bouger, annonça à Meg :

— *Yé* terminé le *costoume dé votré* mari. Beaucoup *dé* travail. Nous faisons *los* smokings *dou* mariage *dé* la *grandé* star *dé* Ocala.

Elle le tira vers Meg, l'air de vouloir lui montrer un étalon vainqueur.

— Vous connaissez Carson McKay ?

Meg parut interloquée. Ses lèvres s'écartèrent comme si elle voulait dire quelque chose, mais aucun son n'en sortit. Elle soutint cependant son regard sans flancher.

— Bravo pour votre timing, déclara-t-elle enfin à Doreen, avant d'ajouter, à l'intention de Carson : Félicitations.

Une expression sincère émanait de ses immenses yeux noisette.

Il se racla la gorge pour pouvoir répondre :

— Merci, Meg.

— *Bous bous* connaissez ?

Tous deux restèrent d'abord cois, attendant chacun de voir ce que l'autre allait répondre. Puis Meg laissa échapper un petit rire nerveux.

— Ça ne date pas d'hier.

Doreen ne paraissait pas sentir la tension que Carson trouvait, quant à lui, aussi palpable qu'une grosse averse.

— Sa *novia*, elle *campeona dé sourf*, précisa-t-elle.

Elle avait prononcé ces mots lentement, appuyant sur chaque syllabe.

— J'en ai entendu parler, dit poliment Meg.

— *Uné minuto. Yé vais chercher les costoumes del señor* Hamilton.

Doreen disparut à travers les perles, laissant Carson seul pour la première fois avec Meg depuis qu'il lui avait donné rendez-vous en enfer.

Ils ne pouvaient pas ne pas tomber un jour l'un sur l'autre. Cette rencontre était inévitable. Il ne revenait pas souvent en visite à Ocala, mais, chaque fois, il avait nourri l'espoir, dans un coin de son esprit, de la voir entrer dans une épicerie, un restaurant, à la coopérative, avec ses parents, ou se ranger de nouveau à côté de lui à un feu de signalisation – jusqu'au jour où elle avait perdu sa mère et où Spencer avait vendu la ferme. Il n'avait jamais imaginé quelle serait sa réaction s'il la rencontrait. En aurait-il arrêté une lui-même qu'il ne s'y serait jamais tenu, il le savait désormais.

Ces dernières années, les paroles qu'il avait prononcées avec une certitude tellement passionnée le matin du mariage de Meg l'avaient souvent hanté. Comment avait-il pu se montrer si horrible ? Pourquoi avait-il été incapable d'accepter son rejet ? Elle ne l'aimait pas assez pour le choisir, et après ? Elle était venue le voir pour baiser vite fait bien fait, aussi vulgaire que cela puisse paraître, et après ? Il aurait dû se contenter de la renvoyer à Hamilton en lui souhaitant bonne chance, au lieu de lui lancer cette imprécation. Mais il était jeune, entêté et blessé... et il avait vraiment cru que la revoir serait un enfer.

Il s'était trompé. Cela lui donnait des fourmis dans les doigts et des palpitations.

Elle lui parut lasse, mais toujours lumineuse, comme si les reflets cuivrés de ses cheveux et le rose pâle de sa peau étaient éclairés de l'intérieur d'une énergie que même une journée de stress ne pouvait totalement éclipser. Il savait qu'elle était obstétricienne, qu'elle possédait un cabinet de l'autre côté de la ville. Sa mère lui avait fourni ces informations au compte-gouttes au fil des ans, comme si elle essayait périodiquement de vérifier la température de l'eau. Il savait qu'elle était mère d'une adolescente et lui avait donné le prénom qu'elle avait choisi fort longtemps auparavant, au cas où elle donnerait naissance à une fille. Et il savait qu'elle n'avait pas perdu de temps, sans doute pour cimenter son lien avec les Hamilton le plus vite possible. Sans doute pour s'assurer un héritage, dans le cas où un malheur surviendrait à Brian. Jamais Carson ne l'avait trouvée rusée, mais il n'avait jamais imaginé non plus qu'elle épouserait un autre que lui. Il s'était trompé sur toute la ligne. Mais, indépendamment de son caractère, Meg demeurait belle à ses yeux. La voir ainsi, à moins de trois mètres de lui, l'emplissait d'un plaisir à l'état pur totalement inattendu.

21

Meg n'en revenait pas de rencontrer Carson chez le tailleur. Il était bien le cadet de ses soucis, cet après-midi-là. Elle avait dû coincer une course supplémentaire pour Brian dans son emploi du temps, avant un rendez-vous fixé à une heure et quart avec Brianna Davidson, une ancienne camarade de la faculté de médecine. Manisha l'avait poussée à appeler Brianna, qui était neurologue, et à demander à la rencontrer sur-le-champ. « Les réponses valent toujours mieux que les questions », lui avait-elle déclaré.

La journée de Meg n'avait pas débuté dans la sérénité. Brian s'était réveillé avec la gueule de bois, et il avait refusé de parler de l'argent et de sa soûlerie de la veille. Cela ne l'avait pas empêché de l'appeler à dix heures et quart pour la charger d'aller chercher ses costumes et de déposer le gris à son bureau, car il s'envolait pour sa succursale de Boston sans repasser par la maison.

— *Lé costoume del señor* Hamilton, *tou* les as rangés où ? entendit-elle Doreen demander à Pete dans l'arrière-salle.

Qu'elle se dépêche de mettre la main dessus ! Meg savait qu'elle devait dire autre chose à Carson, mais quoi ?

— Comment se fait-il que tu connaisses cette boutique ? lui demanda-t-il.

Quel soulagement de constater qu'il était capable de la questionner normalement ! Pour sa part, elle était trop intimidée pour sortir un mot, gênée comme jamais de se trouver en sa présence.

— Oh, il... Brian... en a entendu parler par quelqu'un. Pete est très fort.

— Oui, ça fait longtemps que je suis son client.

— Formidable.

— Oui.

Elle le trouvait vraiment superbe. Son visage était toujours séduisant sur les couvertures de CD et de magazines, mais n'était-ce pas le rôle de tous les photographes et stylistes que de le faire paraître à son avantage ? En personne, cependant, il irradiait à présent une espèce d'énergie vibrante. Ses cheveux plutôt longs étaient ébouriffés, comme à l'époque de leur adolescence, et un duvet châtain clair recouvrait son menton, pas plus épais que quand il avait vingt ans. Il entreprit de le gratter.

Elle se lança :

— Ta maman va bien ?

— Très bien, oui. Elle... elle s'occupe.

Les perles bruissèrent. Meg s'attendait à voir Doreen, mais ce fut James McKay qui apparut. Elle imagina le spectacle cocasse que Carson et elle devaient lui offrir, plantés tous les deux comme des piquets : elle accrochée à son sac comme à un gilet de sauvetage et Carson se grattant le menton d'une main, tout en faisant tinter des pièces de monnaie dans sa poche, de l'autre. Des gosses empotés qui cherchaient leurs mots.

James s'approcha d'elle et l'embrassa sur la joue.

— Comment vas-tu, Meg ?

— Tout bien considéré, ça va. Papa s'habitue à sa nouvelle vie de retraité à Bel Horizon.

Parler à James était tellement plus facile !

— Bien, bien, dit ce dernier. Transmets-lui nos amitiés.

— Je n'y manquerai pas. Merci.

Elle l'avait rencontré à plusieurs reprises depuis sa rupture avec Carson, et pour la dernière fois lors des funérailles de sa mère, auxquelles Carolyn et lui avaient assisté. James lui avait fait chaleureusement part de sa sympathie, alors que Carolyn, tout en lui présentant ses condoléances, avait gardé ses distances, comme chaque fois que leurs chemins se croisaient. Meg ne lui en avait jamais tenu rigueur. Elle comprenait le côté mère poule de Carolyn ; elle comprenait ce que celle-ci devait penser d'une femme qui, selon toute apparence, avait déchiré et piétiné sans scrupule le cœur de son fils.

Carson avait envoyé un mot à son père, si elle avait bien compris.

James s'approcha de Carson et lui enlaça les épaules.

— Je m'incruste. Je vérifie que Carson ne prend pas de travail sur l'organisation de son mariage.

Meg capta le regard que Carson coulait à son père. James jouait à présent lui aussi au parent protecteur. La considérait-il comme une menace ? Certaines impulsions ne vous

144

quittent jamais… dont les siennes, puisqu'elle n'avait pas pu résister à la première réaction que lui avait inspirée Carson : poitrine subitement serrée, envie pressante de se nicher contre lui, de retrouver le creux de ses aisselles, si parfaitement adapté à ses épaules quand il la prenait dans ses bras. Il l'avait enlacée tant de fois ainsi, pour la réconforter, la soutenir, la protéger. Par désir… Elle avait vécu dans ses bras, grandi dans ses bras.

Elle s'obligea à afficher son sourire professionnel rassurant, destiné à montrer qu'elle contrôlait la situation.

— Le grand jour est pour quand ? demanda-t-elle.

— Le mois prochain, répondit Carson. Le week-end de la fête des Mères, à Saint-Martin. Je sais, ça paraît dingue, mais sa mère – la mère de Val – trouvait formidable de combiner les deux.

— Je vois, dit Meg.

Elle ne se rappelait que trop bien la mainmise de sa propre belle-mère sur la plus grande partie de l'organisation de son mariage, comme si le fait que les Hamilton le finançaient autorisait Shelly à tout planifier. Sa mère avait accepté cette inversion de rôles avec grâce. Gratitude, même, ce qui avait prodigieusement agacé Meg à l'époque. Elle avait eu envie de lui dire de relever la tête, de faire comprendre aux Hamilton que sa fille leur faisait également une faveur, en permettant à Brian d'épouser celle qu'il désirait par-dessus tout. L'argent jeté par les fenêtres, la fortune des Hamilton étaient des outils, pas un sceptre, et Meg aurait souhaité voir sa mère le reconnaître. Mais à son âge, incapable d'appréhender le tableau dans sa totalité, elle n'avait pas saisi le fonctionnement de cette tractation. Dans le fond, ses parents la vendaient, tout comme d'autres familles, dans des cultures différentes, vendaient leurs filles, pour améliorer leur situation. Le vendeur parvenait parfois à obtenir un prix plus élevé, quand sa fille présentait une qualité très recherchée ; mais c'était l'acheteur, capable de débourser cette somme, qui détenait le pouvoir.

Dans le cas de Carson et de sa future épouse, il s'agissait de circonstances beaucoup plus ordinaires. Valerie Haas n'était peut-être pas tout à fait aussi riche que Carson, mais il n'était pas question de « vente ». Meg ressentit des picotements de jalousie à la pensée des sentiments que devait éprouver Val, du fait qu'elle épousait un homme simplement par amour.

Certes, Meg aimait bien Brian quand ils s'étaient mariés. Elle s'était convaincue que dans le cas contraire, elle ne l'aurait jamais épousé. Autrement, il se serait agi d'un marché de dupes. Elle lui pardonnait son défaut principal : ne pas être Carson. Mais elle ne l'aimait pas vraiment. L'amour, avait-elle confié à Anna, arriverait en temps voulu, comme dans les mariages arrangés. « Bien entendu, avait approuvé sa mère. Pourquoi en irait-il autrement ? »

Doreen réapparut et lui tendit les costumes de Brian.

— *Sour votré* compte ? demanda-t-elle.

— Oui, merci.

Meg allait annoncer aux hommes qu'elle devait s'esquiver en hâte quand les rangs de perles s'écartèrent une fois de plus sur une jeune femme mince à la chevelure platine.

— Je crois qu'on a trouvé le bon !

Carson se retourna brusquement, comme un gamin surpris la main dans la boîte de bonbons juste avant le dîner.

— Formidable, lâcha-t-il.

Il s'agissait de toute évidence de Valerie, car non seulement elle ressemblait à la future épouse représentée sur leur photo de fiançailles, mais elle possédait le corps délié d'une jeune athlète : longues jambes aux muscles fuselés, dévoilées par le même short que celui dans lequel dormait Savannah ; muscles des biceps visibles sous les manches de son tee-shirt moulant, identique, lui aussi, à ceux de Savannah. Carson hésitait, comme s'il ignorait quelle attitude adopter.

James vint à son secours.

— Val, je vous présente Meg Hamilton, une vieille amie. Ses parents possédaient la ferme voisine de la nôtre.

Val leva brièvement la main.

— Salut ! dit-elle.

Meg déduisit de son expression amicale que Carson lui avait épargné les détails de sa vie de jeune homme – un détail spécifique, en tout cas.

— Ravie de vous rencontrer, déclara-t-elle le plus chaleureusement possible.

C'est-à-dire d'une voix tiède.

Val, manifestement distraite par ce qu'ils avaient trouvé, ne remarqua rien. Elle s'était tournée vers Carson :

— Pete et moi, on est *sympatico* pour le modèle de smoking. Vous allez tous être fab.

Pour souligner sa remarque, elle leva les deux mains en signe de victoire.

Fab, songea Meg, regardant Val enlacer Carson par la taille. Elle paraissait plus petite à son côté, comme si elle mesurait au maximum un mètre cinquante-cinq, et elle était trois fois plus menue. *Fab* elle-même, avec cette chevelure soyeuse et cette peau dorée par le soleil. Aurait-il pu en être autrement ?

Meg se rappela de vérifier l'heure et constata qu'elle devait vraiment courir si elle ne voulait pas rater son rendez-vous avec Brianna.

— Pardon, mais je dois y aller. C'était ma pause déjeuner.

— Bien sûr, dit Carson.

Abrège !

— C'était sympa de te revoir. Encore toutes mes félicitations.

Elle fit passer les cintres de son bras droit, qui fatiguait beaucoup, à son bras gauche, puis elle se tourna vers la sortie. James se hâta d'aller lui tenir la porte.

— Merci.

Éblouie par le soleil, elle voulut chausser ses lunettes noires, mais sa main pesait une tonne, comme auparavant.

James ne remarqua rien.

— Bon vent ! marmonna-t-il, et il laissa la porte se refermer.

Les yeux plissés, Meg s'approcha du bord du trottoir et attendit que la rue soit dégagée pour pouvoir regagner sa voiture, garée du côté opposé. Un déclic se produisit alors dans sa tête : Carson avait dit que son mariage serait célébré le week-end de la fête des Mères. Non le jour même, par conséquent, mais la veille, c'est-à-dire l'anniversaire de Savannah. Elle se refusa d'épiloguer sur cette coïncidence.

Elle essaya de plier sa main droite, qui coopéra, mais sans plus.

— Salope ! l'injuria-t-elle sous cape.

Dès que la voie fut libre, elle traversa, attentive à chacun de ses pas. Le problème de son bras l'effrayait, l'incitait à redoubler d'attention pour ne pas perdre l'équilibre, malgré ses talons plats. Elle atteignit la voiture sans encombre et posa sur le capot les costumes enveloppés dans de la cellophane, suivis de son sac qu'elle laissa glisser de son épaule gauche. Elle fouilla de sa main gauche dans le sac, en sortit la clé et pressa le bouton d'ouverture. Puis elle souleva le sac, les costumes, et tenta de les draper autour de son bras droit pour ouvrir la portière de sa main gauche. Mais elle en avait trop demandé à ce bras, et celui-ci lâcha sous le poids. Tout alla valser sur l'asphalte à ses pieds.

— Et merde !

La coupe était pleine. Elle débordait. Cette course débile pour ces costumes débiles... Pourquoi Brian était-il incapable d'aller chercher lui-même ses foutus vêtements ? Carson et sa petite fiancée pimpante et leurs plans de mariage, la chaleur et ce bras inutile, inepte, terrorisant... Elle resta plantée à côté de la voiture, le visage inondé de larmes.

— Meg !

C'était Carson, qui l'appelait dans son dos. Ignorant depuis combien de temps il se tenait là, elle s'accroupit en hâte pour ramasser tout ce chantier.

— Laisse-moi t'aider, dit-il en se penchant.

Carson scrutait son visage et ne manqua pas de lui demander ce qui se passait. Que pouvait-elle répondre ?

Elle s'écarta pour lui permettre d'ouvrir la portière arrière et de suspendre les cintres. Totalement indécise, elle laissa le silence se prolonger. Elle ne pouvait pas lui avouer la vérité. D'ailleurs, elle-même ne la connaissait pas exactement. Comment lui expliquer son bras en coton, les émotions qui l'avaient fait craquer ? Quelle excuse le dispenserait de manifester son inquiétude chevaleresque, ou à tout le moins normale ?

— Meg ?

— Je... Rien... Ça va. Juste un vertige... La chaleur, je crois.

Même à ses propres oreilles, ce mensonge sonnait creux.

— Un vertige ? Allons ! Tu pleures.

— Pas à cause de toi, répliqua-t-elle, désireuse d'écarter tout de suite ce soupçon.

— Bien sûr que non. Je ne pensais pas... (Il prit le temps de respirer audiblement.) Dans la boutique, tu avais l'air d'avoir des problèmes avec ton bras.

— C'est vrai. J'ai eu une crampe. Ça m'est déjà arrivé à deux ou trois reprises. Ça va aller. Ça passe.

Elle avait à présent hâte de s'en aller, non seulement pour arriver à l'heure à son rendez-vous – inutile encore à ses yeux quelques instants plus tôt, d'un point de vue médical, et qu'elle considérait davantage comme une bonne occasion de revoir une vieille amie –, mais aussi parce qu'elle ne supportait pas la proximité de Carson, son attitude tellement semblable à celle d'antan. Cette présence réconfortante, cette sensation de temps aboli la plongeaient dans la panique.

22

L'un des avantages de la profession de médecin résidait dans les relations que l'on entretenait avec ses confrères, qui se faisaient un plaisir de glisser un ami ou un collègue dans leur emploi du temps de ministre. Brianna Davidson n'avait pas le temps de recevoir de nouveaux patients dans un délai aussi bref, mais cela ne l'empêcha pas de faire une exception pour Meg. Plutôt qu'une consultation, cette visite allait être une conversation à bâtons rompus sur ses symptômes et, si la nécessité s'en faisait sentir, sur un choix d'examens à passer.

L'immense enveloppe kraft contenant les radios passées chez l'orthopédiste coincée sous le bras gauche, Meg se présenta à la réception des neurologues associés de Floride centrale.

— Dr Megan Powell, annonça-t-elle à l'hôtesse.

Cette dernière repéra son nom sur l'écran de l'ordinateur et jeta un coup d'œil à une note.

— Un instant, je préviens le Dr Davidson de votre arrivée.

Dans la salle d'attente austère, aux tons apaisants de gris et de bleu, trois autres patients s'ingéniaient à s'ignorer les uns les autres et à ne pas la voir. L'ambiance ne pouvait pas être plus différente de celle qui régnait dans sa clinique, où l'on ne pouvait appeler une patiente sans interrompre une conversation. Ces trois âmes – deux femmes aux cheveux gris et un homme d'environ quarante-cinq ans – ne se confieraient selon toute apparence pour rien au monde les raisons qui les avaient conduites ici. On aurait dit trois vaisseaux égarés, fendant péniblement des flots sombres pris par les glaces. L'obstétrique, quant à elle, était porteuse d'espoir et de renouveau.

— Docteur Hamilton, si vous voulez bien me suivre.

Une infirmière en blouse bleu foncé lui tenait la porte donnant sur le couloir menant en salle d'examens. Elle attendit que Meg l'eût franchie pour lui annoncer :

— Le Dr Davidson est au bout.

Meg pénétra dans une pièce, à droite au fond du hall. Brune et mince, Brianna présentait un visage sévère. Elle avait réussi haut la main, toujours première, tous les examens possibles et imaginables pendant leurs études de médecine. Elle l'attendait derrière un bureau en merisier verni, si dépouillé que son cabinet semblait avoir été ouvert le matin même. Le propre bureau de Meg était encombré de chemises, d'échantillons, de Post-it, et d'une multitude de photos de Savannah – dont une seule la représentait avec Brian, en 1994.

Brianna se leva et lui tendit une main aux doigts effilés.

— Meg, tu as l'air en pleine forme.

— Merci, toi aussi. Tu ne le croirais pas, mais il y a dix minutes, j'étais prête à me couper ce fichu bras droit. *Au minimum.*

— Tu avais mal ? s'enquit Brianna tandis qu'elles s'installaient l'une en face de l'autre.

— Non, non, pas mal. Juste la sensation que je t'ai décrite au téléphone : une grande faiblesse. Ça va, ça vient.

Elles évoquèrent brièvement leur pratique et leurs vies de femmes débordées. Brianna, mère de jumeaux de neuf mois, faisait partie de deux comités de recherche et en dirigeait un troisième. Son mari venait d'être débarqué d'une entreprise d'engineering et essayait de retrouver un emploi.

— Mes consultations sont la partie la plus calme de ma journée, dit-elle.

— Je sais ce que c'est. Merci de me recevoir si vite. Je dois absolument résoudre ce problème. Je ne peux pas continuer à perdre mon temps comme ça.

Brianna chaussa des lunettes de lecture sans monture.

— Tu as besoin de ces trucs aussi ? Tous les ans, j'ai l'impression de ressembler un peu plus à ma mère.

Meg éprouva une douleur aiguë au rappel de cette perte. Dans combien de temps s'atténuerait-elle ? Dans combien de temps les souvenirs lui inspireraient-ils de la tendresse plutôt que du chagrin ?

— Non, dit-elle. Ma vision tient le coup.

— Veinarde ! Avec tout ce qu'on a à lire. Bon, je vais jeter un coup d'œil au compte-rendu de l'orthopédiste.

Meg lui passa l'enveloppe géante.

— Il m'a recommandé un parapsychologue, dit-elle.

Sur ce, elle se mordilla un ongle, pendant que Brianna parcourait les commentaires de Cameron Lowenstein.

Brianna sortit les radios et les inséra dans la boîte lumineuse, à la droite de Meg.

— Un parapsychologue ? Bizarre, son compte-rendu est pourtant professionnel.

— C'est un excentrique. Mais je pense que question médecine, il s'y connaît.

— Hum...

Brianna examina minutieusement les radios, puis elle éteignit la boîte et revint s'asseoir.

— Un parapsychologue nous permettrait de gagner du temps, parce que je ne vois absolument rien sur ces radios.

— Comme moi, acquiesça Meg.

— Il les qualifie de « peu probantes », mais tu me dis qu'il a évoqué la SLA.

— Exact. Du coup, j'ai consulté un peu de doc sur le sujet, avoua Meg.

Elle essayait de garder un ton calme et professionnel, alors que ses lectures n'avaient fait que confirmer les souvenirs éprouvants qu'elle gardait de l'étude de cette maladie.

— Et jusqu'à tout à l'heure, ajouta-t-elle, il ne s'était rien passé de nouveau. J'étais convaincue qu'il avait avancé des hypothèses à l'aveuglette.

— La SLA est effectivement un poisson difficile à ferrer – beaucoup de ses symptômes ne sont pas spécifiques, commenta Brianna.

La petite pause qu'elle marqua n'échappa guère à Meg.

— Alors ? demanda-t-elle.

— Alors... son rapport ne mentionne aucun symptôme excluant la SLA... Ce résumé est rempli de riens, commenta Brianna. Pas de douleur spécifique, mais tu ne mentionnes pas non plus d'engourdissement. Pas de gonflement, pas de compression vertébrale ou articulaire. Pas de fatigue extrême ni de malaise physique. Depuis combien de temps souffres-tu de cette faiblesse musculaire ?

— Franchement, je n'en sais rien. Je me sens souvent fatiguée. Pas endormie, tu sais. Plutôt une simple envie de m'asseoir et de ne rien faire. Je suis tout le temps debout, et je me sers de mes mains et de mes bras à longueur de journée.

Brianna lui adressa un signe de tête compréhensif.

— Si je devais vraiment le préciser, ajouta Meg, je dirais quelques mois... Depuis l'automne dernier, quand ma mère est morte et que mon père est venu s'ajouter à ma charge de travail.

— Normal, dit Brianna. Bon, si tu passais une blouse ? On va refaire le test des réflexes, pour voir si Lowenstein est vraiment à la hauteur...

Elle s'exprimait presque gaiement, comme un détective impatient de trouver des indices. C'était l'une des qualités qui avaient fait diverger leurs chemins médicaux. Brianna adorait la chasse, l'investigation, alors qu'elle, Meg, préférait le rôle d'assistante de création. Un obstétricien était avant tout un observateur. Il servait de coach ou de guide, lors du processus le plus fondamental de la vie. À la façon d'une grande sœur qui transmettait sa sagesse et surveillait le résultat, ce qu'elle avait fait toute sa vie.

Dans la salle d'examen, Brianna la soumit à la même batterie de tests de réflexes que Lowenstein : avec le petit marteau, elle cogna sur ses bras, ses genoux et ses chevilles. Elle lui demanda ensuite de serrer les dents, pendant qu'elle pressait les doigts le long de sa mâchoire et de son cou.

Puis elle saisit sa main droite.

— Détends tes doigts.

Elle serra le majeur de Meg entre le pouce et l'index, appuya sur l'ongle et fit glisser son pouce jusqu'au bout. Il y eut un clic, et les autres doigts se plièrent.

— Sympa, commenta Meg.

Brianna s'abstint de répondre mais elle répéta le test à deux reprises, puis elle passa à la main gauche. De ce côté-là, la réaction était moins marquée.

— Je ne me souvenais pas de ce test, lança Meg.

Cela faisait des années qu'elle n'avait pas fait passer des tests de réflexes. Depuis son internat, à dire vrai.

— Je vérifie la réaction Hoffmann. Le protocole neurologique de base, mais tu ne l'as peut-être pas appris en médecine générale. Personnellement, je suis incapable de me rappeler quand j'ai appris quoi. Dans ma mémoire, mes études de médecine ne forment qu'un énorme nuage imprégné de caféine. Bon, mets tes jambes ici.

Meg changea de position et s'allongea sur la table d'examen. Brianna saisit son pied droit, le plia en arrière et le maintint dans cette position. Elle répéta ce mouvement et passa ensuite au pied gauche.

— À présent, je vais faire glisser une clé de ton talon à la plante de tes pieds et sur le coussin du métatarse. C'est le test de Babinski.

Elle sortit la clé de la poche de sa blouse blanche.

— Fascinant, ces trucs qui portent le nom de celui qui a eu l'intelligence d'imaginer leur signification. Joseph Jules François Félix Babinski. Si tu veux mon avis, ses parents étaient du genre indécis. À présent, détends ta jambe.

Meg s'efforça de se relaxer sans bouger. Elle ne chercha pas à deviner ce que Brianna constatait ou ne constatait pas en faisant glisser le métal pointu contre ses plantes de pied. Passer de l'état de médecin à celui de patient était à tout le moins déconcertant.

— OK. Un petit dernier : tu te contentes de rester allongée et de détendre tes muscles au maximum. (Brianna ouvrit le devant de la blouse de Meg.) Je vais glisser la clé plusieurs fois sur ton ventre.

Après l'avoir fait asseoir, Brianna rédigea ensuite de longues notes. Meg se força à ne pas lui poser de questions.

— Bien, dit enfin Brianna. Si tu te rhabillais ? On se retrouve dans mon bureau.

— Et si tu me transmettais tout de suite tes conclusions ? N'oublie pas que je connais la marche à suivre : on ne communique pas de mauvaises nouvelles à un patient déshabillé.

Brianna la regarda, les lèvres crispées.

— D'accord. Il ne s'agit pas de *vraies* conclusions. Mais bon. Je vois pourquoi Lowenstein nourrit des soupçons. Il a noté une paralysie spasmodique dans son examen général... Et, d'après moi, c'est ta réaction au test Hoffmann qui pose un problème. Tes doigts ne devraient pas se plier du tout. Hors contexte, je songerais à une lésion cervicale, mais vu le réflexe clonique de ton mollet gauche et les faibles réflexes de ton abdomen...

Elle ajouta quelques précisions, mais Meg avait autant cessé de se concentrer sur les paroles que sur le ton de son ex-condisciple. Mentalement, elle revenait à ses lectures, au fait qu'aucune de ces anomalies n'indiquait la SLA en soi, mais que le mélange des signes et des symptômes présentés par l'abdomen, le pied et la main équivalait à ce que l'on qualifierait de diagnostic « cliniquement probable ».

— ... Un électromyogramme et une IRM, disait Brianna, pour exclure les autres possibilités. Si tu allais au labo passer tout de suite les examens de sang et d'urine ? Je vais demander à Heidi de te fixer un rendez-vous pour les autres.

— D'accord, répondit Meg, totalement engourdie.

— Et si nous ne dégottons rien de plus optimiste, nous garderons un œil sur tes symptômes dans les mois qui viennent avant d'établir un diagnostic définitif.

Brianna s'exprimait d'une voix neutre, se bornant aux faits, délivrant ces renseignements comme elle l'aurait fait lors d'une conférence ou d'un débat. Meg le comprenait. Seuls de très rares médecins étaient capables de passer un bras sur l'épaule d'un patient et de lui annoncer, d'une voix pleine de chaleur et de compassion, la glissade atroce vers la mort qui l'attendait.

Elle coupa la parole à Brianna qui lui suggérait de prendre l'avis plus compétent d'un spécialiste de SLA qu'elle connaissait à Orlando :

— Tu en as eu combien ? demanda-t-elle.

— Combien de quoi ? De malades atteints de la SLA ?

— Oui. Tu en as diagnostiqué combien depuis tes débuts ?

— Trois, en... quoi ? Dix ans ? C'est presque toujours autre chose.

Meg opina.

— Et quand un patient présente des symptômes plutôt significatifs comme les miens, quelles sont ses chances, à ton avis, pour qu'il ne s'agisse pas... (Elle plongea les yeux dans ceux de Brianna.) ... qu'il ne s'agisse pas de SLA ?

— Meg, écoute-moi, il y a toujours de l'espoir.

— Oui, avec l'acupuncture, la parapsychologie et la naturopathie, sans compter l'éventualité que ma route croise celle d'un guérisseur au sourire béat errant en tunique et sandales dans les rues d'Orlando. Sois honnête avec moi, s'il te plaît.

Brianna baissa la tête, comme si le bout de ses chaussures la fascinait soudain.

— Nous devons envisager plusieurs autres maladies moins graves. Enfin, si c'est bien la SLA... le pronostic normal, c'est déclin physique – mais pas mental – progressif, débilitant, aboutissant à une paralysie respiratoire totale et à la mort, ajouta-t-elle, avant de relever des yeux débordant de compassion. Mais je ne soulignerai jamais assez que nous sommes peut-être en présence d'une autre maladie neuromusculaire.

— Quel plaisir...

— Passe les tests. Je vais voir si André Bolin peut te recevoir demain.

— D'accord, dit Meg, ce serait... franchement... ce serait formidable.

23

Carson s'approcha de la grange d'un pas solennel, heureux que Wade ait mis au programme d'entraînement de Val une course d'endurance de deux heures. Il avait besoin d'y passer du temps seul avant de la montrer à sa fiancée. Car il le faudrait. Val et lui allaient se marier, et, dans son esprit, cet engagement l'obligeait à lui dévoiler la moindre parcelle de sa vie. Restait à savoir s'il pouvait ou non l'autoriser à visiter des endroits plus sombres, plus abstraits. Cette rencontre bizarre et embarrassée avec Meg lui avait rappelé que Val ignorait beaucoup de choses à son sujet. Elle ne savait rien de Meg ni de l'éternité durant laquelle il était resté paralysé.

Deux ans. Il ne connaissait aucun autre homme capable de supporter aussi longtemps l'abstinence sexuelle après avoir perdu sa virginité, aussi dépourvu d'envie. Même lorsqu'il avait rencontré Lisa Kline, une de leurs anciennes camarades de lycée.

Elle lui avait payé une bière, un samedi soir après un concert de son groupe nouvellement créé dans un bar minable de Jacksonville.

« Je me disais bien que c'était toi ! » lui avait-elle lancé.

Hormis ses cheveux plus blonds et sa poitrine plus plantureuse, elle n'avait pas changé depuis le cours de trigonométrie de Lou Davis.

« C'est bien moi », avait-il répondu.

La bonne dose de whisky-coca qu'il avait déjà absorbée rendait sa voix pâteuse.

Lisa lui avait adressé le grand sourire sympa de la fille sur qui tout l'orchestre est passé – un sourire qui ne deviendrait que trop familier à Carson au cours des mois et des années à venir.

« Les mecs, vous êtes vraiment géniaux ! Bien meilleurs que les autres groupes qui se produisent d'habitude ici. (Elle avait avalé une rasade à sa propre bouteille à long col et s'était essuyé la bouche.) Tu fais quoi après ? »

Il pensait rentrer au motel avec Gene ; au lieu de quoi, il était reparti avec Lisa. Les yeux vitreux, ils avaient échangé des baisers plus ou moins baveux. Puis Lisa avait remonté sa jupe en jean autour de sa taille et s'était penchée en avant, les mains appuyées sur le bord de la rambarde de bois.

Carson était resté planté là, à contempler ses fesses bronzées, marquées d'un fin Y blanc à la place du string.

« Va-y, mon chou. Tu sais comment t'y prendre. »

Il lui avait obéi. Il s'était approché et avait laissé tomber son jean.

Après le départ de Lisa, il s'était recroquevillé sur les marches et avait sombré dans l'inconscience. Ce coït minable avait marqué le début de sa vie amoureuse « après Meg », constitué la première marche de nombreux épisodes de dérive, estompés par les excès d'alcool et de drogue. Dieu merci, tout cela appartenait désormais au passé.

Les bras généreux d'un cyprès centenaire déployés au-dessus de sa tête laissaient filtrer des rayons du soleil de fin d'après-midi qui pommelaient le sentier broussailleux sous ses pieds nus. Des taches lumineuses se dessinaient aussi sur ses pieds, ses bras et ses épaules. Immobile, il observa les jeux d'ombre et de lumière sur ses avant-bras. Ces mouvements déclenchèrent dans sa tête une nouvelle mélodie, vague et lointaine, mais intéressante. L'inspiration naissait chez lui de toutes sortes de manières. Fasciné par le vrombissement sourd d'un moteur d'avion à réaction, il l'avait transposé en un air qu'un critique musical avait qualifié d'« hypnotique et érotique ». Une autre fois, un germe de ballade était né du chuintement des gouttes d'eau qui se déversaient sur l'auvent de toile du patio de sa maison de Seattle, qu'il allait quitter pour toujours la semaine suivante.

Parfois, les mélodies chuchotaient à ses oreilles des jours, des semaines, voire des mois, s'amplifiant et s'affirmant. Les paroles naissaient ensuite peu à pcu, comme en réaction aux émotions que la musique remuait en lui. Il composait depuis assez longtemps pour reconnaître le processus et savoir que les chansons reflétaient son état psychique. Celui qui se prétendait capable d'écrire de la musique par-dessus la jambe racontait des histoires ou pondait de la pop jetable, et sans âme.

Carson posa la main sur la poignée de la porte de la grange en chantonnant, la tourna et poussa. Gonflé par l'humidité, le cadre de bois empêcha d'abord le battant de s'ouvrir. Puis celui-ci céda, et dévoila la pièce obscure d'où émanait une odeur de moisi. Carson se contenta d'abord d'y jeter un coup d'œil, la main appuyée contre le cadre. Impossible de savoir si quelqu'un était entré ici depuis 1990. Au premier regard, la pièce ne semblait pas avoir changé, comme s'il s'était contenté de sortir faire un tour au volant du secoueur d'arbres ou chercher une pizza. Des dizaines de fois, Meg et lui avaient sauté dans son pick-up Ranger aux panneaux de portière rouillés pour rapporter du petit bouiboui inexplicablement baptisé Wladimir's, au coin de la grand-route, une maxi-pizza poivrons-champignons.

Mon Dieu, qu'elle était belle à dix-huit ans ! Elle détestait ses taches de rousseur et rêvait de cheveux ondulés et d'une poitrine plus ronde – les femmes n'étaient jamais satisfaites de leur physique –, mais il n'aurait pour rien au monde changé une seule de ses taches de son ou de ses mèches. Il la trouvait absolument parfaite.

Ils emportaient la pizza à l'étage et se donnaient la becquée. Carson était fasciné par sa lèvre inférieure qu'il caressait du pouce, par sa manière de lécher la sauce restée accrochée aux commissures de sa bouche. Elle le taquinait, le traitait d'obsédé sexuel et, à dix-neuf ans, il l'était effectivement. Mais il croyait, de toutes les fibres de son être, que l'amour et le désir qu'elle lui inspirait ne faisaient qu'un, tant leur entente physique, mentale et émotionnelle relevait du miracle.

La porte refermée, Carson, les pieds sur le tapis en chutes de tissu multicolores, se laissa submerger par les souvenirs : Meg à table, uniquement vêtue de son tee-shirt à lui, se régalant d'œufs brouillés qu'il avait préparés pour un dîner tardif. Elle lui racontait sa première journée de fac, avant Brian, avant son transfert à l'université de Floride. Meg perchée sur une échelle, un marteau dans une main et des clous dans la bouche, pour accrocher le bord d'un rideau. Meg endormie sur le lit, un manuel de comptabilité – le summum de l'ennui, selon elle – posé à l'envers sur sa poitrine. Meg grimpant l'escalier le matin de son mariage, ravivant, avant de l'anéantir, son dernier espoir. Au début, il avait cru l'avoir attirée ce matin-là dans la grange par la seule force de sa volonté, tel un fantôme conjuré par son désir, sa frustration et sa colère. Peut-être était-ce le cas. Aujourd'hui, il se disait que s'il l'avait chassée de son esprit dès leur rupture au lieu de continuer à l'aimer pendant dix-huit mois, elle n'aurait plus détenu aucun pouvoir sur lui, ni ce matin-là ni par la suite.

Cette cascade de souvenirs, de projets d'avenir détruits, était exactement ce qu'il redoutait de subir s'il remettait les pieds dans la grange, et la raison pour laquelle il avait toujours évité de le faire. Sa mère attendait le moment où il serait prêt à la vider – mais il ne l'était pas. Cette plongée dans le passé avait néanmoins quelque chose de sain. De nécessaire. Il devait se donner tout entier à Val.

S'il le pouvait.

Il passa dans le living et dans la cuisine et toucha les objets, retrouvant des textures. La table de la cuisine, une porte de ferme de récupération que Meg avait poncée et peinte, avait été le témoin de longues soirées noyées dans le bourbon et le café, au cours desquelles il s'efforçait pitoyablement de mettre en forme les chansons qui avaient commencé à s'incruster dans son âme. Il s'était d'abord accompagné à la guitare, instrument dont il jouait – mal – depuis des années. Quand il s'était aperçu de son potentiel, il avait apporté un piano.

C'était le seul objet qu'il avait emporté. Il l'avait d'abord expédié dans son minuscule studio de Los Angeles, puis dans sa maison de San Jose, et enfin dans son appartement de Seattle qu'il quitterait bientôt pour la maison que Val et lui achetaient à Malibu. Carson avait fui le plus loin possible de la Floride pour se consacrer à sa musique. Comme si quatre mille cinq cents kilomètres suffisaient à amortir le chagrin provoqué par la proximité de Meg, la promesse qu'elle avait faite à un autre de l'aimer jusqu'à ce que la mort les sépare.

Il ouvrit les six portes des placards, toutes peintes en bleu œuf-de-merle, Meg trouvant que ce ton formait un joli contraste avec le pin couleur miel des sols et des murs. Les placards ne renfermaient que quelques vestiges de son célibat : une boîte de céréales, trois de haricots blancs à la sauce tomate, des flacons de curry, de piment rouge et de safran. Ridicule, comparé à sa cuisine de Seattle, équipée de tous les gadgets et ingrédients nécessaires aux gourmets.

Son appartement allait lui manquer ; la lumière terne mais apaisante des après-midi humides, d'un bleu-gris badigeonné de filaments orangés chatoyants, quand le soleil plongeait vers le Pudget Sound. Mais la maison ensoleillée de Malibu, d'une pureté de lignes extraordinaire, avec ses immenses baies vitrées donnant sur l'océan, lui procurait une énergie intense. Et elle convenait parfaitement à Val.

Sa fiancée adorait ces lieux du bout de la Terre. Elle les avait dans le sang, ils correspondaient à son caractère. Les vibrations cinétiques, le caractère audacieux de cette demeure perchée au bord d'une falaise, comme elle-même sur la crête d'une vague, l'enchantaient. Val était toujours prête à se lancer dans une aventure, ce que Carson admirait par-dessus tout. Il se sentait plus vivant en sa compagnie. Au début, il avait rechargé ses batteries en participant à ses séances de jogging avec elle et toute sa bande. Mais il avait vite dû lui avouer que leur rythme était trop soutenu. « Dans ce cas, joins-toi à nous quand tu en auras envie », s'était contentée de lui répondre Val. Cette indépendance d'esprit, il l'admirait aussi. Elle n'était pas du genre à s'accrocher. Un bon point, même s'il était prêt à admettre qu'une légère tendance à le faire, de temps à autre, juste pour lui donner l'impression qu'il comptait par-dessus tout, ne lui déplairait pas.

Dans l'escalier, la cinquième et la dixième marche craquè-rent, comme autrefois. La chambre s'offrit à ses yeux : le lit, la commode, la causeuse, l'armoire : des meubles usés ou couturés, mais familiers. Tellement plus familiers que ceux, beaucoup plus onéreux et élégants, de l'appartement dans lequel il avait désormais déjà vécu deux fois plus long-temps qu'ici.

Pour l'instant, même s'il ne pouvait s'empêcher de repenser à Meg dans son lit, c'était surtout la petite boîte en papier aux délicats motifs rouge, noir, bleu et jaune posée sur la commode à quatre tiroirs qui l'attirait. Un cadeau de Noël de Meg, œuvre d'un artiste asiatique anonyme. Il s'en approcha pour l'effleurer, puis leva les yeux, mais ne distingua par la fenêtre que le vert soutenu de la cime des arbres.

Avec un soupir qui traduisait plutôt un sentiment de rési-gnation que de crainte, il ouvrit la boîte. Elle ne contenait qu'un seul objet, une infime fraction de son passé — de leur passé —, qu'il avait considéré jusque-là comme un serpent à sonnette aux aguets, lové sur lui-même : la chaîne d'or de Meg. Il la saisit d'un geste impulsif, prêt à bondir dans la

Land Rover pour aller la lui rendre. « Tiens, lui dirait-il, je n'ai plus rien à en faire. » Ou alors : « Je pense que tu dois la garder. » Ou encore : « Je voudrais que tu la gardes en souvenir de notre passé, sans rancune. » Il était convaincu qu'elle n'avait conservé aucun souvenir de cette époque.

Cependant, à en juger par sa nervosité après leur rencontre chez le tailleur, elle n'apprécierait probablement pas de le revoir. Pas davantage qu'elle n'accueillerait favorablement son geste. Le passé n'était plus pour elle que lettre morte, et il devait l'être pour lui aussi. Mieux valait sans doute lui expédier la chaîne par la poste, la laisser décider d'en disposer à sa guise. Il se contenta donc de la mettre au fond de sa poche. Ainsi, quand Val viendrait effectuer sa « visite », plus tard, rien ne paraîtrait menaçant à son regard curieux et bienveillant.

24

Le jeudi en début de soirée, Clay s'approcha de Meg qui remettait en place une fiche de soins au poste des infirmières.

— Des triplés, annonça-t-il.

— Comment ?

— John Bachmann et moi, on vient de mettre au monde des triplés, deux filles et un garçon. Vous devriez les voir !

Il rayonnait.

— C'est la deuxième fois en un mois. Que se passe-t-il ? demanda l'infirmière en chef, Melanie Harmon, une immigrante haïtienne brillante et organisée.

Meg se posait la même question, et pas seulement à cause de l'augmentation des naissances multiples, due surtout aux traitements pour la fertilité. La maladie qui se développait dans les fibres de ses muscles, d'où venait-elle ? Et pourquoi n'existait-il aucun moyen de s'en débarrasser ?

Clay sortit de sa poche son ordonnancier. Debout à l'autre bout du comptoir, il y inscrivit quelque chose, pendant que

161

Meg s'efforçait de reporter son attention sur l'une de ses patientes qui venait d'arriver.

— Elle est loin d'avoir accouché, dit-elle à Melanie. Mais elle a hâte, et on dirait que toute sa famille l'accompagne. Son frère vient d'essayer de m'interviewer sur son caméscope.

— Premier bébé ? l'interrogea Melanie.

— À votre avis ? Premier pour elle, premier pour les grands-parents, etc.

Meg aurait voulu partager leur enthousiasme, mais elle flottait dans un nuage de peur qui l'isolait de tout. Les constatations de Brianna tournaient en boucle dans sa tête ; depuis deux heures, chaque fois qu'elle n'était pas concentrée sur une tâche, les mots « paralysie respiratoire » et « mort » revenaient comme un refrain.

Clay se rapprocha d'elle.

— Vous allez attendre ?

Peut-être pas.

— Oui... mais j'espère qu'elle va faire vite.

Accouchement rapide ou non, elle allait encore rater un match de soft-ball de Savannah, et elle avait dû s'arranger avec la mère de Rachel pour ramener sa fille.

Elle sentit le bras de Clay l'effleurer, puis il enfonça quelque chose dans la poche gauche de sa blouse.

— Moi aussi, je suis coincé ici, dit-il. Je participe à la commission d'alerte préventive contre les ouragans. Nous avons réunion à dix-neuf heures.

À moins, songea Meg, *que nous ne nous retrouvions ensemble en chirurgie.* Pourvu que cette mère accouche sans accroc ! Elle voyait déjà la minuscule petite fille, toute mouillée, rose et furieuse, qui allait les rejoindre. Le père, un travailleur social, « l'attraperait ». Tout avait été organisé et Meg était soulagée. Si cela se passait bien, elle n'aurait pratiquement rien d'autre à faire qu'à superviser le déroulement des opérations.

— Assurez-vous que quelqu'un s'occupe de la réserve de chocolat, dit Melanie à Clay.

— Pigé ! répondit gaiement ce dernier. Je vais l'inscrire sur la liste, juste après la morphine et l'eau minérale. Je vous vois tout à l'heure, ajouta-t-il, une main posée sur l'épaule de Meg.

Elle palpa sa poche d'où elle sortit un papier plié en quatre. Il lui avait donc remis un petit mot. En toute autre circonstance, elle se serait sentie flattée, voire enchantée. Brian n'était pas du genre à écrire des notes, à moins de compter comme telles les messages par courriel ou les textos destinés à lui rappeler de faire, d'acheter ou de retrouver quelque chose. Elle tenait le papier du bout des doigts. Dans combien de temps sa main gauche se mettrait-elle à réagir comme la droite ?

— Hum... Il est bel homme, commenta Melanie.

Meg jeta à son tour un regard à Clay. Il l'était effectivement, dans le style joueur de tennis plutôt que chirurgien. Ses cheveux, d'une blondeur de blé, descendaient sur ses oreilles et dans son cou, et ses manches retroussées révélaient des avant-bras musclés. De plus, il était très doué. Ce savoir-faire, ajouté à son physique agréable, à son caractère sociable et à l'intérêt sincère qu'il portait aux patients, lui assurait une carrière brillante. Dommage, elle ne serait pas là pour le voir atteindre cette réussite ; ni pour le suivre, si le désir lui en prenait, sur le chemin tortueux qu'il se taillait dans la forêt obscure de ses sentiments. Si les soupçons de Brianna et de Lowenstein – les siens aussi, à présent – se révélaient fondés, elle ne serait bientôt plus capable de tenir la main d'un homme, de l'embrasser sur les lèvres... ni de dégager une mèche de cheveux retombant sur le visage de Savannah. Son ventre se contracta violemment, et elle dut retenir le « Non ! » de protestation qui s'élevait derrière ses dents serrées.

Meg se raccrocha à une banalité :

— Melanie, dois-je vous rappeler que vous êtes déjà mariée – à un médecin, de surcroît ?

— Exact pour ce qui est d'aujourd'hui, répondit l'infirmière. Mais qui sait de quoi demain sera fait ?

Meg ne voulait pas le savoir.

— Je vais en salle de repos. Bipez-moi quand on aura besoin de moi.

En chemin, elle fit une halte dans la salle des couveuses. Les triplés étaient minuscules, mais semblaient en bonne santé, solides, et à même de s'en sortir. Ses minuscules lèvres pincées, la fille, coiffée d'un bonnet rose en tricot, agitait un poing pour solliciter l'attention. *Vas-y, ma fille*, songea Meg. Les garçons, des jumeaux monozygotes selon toute apparence, embrassaient leur environnement de leur vision floue de nouveau-nés. Meg effleura le petit poing pareil à un bouton de rose – songea à sa fille et aux enfants qu'elle aurait pu avoir ensuite, si elle était restée avec Carson. Brian n'était pas sûr de vouloir le moindre enfant. Après la naissance de Savannah, il avait déclaré qu'ils en avaient terminé, et elle n'avait pas éprouvé le désir de le faire changer d'avis.

Elle se revit paresser avec Carson dans l'étang. Allongés sur le dos, le ciel azur ouvert à l'infini au-dessus de leurs têtes, ils évoquaient les prénoms qu'ils donneraient à leurs enfants. Savannah lui plaisait pour une fille, et Austin pour un garçon. « C'est ça, l'avait taquinée Carson, et après on aura Denver, Cheyenne et Sacramento. » Du coup, elle l'avait poussé sous l'eau et empêché de remonter, jusqu'au moment où il s'était mis à lui dénouer son maillot de bain. Quand il avait refait surface dans un éclat de rire, tandis qu'elle se hâtait de le renouer, il lui avait lancé :

« Quoi ? Je croyais que tu voulais t'y mettre tout de suite. »

Ce souvenir semblait dater de la veille et pourtant, il était aussi éloigné que les étoiles.

Dans le minuscule placard qui servait de salle de repos aux médecins, Meg sortit le papier plié que Clay avait glissé dans sa poche. Une feuille de son ordonnancier, sur laquelle il avait griffonné : « *Cour ouest, 17 h 30 ? Café fort et salade au thon. C'est moi qui invite.* »

Il était vraiment gentil... Mais que pouvait-il tirer de son intérêt pour une femme mariée plus âgée que lui ? Et de toute façon, quelle importance ? D'ici peu, elle n'aurait plus rien à lui offrir.

Elle replia le papier et le remit dans sa poche.

— Une autre fois... Elle venait de s'allonger quand son bipeur sonna.

— Ce bébé n'est quand même pas déjà arrivé ! grommela-t-elle.

Mais non, c'était Savannah. Elle la rappela sur son portable.

— Salut, ma puce, que se passe-t-il ?

— On doit *absolument* aller à Orlando demain. J'ai reçu un mail du fan-club de Carson McKay. Il se produit exceptionnellement dans un club !

— Ma puce, j'ai vraiment eu une semaine stressante.

— Maman ! Tu as dit qu'on irait la prochaine fois qu'il passerait dans le coin. Tu l'as promis !

Les enfants savaient d'instinct comment vous culpabiliser. Meg avait effectivement promis, mais dans un moment où elle se disait qu'assister à un concert de Carson ne serait qu'une expérience sans danger. Elles ne seraient que deux fans anonymes parmi des milliers d'autres.

— Je sais, mais...

— S'il te plaît, ce serait tellement cool ! Il s'agit d'un club, pas d'un stade immense. On sera peut-être assises près de la scène. Il te reconnaîtra peut-être. Si ça se trouve, il nous laissera même passer en coulisses, puisque tu le connais.

— Le *connaissais*, rectifia Meg.

— Comme tu voudras. On n'est pas obligées de le rencontrer. Mais ce serait génial ! S'il te plaît ! S'il te plaît, s'il te plaît, s'il te plaît ! Si j'avais déjà ma voiture, j'irais toute seule.

— Mais non. Pas à Orlando.

— Donc, tu es obligée de m'emmener. On va bien s'amuser.

Ces seize années étaient passées si vite ! Elles avaient fait si peu de choses ensemble. Quand Savannah était petite, Meg avait l'impression d'avoir l'éternité devant elle. Elle s'était crue capable de maintenir un équilibre entre ses études, sa carrière et ses devoirs d'épouse et de mère, elle avait eu foi dans le mythe du « tout avoir » promu par la publicité et les politiciens. L'argent venait à bout de tous les problèmes. Avec une nounou efficace, une équipe de nettoyage et de jardinage, un homme à tout faire, des écoles privées, Meg aurait le temps de se concentrer sur sa vie de famille après son travail.

Mais, bizarrement, les choses n'étaient jamais aussi simples qu'elles en avaient l'air.

Elle n'avait pas eu l'intention de choisir l'obstétrique, sachant qu'il s'agissait de l'un des domaines les plus exigeants, qui empiéterait sur sa vie de famille, mais son stage lui avait inspiré une véritable fascination. Elle se croyait capable de tout mener de front. C'était sous-estimer les exigences d'un foyer.

S'y ajoutaient ses obligations professionnelles – réunions, conférences – et celles liées à la famille au sens large, aux Hamilton en particulier, lesquels n'étaient satisfaits que quand ils venaient souvent dîner. Elle devait également insérer dans cet emploi du temps toutes les invitations mondaines auxquelles Brian tenait tellement. Savannah avait bien sûr toujours représenté sa priorité, mais s'en occuper consistait à la confier à des tiers. Si la SLA détruisait à présent les neurones qui lui permettaient de marcher, de manger et de respirer, combien de temps lui faudrait-il pour se retrouver dans l'incapacité de faire quoi que ce soit avec Savannah ?

— Bien, bien, on ira.

Et on restera au fond de la salle, le plus possible dans le noir, songea-t-elle.

— Vraiment ? Sérieusement ?

— Tout à fait sérieusement. Tu peux acheter les billets ? Mon sac est sous clé pour l'instant, mais tu trouveras mes cartes de crédit dans le bureau du petit salon. Tiroir du milieu à gauche. Elles sont rangées dans un dossier. Utilise celle que tu veux.

— Je t'adore !

— Je m'en souviendrai. Au fait, Rachel vient aussi ?

— Non. Elle a cours de savoir-vivre et sa mère ne lui donnera pas l'autorisation de le sauter.

— Tu dors toujours chez elle samedi soir ?

— Oui, mais je te préviens : ses parents ne rentreront pas avant onze heures du soir. Ils ont une espèce de sauterie chicos. Tu es toujours d'accord ?

— Angela sera à la maison ?

— Je crois. Elle vient de rompre avec son copain. Elle n'a aucune envie de sortir.

— Je suppose que vous avez toutes deux désormais l'âge où on peut vous faire confiance pendant quelques heures, fit remarquer Meg.

— Ça fait des siècles que j'essaie de te le dire.

— Je sais. Mais, comme je te réponds toujours, attends d'avoir une fille adolescente, et tu pourras me parler de confiance.

166

Cette remarque lui échappa d'elle-même, comme si son avenir de grand-mère d'une adolescente – pas moins – était assuré. Cette habitude optimiste et rassurante de parler de l'avenir était totalement artificielle, puisque personne ne pouvait deviner la date qui figurerait sur sa pierre tombale.

— Tu rentres à quelle heure ? s'enquit Savannah. Une question que Meg n'avait que trop entendue.

— Dix heures, j'espère. J'ai une patiente en travail. En général, les premiers bébés prennent du temps.

— J'ai mis combien de temps ?

Meg sourit. Savannah adorait entendre l'histoire de sa propre naissance, comme si cela lui permettait de la différencier des centaines de bébés dont Meg s'était occupée et de s'assurer que sa mère n'en oubliait pas les détails.

— Oh, plusieurs jours ! répondit-elle, réfrénant une envie subite de pleurer. Tu as été le bébé le plus lent du monde.

— Mais à partir du moment où tu avais perdu les eaux, où tu étais à l'hôpital ?

— Vingt heures trente. J'ai sérieusement envisagé de contacter la poste pour procéder officiellement à mon changement d'adresse.

Elle essuya une larme malgré sa plaisanterie.

— *Maman*... Bon, je vais acheter nos billets. Et on a besoin d'un hôtel, non ?

— Tu sais comment t'y prendre ?

— Tu penses ! Expedia. Travelocity. Je vais dénicher quelque chose de luxueux et de reposant. Tu pourras te faire masser.

Meg ne put s'empêcher d'admirer l'aisance avec laquelle sa fille prenait les choses en main.

— Ce serait très agréable.

Elle avait à peine raccroché depuis trois minutes quand son bipeur bourdonna de nouveau. Cette fois, elle devait rappeler Brianna. Elle composa le numéro stoïquement. L'assistante de son amie lui annonça d'une voix vigoureuse qu'elle avait rendez-vous le vendredi avec André Bolin, le médecin d'Orlando.

— À Orlando, demain ? l'interrompit Meg.

— Oui. Le Dr Davidson a remué ciel et terre pour vous.

Ton destin est scellé, se dit Meg.

— D'accord. De toute façon, je dois m'y rendre demain.

La batterie de tests qu'elle allait subir dès le début de la matinée précéderait le rendez-vous avec le Dr Bolin, qui mesurerait également ses réflexes et étudierait les résultats dont ils disposaient déjà.

— Vous avez vraiment de la veine, commenta l'infirmière. Sans relations, il faut des mois pour obtenir un rendez-vous avec lui.

Meg inscrivit l'adresse et les heures avant de déclarer d'une voix lourde de sarcasmes :

— Une sacrée veine, hein ?

Elle savait que la réflexion de l'infirmière partait d'un bon sentiment – et qu'elle était fondée. Mais elle ne parvint pas à ravaler son accès d'auto-apitoiement ; elle eut beau tout essayer, cette fois, il refusa de passer.

Meg appela Savannah avant de quitter l'hôpital à vingt et une heure quinze :

— Tu as réservé une chambre ?

— Oui, tout est réglé.

— Appelle-les pour voir si nous pouvons arriver dès ce soir. J'ai besoin d'être à Orlando demain matin.

— Cool, je vais échapper à mon contrôle de maths. Au fait, maman, tu es en route ? Est-ce que papa t'a téléphoné ?

— Non. Pourquoi ?

— Pour rien. Gare-toi dans l'allée et pas dans le garage, d'accord ?

— D'accord.

Un quart d'heure plus tard, elle comprit pourquoi. Dès qu'elle sortit de sa voiture, la porte gauche de leur garage qui en comptait trois se releva. Brian se tenait dans l'embrasure, l'air d'un chat qui vient d'avaler un canari. Derrière lui, à côté de sa nouvelle BMW, Meg vit un 4 × 4 rutilant couleur champagne. Un Lexus, dont les phares en forme d'yeux de chat et la calandre chromée projetaient des éclairs.

— Mais.. tu étais censé être à Boston, fut la première réflexion qui lui vint à l'esprit.

— J'ai fait un détour pour t'acheter un cadeau d'anniversaire à l'avance.

Une excuse à retardement plutôt. Il en avait fait un peu trop. Ce véhicule n'était pas du tout le genre qui lui plaisait, surtout maintenant. Elle essaya néanmoins de prendre un air ravi et parvint à lancer un « Wouah ! » faussement enthousiaste.

Savannah glissa une main sur le capot.

— En général, je n'aime pas ces ogres à essence... mais bon, je vois son côté pratique, dit-elle. La moitié des filles de mon équipe pourraient tenir dedans. Ça éviterait d'avoir besoin d'un chauffeur.

Brian s'approcha de Meg et lui prit la main.

— Elles pourront aussi visionner des films à l'intérieur. Alors, il te plaît ?

— Bien sûr. (Que pouvait-elle reprocher à ce monstre sur roues ?) Mais, franchement, ma voiture est parfaite.

— Elle a six ans. J'ai ma nouvelle BMW. Savannah va avoir sa Honda. Je ne voulais pas que tu te sentes exclue. (L'équipe Hamilton.) En outre, ajouta-t-il, il a des options dont nous ne disposions pas auparavant. Et je pourrai te l'emprunter, les jours où je recevrai un groupe important de clients.

Savannah ouvrit la portière du conducteur.

— On peut le prendre ce soir ? S'il te plaît ! Il est tellement spacieux. En plus, j'allais regarder un DVD avant de faire mes bagages. Comme ça, je le ferai en route.

Brian remit les clés dans les mains de Meg.

— Au fait, que penses-tu de la couleur ? Elle s'appelle « Métallique Savannah ». Parfait, non ?

Parfait.

25

Savannah se retourna sur le ventre et dénoua les liens rouges du haut de son bikini, consciente que deux individus au crâne dégarni et à la bedaine velue retombant mollement au-dessus de leur caleçon de bain la fixaient sans discontinuer. Si leur insistance la mettait mal à l'aise, elle était surprise et flattée de constater que son physique plaisait. Mais elle ne les regardait pas en face, préférant maintenir une distance raisonnable entre elle et tout homme autre que Kyle, qu'elle rencontrerait d'ici à vingt-quatre heures. Son impatience grandissait à chaque saut de puce de l'aiguille des minutes de sa montre WWF, lui coupant l'appétit. Cela l'arrangeait si elle pouvait perdre une livre de plus avant le lendemain après-midi, avant de se livrer au regard de Kyle.

Il était seize heures, et le pourtour de la piscine se peuplait de clients de l'hôtel. Elle observa les groupes de vieilles dames exagérément endimanchées, les mamans actives entourées de leurs tout-petits, les écoliers turbulents et qui braillaient « Marco ! – Polo[1] ! » dans le petit bassin.

Sa mère l'avait appelée une heure plus tôt pour lui annoncer qu'elle serait de retour vers dix-huit heures. Savannah ne l'avait jamais entendue s'exprimer d'une voix lasse, aussi lui avait-elle pris rendez-vous dès qu'elle avait raccroché pour un massage à dix-huit heures trente. Il lui redonnerait peut-être du tonus, ferait peut-être passer la tension qui rendait sa journée si difficile. Et si le massage ne suffisait pas, le concert y remédierait.

Elle ferma les paupières pour permettre aux rayons de soleil obliques de l'après-midi de prendre la teinte orange vif des zinnias, des soucis et des oranges. Oui, il s'agissait bien d'oranges. Elle songea à la plantation de citronniers, de pamplemoussiers et d'orangers des parents de Carson McKay. Dans leur enfance, sa mère et ses tantes pouvaient se précipiter dans les vergers, cueillir les fruits et se régaler sur place. La dernière fois qu'elle-même s'était rendue chez ses grands-parents, juste après la mort de sa grand-mère, elle avait traversé la prairie jusqu'à la clôture d'où l'on apercevait les arbres touffus, alignés sur la terre comme des soldats vigoureux, robustes, prêts à combattre les froidures et le scorbut. Attrapait-on encore le scorbut de nos jours ? L'envie lui avait pris d'aller se coucher sous l'épais dais de verdure qui la protégerait du monde, de son deuil, comme le ferait une

1. Sorte de colin-maillard aquatique. (N.d.T.)

couverture. Elle croyait presque que sa grand-mère l'y attendait, qu'elle l'accueillerait d'un sourire affectueux et d'un
câlin compréhensif. Sa grand-mère, bizarrement, avait
toujours donné l'impression d'avoir un temps particulier à lui
consacrer. Pas celui dont elle disposait, mais un temps qu'elle
créait de toutes pièces. Elle se décarcassait pour l'appeler,
pour venir la chercher et l'emmener se promener au parc ou
déambuler au centre commercial. C'était affreux à dire, mais,
si quelqu'un devait absolument mourir, Savannah aurait
préféré perdre son grand-père. La mort est tellement injuste !

La chanson qu'elle composait était dédiée à sa grand-
mère Anna, et elle essayait de trouver le juste milieu entre
mélancolie déchirante et reconnaissance. Son professeur de
musique lui avait dit le mardi qu'elle ne parvenait pas à
atteindre cet équilibre parce que sa colère de l'avoir perdue
l'emportait encore sur sa gratitude pour l'avoir connue.
Tandis que l'orange vif se transformait en bizarres dessins
géométriques orange foncé et rouge sous ses paupières closes,
elle se demanda comment obtenir un son moins agressif. En
diminuant et espaçant les changements de cordes ? Et si elle
insérait une ligne mélodique enlevée, un peu dans le style de
Sheryl Crow ? Elle fit la sourde oreille aux hurlements des
enfants et aux éclaboussures pour trouver quelques accords.
Dommage, elle n'avait pas pensé à emporter sa guitare. Non
seulement l'instrument lui aurait servi à tester ses idées, mais
elle aurait pu la faire dédicacer au concert.

Un autre air l'extirpa de ses pensées, mais elle ne se rendit
compte qu'à la troisième sonnerie qu'il s'agissait de son
portable, rangé dans son sac de toile verte. Oubliant qu'elle
était à moitié nue, elle se hissa sur les coudes pour le sortir
du sac.

— Nénés ! hurla un petit garçon.

Mortifiée, elle se laissa retomber sur sa serviette avant
d'extirper l'appareil du sac.

— Allô ?

— Ma belle ?

— Kyle ? Salut ! s'écria-t-elle, tout de suite rassérénée par
le son de sa voix. Tu peux attendre deux secondes ?

Elle posa le portable pour renouer étroitement son soutien-
gorge, puis elle s'assit et s'enveloppa dans sa serviette. *Finis,*

les spectacles gratuits pour aujourd'hui, songea-t-elle, sans avoir cependant l'audace de jeter un coup d'œil en direction de ses admirateurs sur le retour.

— Pardon, bégaya-t-elle. Je suis allongée au bord de la piscine et j'ai dû remettre mon bikini.

Pourquoi ne pas lui dire la vérité, histoire de titiller son désir ? D'accord, elle souhaitait lui plaire pour des raisons plus intéressantes que son physique et sa féminité, mais son corps et sa sexualité ne constituaient-ils pas aussi une part importante de sa personne ? Il devait l'aimer tout entière.

Kyle siffla.

— Crois-moi, je regrette franchement d'être coincé dans les marais !

— Mais tu n'as plus longtemps à attendre. Demain...

— Même cinq minutes, c'est trop long pour moi, dit-il.

Sa voix sensuelle déclencha un frisson dans le creux du ventre de Savannah et se propagea. Elle remua sur le transat et décida de donner un tour moins sulfureux à la conversation, tout au moins tant qu'elle serait en public.

— Alors, qu'est-ce que tu me racontes de neuf ? demanda-t-elle gaiement.

— J'avais mon après-midi libre et j'ai fait la sieste. J'ai rêvé de toi.

— Ah oui ?

— Tu veux que je te raconte mon rêve ? Parce qu'il est plutôt... intime, si tu vois ce que je veux dire. Plutôt sexy.

Les choses ne se refroidissaient pas du tout. Mais cela était loin de lui déplaire.

— Hum... cool.

— Oh, non non non. Pas cool. T-o-r-r-i-d-e.

Un peu embarrassée, Savannah contempla les ongles de ses orteils, peints dans un ton prune foncé assorti au tee-shirt qu'elle porterait au concert. Les réponses suggestives de Kyle lui inspiraient les mêmes sensations que les regards appuyés de ces gros bonshommes : un mélange de malaise et de curiosité. Elle regrettait de ne pas être plus expérimentée en la matière. Et s'il devinait, quand ils seraient en tête à tête, qu'elle n'avait pas plus d'expérience sexuelle qu'elle n'avait vingt ans ? S'il se fâchait, s'il exigeait de voir son permis de conduire ? Elle était contrainte de faire preuve d'audace, de

ne lui offrir aucune raison de douter de ses propos. Ni maintenant ni demain. Elle jeta un coup d'œil à la ronde pour
s'assurer que personne ne tendait l'oreille.

— Vas-y. Raconte.

— On était sur une plage – côté golfe, j'ai l'impression,
genre Tampa. Tu portais ton petit bikini à fleurs, celui de ta
page web.

Elle imagina la scène : Kyle à son côté, torse nu, les
gentilles vaguelettes qui léchaient le sable.

— OK. Continue.

— C'est celui que tu portes en ce moment ?

— Non. Il est rouge, avec de minuscules étoiles blanches.

— Hum... je parie qu'il est supersexy aussi. Bref, tu me
parlais d'un lamantin que tu avais baptisé... je ne sais plus,
Melanie, quelque chose dans ce genre, et j'essayais de
t'écouter mais... Qu'est-ce que tu veux que je te dise ? Je suis
un mec. (Il rit.) J'étais distrait par ton corps et je... durcissais.
Tu vois ? Alors je t'ai attirée contre moi et je t'ai dit : « Je
ne peux pas attendre une minute de plus. Je te veux tout de
suite. »

Une boule se forma dans la gorge de Savannah dont les
yeux s'étaient agrandis comme des soucoupes. Deux petites
filles d'environ six ans passèrent à côté d'elle en faisant
claquer leurs pieds nus sur le ciment mouillé, poursuivies par
un garçonnet plus jeune brandissant un pistolet à eau presque
plus grand que lui.

— Tu es toujours là ? demanda Kyle.

— Oui. Wouah ! Quel rêve sympa... Vraiment sympa.

— Il ne s'arrête pas là. Tu veux entendre la suite ?

Elle n'en était pas persuadée. Elle avait l'impression de
s'être égarée si loin dans des eaux inexplorées qu'elle ne
savait plus où se situait la frontière, si frontière il y avait.
Une fille de vingt ans l'encouragerait-elle à tout lui décrire en
détail ? Elle songea à la publicité pour une vidéo qu'elle avait
vue pendant les vacances de Pâques. Ces filles-là auraient
voulu tout savoir et auraient probablement ajouté des détails
de leur cru.

Kyle n'attendit pas sa réponse.

— Je n'ai qu'une chose à te dire, déclara-t-il à la place.
C'était beau. Vraiment romantique.

Savannah laissa échapper un soupir, à la fois séduite et soulagée.

— Ah, te voici ! Je ne m'étonne plus de ne pas arriver à te joindre.

Sa mère apparut et s'assit sur le bord du transat.

Savannah essaya de prendre un air innocent.

— Salut, maman ! Tu es en avance. Je dois raccrocher, d'accord, ajouta-t-elle au téléphone. Pardon. Je te rappelle plus tard.

Elle rabattit en hâte le couvercle.

— Je ne voulais pas interrompre ton batifolage.

Savannah se sentit rougir jusqu'aux oreilles. Son batifolage ? Sa mère possédait-elle le don mystérieux de deviner le contenu de ses conversations ?

— Pas du tout. Je... je parlais juste à Rachel. Elle me demandait de lui acheter un tee-shirt en souvenir ce soir.

— D'accord, acquiesça Meg, sans manifester la moindre trace de suspicion. Mais comme il s'agit d'un concert de dernière minute, ça m'étonnerait qu'il y en ait.

Savannah rassembla méticuleusement sa crème solaire, son livre et son portable, et les fourra dans son sac.

— Dans ce cas, le club en aura peut-être d'autres sympas.

— Peut-être. Et si on grignotait quelque chose ?

Savannah remarqua que sa mère s'exprimait d'un ton inhabituellement tranchant, forcé et tendu.

— Je n'ai pas encore faim. Tu vas bien ?

— Oui, oui. Très bien. Fatiguée. J'ai cru que nos réunions ne se termineraient jamais. Elles s'éternisent souvent. (Elle se leva.) Finalement, je n'ai pas faim non plus.

— Je t'ai pris un rendez-vous avec la masseuse à dix-huit heures trente. Ça te convient ?

Les sourcils de sa mère se haussèrent au-dessus de ses lunettes noires.

— Sans blague ? C'est vraiment délicat de ta part. Mais je ne suis pas sûre...

— Tu n'es pas obligée. J'ai simplement pensé qu'après une journée très chargée...

Meg déposa un petit baiser rapide dans le cou de Savannah.

— Merci, ma chérie. J'en ai très envie. Ça me fera du bien. Et toi, tu ne voulais pas te faire masser aujourd'hui ?

— Je me suis déjà fait faire les ongles...

Savannah dégagea un pied de ses tongs en chanvre rouge.

— Je vais juste prendre une douche et regarder la télé, le temps que tu reviennes.

Elle suivit sa mère à l'intérieur de l'hôtel et remarqua sa coiffure négligée, une espèce de chignon lâche maintenu de travers par une barrette dorée. Puis elle se demanda si Meg ne boitillait pas légèrement. Elle se laissa distancer de quelques pas pendant qu'elles traversaient l'entrée de la piscine jusqu'aux ascenseurs, afin d'étudier sa démarche. En fait, l'épaule gauche de sa mère ne se levait pas à la même hauteur que la droite, un décalage accentué par la manière dont sa veste de lin crème retombait dessus, et plus bas, au niveau de la hanche.

— Tu t'es blessée à la jambe ? lui demanda-t-elle près de l'ascenseur.

— Quoi ? Oh non. Enfin si. En fait, j'ai une ampoule. Chaussures neuves.

Cette explication se tenait, mais Savannah pressentit que sa mère ne lui disait pas tout. Ce manque de rigueur dans sa coiffure... Subitement, elle se demanda si elle n'avait pas passé sa journée au lit avec un homme. Mais non, elle déraillait ; cette hypothèse ne pouvait lui être inspirée que par sa conversation avec Kyle. Elle était incapable d'imaginer sa mère faisant l'amour avec quiconque, son père compris. En revanche, elle voyait très précisément ce que Kyle était en train de lui décrire au moment où sa mère était apparue. Il la désirait, il rêvait d'elle. Existait-il quelque chose de plus excitant au monde ?

Dès que sa mère fut partie se faire masser, Savannah rappela Kyle pour s'excuser.

— Ma mère est arrivée. Pardon de t'avoir raccroché au nez.

Il rit sous cape.

— Tu me gardes secret ?

— Non ! Pourquoi le ferais-je ? Je n'ai pas encore eu l'occasion de lui parler de toi, c'est tout. Elle est fatiguée, stressée, alors...

175

— Ne t'angoisse pas, ma belle. Chaque chose en son temps. Mais bon, fais bien attention de ne pas flasher sur quelqu'un ce soir au concert. Je te veux pour moi tout seul.

Elle s'était effectivement préservée pour lui. D'après ce qu'elle avait entendu raconter, les adolescents n'étaient pas des foudres de guerre, question sexe. En revanche, un jeune homme de l'âge de Kyle savait ce qu'il faisait. Elle ne voulait servir de cobaye à personne. Son père ne répétait-il pas toujours : « Si tu veux te donner la peine de faire quelque chose, fais-le correctement ? »

— Je n'ai envie de parler qu'à un seul homme ce soir, répondit-elle. Carson McKay.

— Qui te sautera dessus à la seconde, d'après la rumeur. Ce mec épouse une poule à peine plus âgée que toi !

— S'il te plaît. Il a l'âge de ma mère. En plus, ils se connaissaient. Je te l'ai dit hier soir.

— Ouais, mais n'empêche...

— Ça fait longtemps qu'elle ne l'a pas vu. On parviendra peut-être à passer dans les coulisses si elle arrive à glisser à qui de droit qu'ils sont amis d'enfance.

— Génial. Tu devrais lui demander si tu ne peux pas jouer dans son groupe. Tu es vraiment douée.

Ce compliment enchanta Savannah. Elle lui avait joué au téléphone un morceau qui l'avait apparemment impressionné.

— Il a déjà un guitariste à plein temps, mais c'est gentil de ta part. Bon, je dois y aller. Je t'appelle demain, OK ?

— Je penserai à toi, déclara-t-il d'un ton suggestif.

— Moi aussi.

Cette fois, elle avait moins de mal à flirter. Une question de pratique, comme le reste.

Après avoir raccroché, elle garda le portable pressé contre sa poitrine. La vie, *sa* vie commençait enfin ! Sans pouvoir se l'expliquer, elle avait le sentiment, très très fort, d'avoir atteint le sommet d'une colline, et qu'en un temps record tout allait basculer.

26

Le night-club de Johnny Simons occupait la quasi-totalité d'un immeuble de grand standing d'Orlando, tout près des plus importantes attractions de la ville. Il proposait à ses clients trois salles insonorisées où danser sur des musiques différentes. La scène principale, où se donnaient des concerts cinq jours par semaine, était située au centre de ce complexe. Johnny faisait de son mieux pour engager des artistes qui montaient, et il se forgeait une solide réputation en choisissant des spectacles de qualité qui perceraient sur le circuit officiel. Carson l'écoutait lui vanter son établissement en lui faisant faire le tour des lieux. De toute évidence, ce type fanfaron à la chevelure argentée et à la carrure de lutteur serait capable de vendre de la glace aux Esquimaux, du sable aux Touareg, de l'eau aux baleines... Son amitié avec Gene était facile à comprendre.

— On a des videurs à l'entrée et à la sortie, et ce soir personne n'entrera sans billet. Vous ne serez pas surpris : on a affiché complet en trois heures hier soir. Moi, en tout cas, ça m'impressionne ! Vingt dieux ! on n'a jamais monté un spectacle plus vite. (Il prit Carson aux épaules.) Vous allez me faire gagner un paquet de thunes. Ça me gêne un peu, parce que de mon côté, je n'ai pas grand-chose à vous offrir. Ça représente quoi, le fric, pour un type qui nage dedans ? Alors, j'ai pensé que comme vous n'aviez pas encore convolé en justes noces, comme on dit, et que j'ai une fille de vingt-neuf ans raide dingue de votre musique... Qu'en pensez-vous ?

Carson éclata de rire.

— Vous m'offrez votre fille en monnaie d'échange, si je comprends bien ? Heureusement que ma fiancée est partie faire du shopping !

Johnny passa un bras autour du cou de Carson, faisant le geste de l'étrangler.

— Non, non, petit malin ! Je dis juste que c'est une très jolie fille, qui a bon caractère, et que si vous avez encore envie de jeter un œil ailleurs et de profiter de cette compagnie, je vous donnerai ma bénédiction. Et quand je dis « profiter », je me comprends. Pigé ?

— C'est très aimable de votre part, j'apprécie votre intention. (Carson dégagea son cou pour pouvoir grimper les trois marches menant à l'estrade.) Mais je vais me contenter du cachet normal.

De toute façon, il n'était pas venu pour se remplir les poches. Il ne l'avait jamais fait. Pas davantage que draguer à tout va. Il composait de la musique et écrivait des textes pour tenir ses démons à distance, satisfait que ses créations aient un sens pour autrui. À choisir, il aurait préféré que sa carrière échappe à l'orbite des multinationales et de leurs attentes financières, préservant son intégrité. Mais à l'époque, il était bien difficile de se focaliser sur une notion aussi abstraite, alors que l'argent, la drogue et les femmes désinhibées affluaient vers lui.

Il arpenta la scène dont le sol avait été peint en noir mat afin d'éviter les reflets et examina la salle, pour l'instant éclairée. Une petite équipe bourdonnante d'employés s'affairait à disposer les chaises et les tables, à vérifier le niveau de l'huile dans les lampes. Certains s'immobilisèrent pour le regarder s'approcher du piano dont il recula le tabouret. Il avait demandé un piano à queue, un bassiste, un guitariste et un batteur. Il n'avait même pas essayé de faire venir les membres de son groupe, tous dispersés pour les vacances, soit chez eux à Seattle, soit au soleil comme lui. Pour ce soir, il se contenterait des musiciens locaux qu'il allait rencontrer d'ici à quelques minutes pour un premier filage.

Après sa rencontre avec Meg, la veille, il était resté hanté par son visage frustré et bouleversé, et avait d'abord dressé une liste de chansons dans laquelle figuraient ses premières compositions, écrites en pensant à elle. Sur ce, Val était rentrée de son entraînement, laminée par l'effort et la touffeur ambiante, et il avait recentré son attention sur le présent. Son nouveau choix comprenait des chansons plus populaires, moins embourbées dans le passé. Il y avait inclus celle qui avait obtenu le Grammy et un tube de 2003, « Redheads[1] », catégorie dans laquelle entrait bien évidemment Meg, mais il

—————
1. « Les Rousses ».

ne s'agissait que d'une coïncidence. Il ne pouvait affirmer avoir beaucoup pensé à elle au moment où il la composait, même s'il devait reconnaître qu'elle l'avait inspirée au départ.

— Vous faites un essai ? lui lança Johnny depuis le bar.

Carson releva le couvercle du piano et exécuta une rapide gamme remontante pour se chauffer les doigts.

— D'accord, vous connaissez celle-ci ?

Il plaqua les premiers accords de la *Cinquième* de Beethoven et enchaîna sur son hit, « Face Down[1] ». Les adolescents y voyaient en général une allusion sexuelle, alors qu'elle traitait de son habitude peu ragoûtante, au cours de ses premières années de métier, de boire outre mesure et de se réveiller à plat ventre sur un plancher, sur une pelouse – voire, un jour, sur le capot de la Camaro bleue 1969 d'un inconnu.

Micro fermé, sa voix ne portait pas au-delà des deux rangées de tables. Les membres du personnel se rapprochèrent peu à peu, abandonnant leurs tâches. Carson adorait depuis toujours ces moments où il était seul sur scène, avec son piano et un public clairsemé, mais acquis. La musique représentait pour lui une activité thérapeutique, et quand il la donnait aux autres, il avait l'impression d'offrir humblement un cadeau qui plairait, stimulerait, inspirerait ou calmerait. Il se sentait utile.

Pour prolonger un peu le plaisir, il termina la chanson et enchaîna directement sur une autre, « Burried Alive », une de ses ballades préférées, mais qu'il n'avait pas inscrite à son programme car elle était trop axée sur Meg, et que la chanter risquait de rouvrir ses blessures. En présence de ce public rassurant et attentif, cependant, il sentit que c'était le moment de l'interpréter et d'exorciser par la même occasion un démon supplémentaire.

Les premiers accords tendres et mélancoliques de l'introduction résonnèrent sur le piano. Carson laissa un instant les notes en suspension dans la salle, où régnait à présent un silence absolu. Son ventre se serra quand il entonna le premier vers. Son cœur résistait, essayait de ne pas lâcher prise. Comme le randonneur égaré dans la neige de la

---

1. « À plat ventre ».

179

chanson, il voulait s'accrocher à l'espoir, alors que même celui-ci était hors d'atteinte, inexistant. Il ferma les yeux pour laisser la chanson monter en lui et s'échapper, désireux de se dégager du désir vain d'un passé qui n'avait jamais existé et d'un avenir qui n'existerait jamais.

Les paroles lui vinrent sans difficulté, comme si la chanson résonnait toujours en lui, discrète mais semblable à une bête sauvage attendant d'être libérée. Au moment du refrain final, il comprit néanmoins qu'il avait échoué. Il était incapable d'extirper de force son amour pour Meg, installé dans son âme depuis si longtemps qu'il ne se souvenait même plus de l'époque où il ne l'aimait pas. Ni par la boisson, ni par les drogues, ni par les excès sexuels, ni par un effort délibéré ; ni même par l'amour sincère, quoique d'une qualité différente, qu'il éprouvait pour une autre femme : cet amour lui collait à jamais à la peau.

Lorsque les dernières notes s'élevèrent vers les cintres, Carson inclina la tête en arrière sous les applaudissements enthousiastes de son petit public.

Johnny le rejoignit près du piano.

— Eh bien, mon vieux ! Vous avez failli me faire brailler comme un bébé.

Il s'essuya les yeux. Il ne mentait pas.

— Si vous jouez comme ça ce soir, il va falloir distribuer des Kleenex à tous les spectateurs !

27

Meg avait apporté un autre des cahiers de sa mère à Orlando pour le lire entre ses examens, dévorée par l'envie de découvrir plus profondément les pensées d'Anna, en dépit du nœud qui se formait à chaque fois dans son estomac. Sa mère lui manquait un peu plus à chaque mot, et chaque découverte ou rappel du passé aiguisait davantage ses regrets qu'il ne les apaisait. Cette lecture ressemblait néanmoins à la prise d'un remède au goût épouvantable mais qui finirait par lui apporter la guérison.

30 novembre 2001
Minimum 12,5 °C ; maximum 27 °C. Record égalé ! Pas de pluie.

J'ai lu dans le journal que Carson est devenu un des chanteurs les plus populaires à la radio. Ils l'ont interviewé au téléphone. Il vit au bout du monde, sur la côte Ouest. Ça doit être très dur pour Carolyn et James.

Mais en même temps, ils doivent être fiers de lui : un autre album de platine ! Et sur son CD en commémoration du 11 Septembre, une chanson destinée à récolter de l'argent pour les familles des victimes. Mon Dieu, le monde d'aujourd'hui est si difficile à comprendre...

Toujours célibataire, Carson mène la vie débridée des rock stars, d'après le journal. Sans doute pas de quoi pavoiser ! Mais ils exagèrent probablement pour augmenter leurs ventes. J'ai mentionné l'article à Meg quand elle a appelé après le dîner, mais elle a refusé d'en parler. « Ça le regarde », a-t-elle dit, et elle a changé de sujet. Elle m'a raconté qu'une de ses patientes a un cancer des ovaires. La pauvre femme ! Il est tellement avancé qu'elle a demandé à Meggie de l'aider à se tuer quand la douleur deviendra trop intolérable. Pourquoi nos médecins n'ont-ils pas le droit d'apporter ce genre d'aide ? Le système de ce pays est vraiment fou. Les mêmes gens qui s'opposent au suicide assisté quand la miséricorde l'exige ne voient aucun inconvénient à ce que des innocents parfaitement sains se fassent massacrer dans des guerres...

Ça par exemple, mes idées sont éparpillées ce soir ! Je ne dois pas oublier d'ajouter que Beth m'a appelée pour me raconter qu'elle a rencontré l'homme qui publie un magazine dont je n'ai jamais entendu parler. Elle rencontre des tas de gens de ce genre, désormais, qui exercent des métiers bizarres et qui parlent de trucs comme la politique internationale et la philosophie. Personnellement, j'ai une philosophie pour elle : trouver un compagnon gentil et se fixer ! Elle a vingt-six ans, ça ne la rajeunit pas. Mais pour commencer, elle veut obtenir son doctorat en histoire de l'Asie. Parfois, je me demande si je

181

suis bien sa mère ; je n'arrive même pas à prononcer le nom des endroits où elle a étudié.

Meggie me dit de laisser Beth tranquille, qu'elle finira par trouver sa place dans la vie, comme nous tous. Mais je ne peux pas m'empêcher de souhaiter voir toutes mes filles heureuses. Ou installées, au moins. Meggie est tellement sérieuse et elle travaille tellement ! Elle est bonne dans son domaine, mais franchement, on dirait que son sourire a disparu à jamais.

Je suppose que je n'aurais pas dû mentionner Carson. En fait, elle ne s'est probablement jamais pardonné de lui avoir brisé le cœur. La culpabilité a un appétit d'ogre, je suis bien placée pour le savoir : c'est moi qui l'ai laissée lui tourner le dos. Ce garçon si tendre, si attaché à elle ! Jamais elle n'aurait pu trouver d'amour plus sincère, et j'ai essayé de le faire passer pour une amourette de gosses. Je l'ai laissée se convaincre de sortir avec Brian, parce que j'avais vraiment envie de croire qu'il lui convenait mieux. On n'arrêtait pas de lui répéter combien ce mariage serait bénéfique. Dieu sait, comme moi, que tout l'argent file entre les doigts de Spencer. En fait, notre situation n'est pas du tout meilleure qu'en 1989.

Où est donc passé le bien qu'on attendait ? Carson vagabonde à travers le monde, il passe d'une femme à l'autre, il boit, et tout le reste. Meggie, quant à elle, est enfermée dans un bureau ou un hôpital dix-huit heures par jour. J'imagine que le bien, c'est notre Savannah... Quand on cherche vraiment, on trouve toujours l'éclaircie au milieu d'un nuage.

Ce soir, j'inclurai Carson dans mes prières, et James et Carolyn aussi. Et je prononcerai une prière spéciale pour Meggie, afin de lui permettre d'oublier ses regrets et de trouver le bonheur.

Mon Dieu, aidez-la, aidez-nous tous, en vérité, à trouver la lumière.

182

28

Le vendredi soir, Meg laissa Savannah la traîner au night-club, jusqu'à la deuxième rangée de tables carrées ornées de petits cartons VIP tous numérotés. Derrière ces deux rangées étaient disposées des chaises pliantes et, au-delà, les specta-teurs resteraient debout. Une odeur de tabac froid et de sueur dégagée par les fans impatients et surexcités emplissait la salle. Savannah s'arrêta à une table, la VIP 12, si proche de la scène et du piano que Meg se dit qu'elles seraient capables de compter les poils du menton de Carson s'il ne s'était pas rasé depuis la veille.

— On y est, annonça Savannah. Wouaaah, ça va être génial !

Elle se figea, fascinée par la scène, enchantée par les micros, les amplis, les guitares et le piano à queue verni.

Meg prit le siège que Carson, selon son estimation, distin-guerait le moins bien, essayant de se convaincre, sans y croire, que les feux de la rampe et les spots l'empêcheraient d'iden-tifier qui que ce soit dans le public, y compris les spectateurs les plus proches. Après la journée qu'elle venait de passer, elle parvenait tout juste à nourrir le vague espoir de régler ce problème relativement mineur.

Depuis l'IRM, programmée à huit heures et quart, elle avait enchaîné scanners, prélèvements et piqûres, effectués par des techniciens si courtois qu'elle les aurait volontiers étranglés. Personne ne s'était jamais montré si empressé ni amical quand elle avait passé ses examens prénataux, des années aupara-vant, ni même quand elle avait attendu plusieurs heures aux urgences l'été précédent, à la suite d'une entorse due à une chute de cheval. On n'avait droit à ce genre de petits soins qu'en cas de maladie grave.

Elle-même avait eu la même attitude en plusieurs occa-sions. Pas plus tard que deux semaines auparavant, quand elle avait dû apprendre à une femme de trente-quatre ans que son ventre enflé n'était pas un signe de grossesse mais la consé-quence d'un endométriome malin – si avancé que les chances de survie de cette malheureuse étaient à peu près équivalentes à celles d'une chute de neige en Floride au mois d'août. Au moins, en existait-il : cette femme pourrait s'en tirer, en cas de réussite de la chimio, de la radiothérapie et de la chirurgie drastiques qui l'attendaient. Grâce à la médecine moderne, un rayon d'espoir filtrait par le chas de l'aiguille. Meg n'avait devant elle que l'effroyable perspective d'être enterrée vivante.

Elle observa Savannah, les cheveux répandus sur les épaules, vêtue de son débardeur lie-de-vin et d'un jean délavé à taille très basse, dont chaque cuisse était décorée de rangs de pierres du Rhin qui réfléchissaient la lumière. Meg remarqua ses yeux brillants de joie, la maturité de son visage dont elle avait méticuleusement rehaussé les yeux d'eye-liner vert et de mascara foncé rallongeant les cils. Sa fille était vraiment ravissante, d'une beauté tout à fait unique, et extrêmement intelligente. Qu'aurait-elle fait de sa vie d'ici à dix ans ? Vingt ans ? Que lui inspirerait sa condition d'orpheline de mère quand elle atteindrait l'âge actuel de celle-ci, trente-huit ans ? Car Savannah serait orpheline. Le spécialiste de la SLA, Bolin, n'avait pas pu lui affirmer le contraire.

Il était entré dans la salle d'examen où elle l'attendait, en blouse de coton et socquettes, parce qu'elle avait les pieds gelés. Depuis combien de temps poireautait-elle là, les jambes pendant dans le vide par-dessus le bord de la table ? Cinq minutes ? Cinquante ? Elle avait perdu toute notion du temps, son rendez-vous avec Bolin marquant la fin d'un long parcours du combattant.

La fin du parcours. Elle le savait déjà, assise à l'attendre. Elle n'avait pas besoin d'un expert pour interpréter la moue du technicien de l'EMG ni les regards nerveux de l'infirmière qui l'avait fait pénétrer dans la salle d'examen. Elle aurait pu rédiger à l'avance les conclusions de Bolin, malgré son envie désespérée de se tromper. Il avait examiné de fond en comble le moindre de ses muscles principaux, son cou, son visage, ses mains... Il lui avait demandé de parler, de déglutir et de rire (une espèce de ricanement dérisoire avait réussi à sortir de sa gorge), de tousser et de hocher la tête. Après s'être rhabillée, elle s'était assise près de lui dans son bureau spacieux, à la bibliothèque bourrée de livres médicaux méticuleusement rangés, mais aussi de romans. Dans quel but ? Il ne disposait manifestement pas d'une minute pour lire au cours de la journée. Ces livres étaient-ils destinés à être prêtés aux patients qui, comme elle, seraient bientôt incapables de les serrer dans leurs mains et d'en tourner les pages ? À leur éviter de perdre le temps précieux d'un déplacement dans une bibliothèque ou une librairie ? Sa curiosité n'avait pas trouvé de réponse. En revanche, Bolin lui avait fait part de la « coïncidence malheureuse » avec le bilan de Brianna, et remis deux fascicules d'information (*Documents pour les nouveaux diagnostiqués* et *Vivre avec la SLA* – à se tordre de rire). En outre, il avait griffonné sur son papier à en-tête les noms de deux malades atteints de SLA, au cas où elle souhaiterait les rencontrer.

Elle ne lui avait posé qu'une seule et unique question, à propos de l'avancement des essais thérapeutiques.

« Il n'existe rien d'efficace, lui avait-il répondu, exception faite du Riluzole. Si nous le commençons tout de suite, votre durée de vie sera peut-être prolongée.

— De combien de temps ? »

Il avait soupiré.

« D'après les études, certains malades gagnent jusqu'à soixante jours. »

Elle avait éclaté d'un rire franc.

« *Soixante jours* supplémentaires de paralysie totale, branchée sur perfusion, voire respirateur artificiel. Quel exploit ! Vite, docteur, faites-moi l'ordonnance ! »

Bolin l'avait laissée divaguer, refuser le traitement ; mais, à présent, malgré son traumatisme, elle devait remplir son rôle de mère, se conduire normalement pour éviter à son enfant abattement, inquiétude et angoisse. Elle ne dirait rien à Savannah. Pas si vite, en tout cas. Pas tant que cette blessure mortelle serait encore à vif. Bien sûr, viendrait le moment où elle serait obligée de la mettre au courant, mais elle ignorait quand. Comment peut-on annoncer à son enfant que l'on est mourant ? Comment peut-on s'en abstenir ?

Savannah s'installa sur la chaise placée à la droite de Meg.

— Ces places sont géniales. J'espère que tu ne m'en veux pas d'avoir pris des billets VIP.

— Pas du tout, je suis ravie, mentit Meg.

Si elle avait eu le choix, elle aurait préféré être assise à mille lieues de l'endroit où Carson allait interpréter des chansons inspirées, pour la plupart, de ses actes.

Elle avait pu maintenir Carson à une distance rassurante quand elle achetait ses disques et savourait sa musique, et se sentait confusément flattée de retrouver le souvenir romancé de leur histoire dans ses textes, d'en être l'inspiratrice. Le CD argenté sur lequel était gravée la voix de Carson établissait une distance presque confortable avec leur passé, dont il lui laissait un goût doux-amer sans trop la culpabiliser. Il lui permettait de garder une part de l'amour de sa vie dont Brian lui-même ne pouvait prendre ombrage. De toute façon, son mari n'écoutait pas la musique de Carson. Non seulement parce qu'elle ne la passait pas en sa présence, mais aussi parce que les CD de Brian étaient presque exclusivement composés de livres audio sur les investissements, la gestion, l'économie mondiale et le golf.

Et Brian, après avoir conquis Meg, avait cessé d'être jaloux de Carson. Pourquoi l'aurait-il été ? Dans son esprit, seuls les *résultats* comptaient. Elle l'avait choisi, elle lui était fidèle. Le succès et la notoriété de Carson n'étaient guère pour lui que matière à anecdotes piquantes en société. Quand Carson avait été accusé, en 1998, en vertu d'une loi rétrograde de Caroline du Nord punissant les couples adultères, Brian s'était vanté d'avoir sauvé Meg d'une existence d'infamie. Mais Carson aurait-il mené ce genre d'existence si elle était restée avec lui ? Elle s'abstenait toujours, bien entendu, du moindre commentaire, se contentant d'un sourire et d'un haussement d'épaules, partageant, en épouse fidèle, cet humour chargé de dérision. Prendre la défense de Carson n'aurait fait qu'éveiller les soupçons, attirer l'attention sur son propre entêtement et sa duperie, et donner une mauvaise image de Brian. Megan savait parfaitement ne pas s'égarer hors du cercle protecteur qu'elle avait tracé autour de sa vie.

Des spectateurs conquis d'avance prenaient place autour des tables.

Un serveur se présenta pour déposer des bretzels et prendre leur commande de boissons, bonus des billets VIP.

— Un gin on the rocks avec une rondelle de citron, dit Meg.

Savannah commanda un coca light puis tapota son sac, suspendu au dos de sa chaise.

— J'ai apporté tous les CD, annonça-t-elle à sa mère. Pour que Carson puisse nous les dédicacer. Et rappelle-moi d'acheter un tee-shirt à Rachel. Ils en vendent à l'entrée, tu as vu ? Peut-être que le serveur nous en apporterait un. Et Carson pourrait aussi les signer, non ?

— Je ne sais pas, ma puce.

Savannah se rembrunit.

— On ne peut même pas essayer ?

Meg ouvrait la bouche, dans le but de prononcer une de ses sentences maternelles du style *Il faut respecter l'intimité des gens* ou *C'est malpoli de s'imposer pour obtenir quelque chose*, mais elle se retint. Combien d'autres occasions lui seraient offertes d'être l'héroïne de Savannah ? Si elle ne voulait pas s'imposer à Carson, elle pouvait faire cet effort pour sa fille.

En toute honnêteté, elle trouvait intéressant de voir Carson et Savannah côte à côte. Meg n'avait jamais été capable de décider lequel des deux hommes avec lesquels elle avait fait l'amour ce jour-là était le plus susceptible d'être le père de son enfant. Si elle voyait Carson et Savannah ensemble en chair et en os, elle distinguerait peut-être entre eux le brin de ressemblance qui ferait tilt.

Elle jouait depuis très longtemps à ce petit jeu des comparaisons. Depuis le jour où, en faisant son shopping à Gainesville, elle était tombée sur le premier album de Carson. Accrochée dans le chariot, Savannah, alors âgée de quatre ans, tenait un Tigrou minuscule dans une main potelée et Porcinet dans l'autre, et s'amusait à les faire converser d'une voix chantante, tour à tour stridente et basse.

Un gros plan du visage de Carson, ombré d'une barbe naissante négligée, ornait la jaquette. Une légère tristesse émanait de ses yeux vert foncé. Il portait un petit anneau d'argent à l'oreille gauche. Comment son père avait-il pris cette fantaisie ? Telle une enfant surprise en train de regarder un magazine de sexe à la dérobée, Meg avait saisi le CD et l'avait caché dans le chariot rouge – « Ce chariot, il est pas de la couleur du fromage ! » s'était plainte Savannah –, sous un paquet d'essuie-tout et de nouveaux vêtements d'été pour sa fille qui n'entrait plus dans rien. Meg s'était assurée d'un regard circulaire que personne ne l'avait vue prendre l'article, comme si son geste laissait aussi transparaître sa duplicité. Jamais elle n'aurait dû penser à Carson et rester ainsi pétrifiée, fascinée par la ressemblance frappante entre les oreilles de Savannah et les siennes.

Si elle avait écouté sa belle-mère et son mari, elle n'aurait pas dû se trouver là du tout. Brian et Shelly lui reprochaient toujours de faire ses courses au supermarché. Ils avaient les moyens de fréquenter des enseignes haut de gamme. N'avait-elle pas envie de le montrer ? Mais elle ne s'habituait pas à avoir autant d'argent à sa disposition. La somme figurant au crédit de son compte bancaire demeurait impressionnante à ses yeux, y compris après règlement de ses frais d'études. Elle pouvait s'offrir les magasins chics, elle aurait dû y faire son shopping, mais elle avait l'impression d'y entrer par effraction. Elle se sentait plus en sécurité dans les grandes surfaces. Du moins avant qu'ils commencent à avoir les albums de Carson McKay en rayon.

Elle avait inséré le disque dans le lecteur dès qu'elle était montée dans sa nouvelle Volvo. Le ventre serré, dur comme du roc, elle avait écouté la voix de Carson pour la première fois depuis cinq ans. Avant même la fin du refrain, elle avait compris que la chanson la concernait et avait laissé la musique l'envahir, se déployer dans l'habitacle, l'envelopper de sa mélancolie. Le vol plané de Tigrou au-dessus de sa tête et son atterrissage brutal sur le tableau de bord lui avaient brusquement fait éteindre la musique.

« Maman, Tigrou a faim. On peut rentrer, s'il te plaît ? Il veut des Cheetos et des chips au maïs. *Pronto !* »

Avant d'obéir à l'exigence de Tigrou, Meg avait éjecté le CD et l'avait jeté dans une poubelle, devant le magasin.

À la fin de la semaine « je ne mange que mauve », elle était retournée en douce toute seule au magasin pour le racheter.

Ce soir, si elle voyait Carson et sa fille l'un à côté de l'autre, elle arriverait peut-être à déterminer qui était le père de Savannah. Ou peut-être pas. Cette preuve n'aurait pas plus de poids que la ressemblance du nez et de la forme du visage de Savannah avec ceux de Brian. Cela dit, comment pouvait-on expliquer les dons musicaux de Savannah ? Ses yeux, du même vert que ceux d'une tranche de lime frais, ses petits lobes d'oreille, ses cheveux ondulés n'étaient-ils que pure coïncidence ? Rien d'autre que l'incarnation de gènes issus des vastes équipes Powell et Hamilton ?

— Je vais essayer d'obtenir l'autorisation de passer en coulisses, dit Meg.

Savannah l'embrassa sur la joue.

— Merci, maman !

Elle affichait un sourire radieux, identique à celui de Meg, en dehors du fait que sa canine droite supérieure avait été redressée à l'aide d'un appareil dentaire.

Fort heureusement, Savannah tenait surtout d'elle, physiquement. Que se serait-il passé si elle avait ressemblé comme deux gouttes d'eau à Carson ? Meg n'avait même pas osé songer à cette éventualité avant d'aller se donner à lui – preuve de sa bêtise crasse de l'époque, gouvernée qu'elle était par ses émotions, un état dangereux qu'elle avait essayé d'éviter depuis lors.

Si Carson était bien le père de Savannah, elle n'avait pas réussi grand-chose en épousant Brian. Comme le soulignait le journal de sa mère, il n'existait aucun moyen d'extirper son père du trou qu'il avait creusé, et si par chance on y parvenait, il en creusait un autre sur-le-champ. Oui, le mariage de Meg leur avait permis de conserver leur entreprise et leur terre, et il ne s'agissait pas d'un mince exploit. Mais au bout du compte, quel bénéfice en avaient tiré sa mère et ses sœurs ?

Les hypothèses à retardement ne servaient bien évidemment à rien. Elles ne constituaient qu'une débauche d'énergie inutile, qui n'apportait pas le moindre changement. Comme le disait toujours Manisha, où que vous vous cachiez, le destin finit par vous rattraper.

Les lumières de la salle comme la cacophonie des voix s'estompèrent. À l'instant où le serveur revenait avec leurs boissons, un cercle lumineux éclaira le centre de la scène, projeté par des spots fixés en haut des murs latéraux de la salle. Un instant plus tard, un homme imposant, à la chevelure argentée et à la moustache abondante, y fit son apparition.

— Bonsoir ! lança-t-il dans le micro.

Les spectateurs émirent des sifflements et l'ovationnèrent.

— Je suis Johnny Simons... (Autres sifflements.)... et vous allez avoir droit à un sacré cadeau !

La salle explosa, Savannah comprise. Meg, à la fois confuse et dépitée, se retrouva au bord des larmes.

— Certains d'entre vous savent que nous avions prévu de vous présenter un supergroupe de rock indépendant, Frito Bandito. Mais M. Bandito a eu un empêchement. Non, non, il ne s'agit ni d'une femme ni d'un alligator, juste d'un mauvais rhume de cerveau. Mais grâce à ma force de conviction innée, ou au fait qu'il se trouvait par hasard en ville pour préparer son mariage... (De nouvelles ovations montèrent dans la salle.)... avec l'extraordinaire championne de surf Valerie Haas, qui est venue... (Johnny mit une main en visière pour regarder une table du premier rang, à cinq mètres de celle de Meg.)... assister ce soir au spectacle de son homme... (Une poursuite plongeante vint éclairer Val de la droite. Elle loucha et agita la main.)... je suis fier de recevoir ici le célèbre Carson McKay !

Les spots se déplacèrent sur la gauche. Carson fit son entrée au pas de course, s'inclina brièvement et s'approcha du piano. Dans son dos, une lumière bleue chatoyante illumina la scène et les autres musiciens.

Il régla son micro.

— Merci, Johnny. Et merci à vous tous de vous être déplacés à la dernière minute.

Nouveaux sifflets et applaudissements sonores. Meg était fascinée par sa présence sur scène. Il était vêtu d'un jean noir et d'une chemise blanche, dont les manchettes retroussées dévoilaient une espèce de tatouage sinueux sur son avant-bras gauche. La chemise, au long col ouvert, lui en rappelait une qu'il avait portée à la fête donnée pour célébrer sa première année d'études supérieures. Subitement, il lui apparut plus vrai que nature. Val le voyait-elle toujours sous ce jour ? La jeune femme lui tournait le dos. Meg la contempla, se demandant quels sentiments pouvait lui inspirer un tel Carson.

Il effleura quelques touches du piano et les ovations se dissipèrent.

— Merci. Merci beaucoup. Avant de commencer, permettez-moi aussi de remercier et de vous présenter les membres du groupe. Ces excellents musiciens ont dû me supporter toute la journée. Ils ont répété des chansons qu'ils connaissent mal en se demandant comment ils avaient pu accepter de remplacer les dingues qui m'accompagnent d'habitude en tournée. Une bande de fainéants, comparés à eux, soit dit en passant.

Carson annonça les noms des musiciens, l'un après l'autre, et leur laissa le temps de se présenter en quelques mots. Une femme très élancée, chaussée de bottes hautes, tenait la guitare. Savannah donna un coup de coude à sa mère.

— Je pourrais être à sa place !

Meg étudiait Carson, sa décontraction en scène, sa générosité, sa gentillesse. Valerie Haas avait bien de la chance.

— Bon. Nous allons commencer ce soir par une chanson que j'ai composée il y a environ cinq ans, à mon retour de Bangkok. Je souffrais du décalage horaire et j'étais un peu... ratissé, dirons-nous. Vous la connaissez peut-être : *Altitude.*

Il donna le *la* et les premières notes retentirent. Aussitôt, Meg se sentit noyée dans l'énergie du public et dans la mélodie, assez langoureuse et fascinante pour lui faire oublier, l'espace d'un instant empli de douceur, la faiblesse de sa main qui saisissait son verre de gin et le portait à ses lèvres. L'espace d'un instant d'une tendresse infinie, elle se fondit dans la foule des fans de Carson.

29

Vince, l'aîné des trois fils de Johnny, retrouva Carson en coulisses quelques minutes après le tomber de rideau. Un bras drapé autour des épaules de Val, Carson bavardait avec Alex, le batteur.

— Monsieur McKay ? Pardon de vous interrompre, mais une dame aimerait vous rencontrer une minute. Elle dit qu'elle est une de vos anciennes amies.

Ah non, pas une autre groupie, songea Carson. Elles s'y prenaient toutes de la même façon, comme s'il n'avait pas eu droit au numéro de la « vieille amie » des milliers de fois.

— Elle fait combien de tour de poitrine ? demanda Alex. Peut-être que c'est une « vieille amie » à moi aussi.

— Non, non, ce n'est pas le genre, répondit Vince. Tenez, elle a noté son nom là-dessus. Elle n'avait pas d'autre papier.

Il tendit à Carson un emballage de chewing-gum.

Meg et Savannah Hamilton.

Carson en resta coi. Val lut par-dessus son épaule. De toute évidence, elle ne se souvenait plus du nom de la femme qu'elle avait rencontrée brièvement la veille, car elle demanda :

— Alors, elles sont réglo ?

Carson envisagea de dire : « Non, je n'ai jamais entendu parler d'elles », et de poursuivre tranquillement la soirée. Il avait espéré quitter la Floride sans revoir Meg. Que faisait-elle ici ? Pour quelle raison avait-elle amené sa fille ? Jamais il n'avait envisagé la possibilité qu'elle – ou elles – puisse compter au nombre de ses fans. Il pouvait leur interdire les coulisses et se retrouver le surlendemain, indemne, à bord de son vol en partance pour La Nouvelle-Orléans. Reproches éternels garantis, ne serait-ce que pour avoir déçu la gamine.

— Faites-les passer, lança-t-il à Vince. Elles sont réglo... Rappelle-toi, ajouta-t-il ensuite pour Val, tu as rencontré Meg hier, chez Penguin Pete.

— Je suis vraiment nulle ! Je n'ai prêté aucune attention à son nom.

Normal, songea-t-il, *pourquoi l'aurais-tu fait ?*

Alex partit en quête d'une « ambiance plus vivante », selon ses termes. Quant à Vince, il revint quelques instants plus tard, ouvrant la voie à une adolescente très belle, au visage irradiant de charme, et à une femme beaucoup plus réservée. Meg présentait cependant bien meilleure figure que la veille.

Au moment d'approcher Carson, Savannah marqua soudain une hésitation. Un accès de timidité ? Meg la dépassa légèrement et tendit la main.

— Carson, je suis ravie de te revoir. Mon Dieu, ça fait des années ! Ton tour de chant était formidable.

Des années ? La réponse arriva aussi vite que venait de surgir la question qu'il se posait : Meg voulait cacher à Savannah leur rencontre de la veille. Il lui prit la main. Un peu molle. Moite. Elle était nerveuse. Coulant un regard à Val, il répondit :

— Oui, des années. Merci. Je te présente ma fiancée.

Ce titre, que Meg avait jadis presque porté, resta légèrement coincé dans sa gorge.

Val demeura silencieuse, comme si elle avait compris de quoi il retournait et qu'elle jouait le jeu.

— Valerie Haas, précisa-t-il. Meg Hamilton et sa fille... Savannah, c'est bien ça ?

Savannah acquiesça, avant d'avancer d'un pas pour se placer juste à côté de sa mère.

— Vous pourriez être sœurs, déclara-t-il, non pour les flatter, mais parce que c'était la vérité.

Savannah faisait plus que ses seize ans et Meg, en jean et tee-shirt ajusté, ne portait pas son âge, hormis par ses cernes mauves de tension, semblables à des demi-lunes translucides.

Val leur serra la main.

— Absolument. De vraies sœurs.

— Vous êtes trop aimables, répondit Meg. J'espère que tu ne nous en veux pas de nous être imposées, mais Savannah voulait...

— Je serais très honorée que vous me dédicaciez ces tee-shirts, intervint Savannah. (Elle en extirpa deux du creux de son bras et les tendit à Carson.) Et ça aussi, ajouta-t-elle.

Elle farfouilla dans son sac de toile – Val possédait le même en jaune –, d'où elle sortit en vrac des CD qu'elle lui tendit aussi.

— Et j'ai ça !

Elle brandit un feutre indélébile, tel un point d'exclamation.

— Eh bien, si tu me le demandes ainsi ! répliqua-t-il gaiement, non sans jeter un regard à Meg.

Elle affichait le sourire en biais, un peu gauche, qu'il connaissait par cœur. Ce sourire qui était né, si sa mémoire ne le trahissait pas, la première fois qu'il avait embrassé ses seins nus. Elle devait avoir à peu près... l'âge de Savannah. Mon Dieu !

Il empila tous les objets sur un ampli et prit le feutre.

— Épelle-moi ton nom.

Savannah s'exécuta.

— Juste sur le tee-shirt rouge, s'il vous plaît. Le rose est pour ma meilleure amie, Rachel. Pourriez-vous écrire son nom dessus ?

— Elle est ici ?

— Non. Euh... elle n'a pas pu venir. Sa mère est une vraie mégère. Elle lui a interdit de rater son cours de savoir-vivre.

— Un cours de savoir-vivre ?

Il jeta un coup d'œil à Meg.

Sur la défensive, cette dernière haussa les épaules.

— Elles apprennent à danser la valse, à utiliser les bons couverts dans les dîners mondains, à rédiger des mots de remerciement...

— Quelle plaie ! C'est vraiment nul, commenta Savannah. Je l'ai suivi l'an dernier.

Carson adressa un sourire à Meg, tout en s'attaquant aux CD.

— Stupéfiant, ce chemin que nous avons parcouru sans avoir eu une bonne éducation !

— Jamais je n'imposerai ce genre de truc à mes enfants, intervint Val. Sans vouloir vous offenser, Meg, c'est tellement... archaïque.

— Ça ne lui a pas fait de mal, rétorqua Meg.

Carson dédicaça le dernier CD et rendit la pile à Savannah, mais il observait Meg.

— Je parie que ça a également plu aux beaux-parents, dit-il, incapable de résister à cette petite pique.

Les Hamilton, si sa mémoire ne le trompait pas, étaient avant tout attachés aux convenances et faisaient en sorte de toujours poser le bon pied devant l'autre. Leurs fils fréquentaient des écoles privées, jouaient au golf dans des clubs fermés. On avait du mal à comprendre comment ils avaient pu autoriser Brian à épouser une jeune fille comme Meg. Cela étant, si la réputation de Brian était fondée, il obtenait toujours ce qu'il voulait. Tout comme son frère, Jeffrey. Meg ne faisait cependant pas tache, elle n'était ni une serveuse mal dégrossie ni un professeur d'aérobic desséché aux UV, mais une jeune femme intelligente et travailleuse, simplement issue d'un milieu social inférieur. Elle n'avait sans doute eu aucun mal à conquérir les parents de Brian. Et comme Jeffrey avait épousé Deirdre Smith-Harvey, dont le père venait d'être nommé juge à la Cour supérieure de l'État, les Hamilton étaient probablement enchantés du cours pris par les événements.

Meg regarda Carson signer les tee-shirts et les rendre.

— Oui, répondit-elle. Merci de nous avoir laissées passer en coulisses. C'est un vrai cadeau.

De si bonnes manières. Elle aurait tout aussi bien pu avoir suivi elle-même les cours de savoir-vivre, tant elle s'était transformée en copie conforme des Hamilton. Jamais elle n'évoquerait leur ancienne relation devant Val ou Savannah... Quelle réaction minable de sa part ! Mais il n'aurait pas dû la défier de la sorte.

Le portable de Val sonna. Elle consulta l'écran d'accueil.

— Ma mère. Je reviens. Ravie de vous avoir rencontrées, si on ne se revoit pas.

Elle adressa un signe à Meg et Savannah en s'éloignant pour prendre l'appel à l'écart.

— Je la trouve... vibrante, commenta Meg.

— Elle m'empêche de vieillir. Et elle est inouïe sur une planche de surf.

— Je n'en doute pas une seconde.

Sous-entendait-elle quelque chose ou son imagination travaillait-elle trop ? se demanda Carson.

Savannah finit de ranger les CD dans son sac.

— Le surf, c'est vraiment cool, comme sport. Elle passe à la télé ?

— Parfois. Sa prochaine compétition débute lundi prochain à Bali. Vérifie le programme.

— Rachel va mourir de jalousie quand elle saura que je vous ai rencontrés tous les deux.

— Et moi, je suis très content d'avoir fait ta connaissance, affirma-t-il sincèrement. Et ravi d'avoir revu ta mère. (Il le pensait aussi, d'une certaine façon.) Je n'en reviens pas qu'elle te laisse acheter mes disques comme ça. Tu gaspilles ton argent.

— Ce n'est pas du tout du gaspillage, répliqua Savannah. La première vraie chanson que j'ai jouée sur ma guitare était de vous. En plus, ils sont à elles.

— Quoi ?

— Les CD. Ils lui appartiennent tous. Je me contente de les télécharger.

— En fait, nous les partageons, dit Meg.

— Alors comme ça, tu joues de la guitare ? se hâta de demander Carson.

Apprendre que Meg achetait tous ses disques le stupéfiait ; mais, comme elle, il voulait s'éloigner de ce sujet.

— Hum…, fit Savannah. Mais je suis franchement nulle à chier.

— *Savannah !*

— Pardon, je ne suis vraiment pas d'un niveau intéressant, corrigea-t-elle d'une voix traînante.

Carson sourit.

— Moi aussi, j'ai commencé par la guitare. De quelle chanson s'agissait-il ?

Elle était adorable. Telle mère, telle fille. Exception faite de la chevelure, elle aurait pu être Meg à seize ans.

— Quoi ? La première chanson que j'ai jouée ?

Il fit oui de la tête.

— « Tunnel Vision ». J'aime bien la mélodie d'ouverture. Elle est moins difficile que d'autres.

Encore une des chansons de Meg. Carson s'obligea à ne pas la regarder. Si Meg possédait tous ses albums, si elle connaissait ses textes, elle s'était sûrement reconnue, avait vu son âme brisée. Là résidait le danger. Chaque fois qu'il entrait en studio d'enregistrement, il savait qu'elle risquait d'entendre un jour ses chansons. Mais il était convaincu qu'elle n'achèterait jamais ses enregistrements, qu'elle ne voudrait pas être entourée de parcelles de lui, qu'elle n'écouterait pas l'une de ses compositions assez souvent pour en connaître les paroles, qu'elle changerait de station si elle tombait sur l'une d'elles. Il était persuadé qu'elle ne s'intéressait plus du tout à ce qui concernait Carson McKay. Son mariage avec Brian ne le proclamait-il pas sans la moindre équivoque ?

Peut-être pas. Manifestement pas.

Quelles autres erreurs de jugement avait-il commises ?

Des éventualités l'effleurèrent, mais il n'allait pas y prêter attention alors que Meg consultait ostensiblement sa montre et déclarait :

— Mon Dieu, il se fait tard... Nous devons vraiment partir.

— Oh, attendez une seconde ! (Savannah sortit un appareil photo de son sac.) On peut ? Meg saisit l'appareil.

— Bien. Placez-vous là.

Quand ils eurent pris la pose, elle vérifia longuement l'écran de contrôle avant d'appuyer sur le déclencheur.

— À présent, une de nous, dit Carson. Savannah, tu veux bien ?

Meg n'eut pas le temps de formuler le refus qu'exprimaient ses yeux : il s'était déjà placé près d'elle et Savannah tenait l'appareil.

— Souriez ! dit-elle.

— Tu m'enverras un tirage ? lui demanda ensuite Carson. Savannah lui tendit la main.

— Bien sûr, répondit-elle. Merci de tout mon cœur pour votre autographe... vos autographes. Tout le monde va halluciner quand je porterai ce tee-shirt lundi au lycée.

Carson prit sa main tendue, puis il l'étreignit brièvement, sur une impulsion.

— Si tu veux que je te dédicace autre chose, envoie-le à l'adresse de mon fan-club qui figure sur mon site web. Tu t'es déjà connectée dessus ?

— Bien sûr !

— C'est le moyen le plus sûr. Je ne sais jamais où je vais être.

Meg tenait son sac des deux mains. Pas d'étreinte, ni même de poignée de main de sa part en guise d'au revoir. Il se perdit dans les profondeurs mystérieuses de son regard. La situation ne correspondait pas exactement aux apparences, il en avait la certitude.

— Prends soin de toi, d'accord ?

Elle se mordit les lèvres, acquiesça de la tête et détourna les yeux.

— Toi aussi.

Déjà, elle était partie.

30

— Rachel et Angela sont arrivées, je dois filer, annonça Savannah à Meg le lendemain en traversant la cuisine.

Elles étaient rentrées d'Orlando depuis environ deux heures. Meg contemplait le contenu de son réfrigérateur comme si elle allait y découvrir un remède contre la SLA, une formule collée au dos de la bouteille de ketchup ou moisissant sur des pelures d'oignon.

— Très bien.

Elle se tourna sans refermer la porte. Le téléphone sonna. Savannah jeta un coup d'œil à l'écran au passage et lança :

— C'est pour toi !

— Qui est-ce ?

— Aucune idée. À demain ! cria l'adolescente sans même s'arrêter.

Meg saisit le téléphone.

— Allô ?

— Bonjour, Meg. Clay Williams à l'appareil.

Il lui téléphonait chez elle un samedi ?

— Quelle surprise !

Elle referma la porte du frigo avec le pied.

— J'espère que vous ne m'en voulez pas de vous appeler. J'ai appris que vous étiez souffrante la semaine dernière. Je voulais m'assurer que vous alliez mieux.

Dans l'espoir, peut-être, que sa « maladie » était son mariage avec Brian ?

— Merci de votre prévenance.

Elle ouvrit la porte donnant sur le patio. Porté par la brise, le parfum entêtant des fleurs de magnolia flotta jusqu'à elle.

— Pardon de ne pas être venue à votre rendez-vous l'autre jour, ajouta-t-elle.

— J'ai cru comprendre que l'accouchement s'était bien passé.

Un vrai cas d'école.

La petite fille avait jailli comme une flèche dans les mains de son père qui attendaient de la recevoir. Meg avait pleuré d'éblouissement et de joie avec les nouveaux parents quand le bébé avait avalé tant bien que mal sa première bouffée d'air et commencé à geindre. Les moments les plus profonds de la vie étaient, de manière paradoxale, les plus ordinaires : le premier souffle, le dernier.

— Vous êtes donc en forme ? demanda Clay. En tout cas, vous avez une bonne voix.

— Vraiment ? Ma main et mon bras me causent toujours des problèmes. Autant vous le dire tout de suite : je vais prendre un congé.

Cette annonce devrait suffire, pour l'instant.

— Je vous en veux terriblement. Quand revenez-vous ?

Cette question transperça son brouillard protecteur et la fit grimacer.

— Je n'en ai pas la moindre idée. Je transfère tous mes patients à d'autres médecins.

— Que vous arrive-t-il, si je peux me permettre ? Je... je me fais vraiment du souci pour vous.

Elle songea au bien-être que lui avaient procuré le contact de sa main, la chaleur et la bienveillance de son regard enveloppant. Depuis combien de temps cela ne lui était-il pas arrivé de se sentir comprise ?

— Je sais. Merci. Un problème de nerf endommagé, dit-elle.

— Vous avez un bon neurologue ?

— Oui.

Comme si cela changeait quelque chose.

— Écoutez, vous allez me trouver un peu... enfin... je sais que vous êtes mariée, mais cela ne m'empêche pas de... Êtes-vous libre à déjeuner aujourd'hui ?

— Quel choix ai-je donc ? se surprit-elle à répondre.

« Pourquoi pas ? » lui chuchotait la brise parfumée à l'oreille.

— Je cuisine très mal l'omelette campagnarde, mais je peux vous proposer un siège sur la véranda qui donne sur mon jardin.

— Votre véranda, répéta-t-elle, laissant volontairement traîner le mot. C'est tentant.

— Je vous offre une petite – une grande – évasion bucolique. Ça fait un mois que je travaille avec mon paysagiste et j'ai hâte de montrer mon jardin. La pluie s'est arrêtée, la chaleur est supportable...

Une évasion, déclarait-il. Cette idée lui plaisait. La possibilité d'échapper une ou deux heures à sa vie qui vibrait désormais d'une énergie étrange, inconfortable, comme si les machines des IRM et des EMG l'avaient entièrement déboussolée. Brian, sur le terrain de golf comme d'habitude, ne saurait même pas qu'elle était sortie.

— Très bien, je viens. Vous habitez où ?

Il lui donna son adresse.

— C'est mon jour de congé. Vous pouvez arriver quand vous voulez. Il paraît que mes estampes japonaises valent le détour.

— Je n'en doute pas une seconde.

Se sentant encore quelque peu déphasée, Meg se changea, remplaça son pantalon par un short, son polo rose par un corsage de lin bleu pâle et enfila des sandales plates toutes simples. Après deux essais, elle changea aussi de boucles d'oreilles avant de partir. Elle eut du mal à insérer la clé de contact et à démarrer, mais elle refusa de se laisser frustrer. Elle empêcha son esprit de s'envoler à tire-d'aile vers le jour où même ses efforts les plus acharnés ne lui permettraient plus de s'échapper.

Quarante minutes après leur conversation téléphonique, elle se garait derrière la vieille Jaguar décapotable de Clay. Il sortit à sa rencontre et ouvrit sa portière avec un sourire qui la mit tout de suite à l'aise. Son short de sport blanc et sa chemise madras aux teintes soutenues accroissaient sa séduction naturelle. Le parfum légèrement épicé de son eau de Cologne lui fit penser à un hôtel où elle était descendue à Caracas.

— J'aime bien les femmes qui ne perdent pas leur temps, observa-t-il quand elle mit pied à terre.

— Et moi, les hommes qui ne portent pas de chaussures, répliqua-t-elle à la vue de ses pieds nus.

Il referma la portière et l'embrassa sur la joue.

— Dès que nous serons à l'intérieur, je jetterai toutes les miennes.

Il lui fit faire le tour du propriétaire de sa maison de plain-pied restaurée. Plus vaste, bien évidemment, et beaucoup plus jolie que celle dans laquelle elle avait grandi. Elle était aérée et fraîche et, comme il le lui fit remarquer, bien plus grande que nécessaire, à tout point de vue, pour un célibataire. Mais il adorait l'espace, et que pouvait-il faire d'autre de son argent ? À trente-trois ans, il avait dépassé le stade de la vie dissolue de célibataire et il souhaitait s'installer.

— Il ne me reste plus qu'à trouver la femme adéquate.

— Qu'est-ce qui vous en empêche ? demanda Meg alors qu'ils pénétraient dans la cuisine.

Clay ouvrit le réfrigérateur d'où il sortit des petites soucoupes d'oignons, de piments, de champignons, de tomates et de brocolis hachés.

— Les meilleures sont déjà mariées.

— J'ai du mal à le croire.

Il s'approcha très près d'elle. L'anneau gris sombre qui encerclait ses pupilles bleues semblait souligner ses sentiments.

— *La* meilleure est déjà mariée, précisa-t-il.

En toute autre circonstance, Meg aurait reculé et accueilli sa remarque d'une pirouette, car cela ne servait à rien d'encourager un penchant de ce genre. À quoi menaient les liaisons, sinon à s'emmêler dans des imbroglios susceptibles de se transformer en triste fardeau pour l'un des partenaires, sinon pour les deux ? Mais aujourd'hui, elle avait besoin d'être *vivante*, d'être une femme, seule dans une maison avec un homme séduisant qui la désirait. Où était le mal ?

— Pas si heureusement mariée, commenta-t-elle avec un léger haussement d'épaules.

Clay se rapprocha davantage pour poser les mains sur ses hanches et essayer timidement de l'embrasser. Ses lèvres étaient chaudes et douces, mais leur goût inédit lui rappela celui qu'elle n'embrassait pas. Elle comprit alors qu'il n'était que la doublure de l'homme auprès duquel elle aurait voulu être.

Il lui donna un autre baiser, le corps pressé contre le sien. Elle s'ordonna de s'abandonner à cet instant, de ne pas culpabiliser. Quelle importance si elle pensait plus à Carson qu'à Clay, et pas du tout à Brian ? Aucun d'eux ne le saurait. Elle pouvait laisser Clay lui faire l'amour en imaginant qu'ils étaient tous les deux quelqu'un d'autre : il serait Carson et elle serait elle, mais avant que son corps soit touché par la maladie.

Clay s'inclina en arrière pour lui déboutonner son corsage. Ses doigts habiles de chirurgien transformaient en jeu d'enfant ce qui était devenu pour elle une épreuve. Elle observa ses mains avant de passer à son visage, à ces pupilles cerclées de gris.

— Clay ?

— Je vais trop vite ? Pardon. (Il reprit la tâche en sens inverse.) Trop impatient.

— Si nous allions dans la chambre ? suggéra-t-elle.

Il l'y mena et elle se laissa déshabiller, les yeux clos. Il lui enleva son corsage, dégrafa son soutien-gorge et caressa sa peau nue. Elle se persuada que ces compliments chuchotés, ces baisers, ces lèvres sur son cou étaient ceux de Carson. Cette situation totalement fausse – les caresses de Clay, sa présence à elle en ce lieu – valait quand même mieux que la vérité.

Il se dénuda à son tour.

— Dites-moi si je vais trop loin. Nous ne sommes pas obligés…

— J'en ai envie, dit-elle.

Il l'attira sur le lit et se pencha au-dessus d'elle pour lui caresser le ventre.

— Je ne vais pas prétendre que je n'en ai pas rêvé des dizaines de fois. Mais ne vous inquiétez pas : je sais parfaitement que cela ne signifie pas « à jamais ».

Tel un animal pris au piège dans les phares d'une voiture, Meg se pétrifia. La douceur insistante de ce « à jamais » l'affola subitement. Son cœur s'emballa, mais pas de passion.

Elle se débattit pour se dégager, chercha à tâtons son soutien-gorge, son corsage.

— Je dois y aller, affirma-t-elle.

— Quoi ? Attendez… Que se passe-t-il ?

Elle mit la main sur ses vêtements et les enfila en se dirigeant vers la porte.

— Vous n'y êtes pour rien, dit-elle sans un regard en arrière. C'est… pardon. C'est ma faute. Je voulais…

Elle ferma les yeux, les rouvrit et se retourna.

— Je vous aime vraiment beaucoup. Mais je ne peux pas rester.

Il se leva à son tour, complètement désarçonné.

— Ne partez pas. J'avais vraiment l'intention de vous inviter à déjeuner, pas de vous séduire. Restez, je vous en prie. Nous nous installerons dehors.

— Pardon, répéta-t-elle.

De la véranda, il la regarda faire marche arrière dans l'allée. Peut-être se disait-il qu'une autre occasion se présenterait. Elle s'éloigna sans un coup d'œil dans le rétroviseur, sans lui en vouloir s'il nourrissait l'espoir d'obtenir une deuxième, voire une troisième chance. Elle aurait bien aimé être en mesure de souhaiter la même chose. Mais ce souhait ne serait pas plus comblé que ceux, plus élémentaires, qu'elle aurait dû pouvoir s'autoriser, comme tout le monde : voir sa fille embrasser une carrière, se marier, fonder une famille – voir les vœux de Savannah se concrétiser. Être *là*.

Ne pouvant affronter un avenir privé de souhaits, elle allait essayer de le prendre de vitesse.

31

Pour son premier rendez-vous en chair et en os avec Kyle, Savannah portait son tee-shirt « Carson@Johnny », comme l'avait inscrit Carson sur le devant de l'épaule gauche. En plus, il avait signé son nom en gros du même côté, bien en vue sur la manche. Rachel, qui l'accompagnait avec sa sœur aînée jusqu'à l'hôtel où Angela la déposerait, avait mis son propre tee-shirt.

— Je l'adore, je l'adore, je l'adore, répéta Rachel depuis le siège avant, mais tu n'as pas peur que Kyle soit... disons, possessif ? Qu'il te fasse une crise de jalousie ?

Savannah tripotait un ongle ébréché.

— Il n'est pas comme ça, il n'est pas du genre jaloux, assura-t-elle.

Comme si elle le savait vraiment. Dans le fond pourtant, elle ne s'inquiétait pas. Une seule chose lui importait : que Rachel se taise.

— Tu lui as parlé de lundi ?

— Je lui ai laissé un message, mais il ne l'a pas reçu.

— S'il... disons, s'il se met vraiment en colère, tu nous appelles, hein ? On viendra te chercher. Pas vrai, Angela ?

Sa sœur haussa les épaules.

— Bien sûr. Comme tu voudras.

— Il ne se fâchera pas, déclara Savannah. Il est très gentil et compréhensif.

Pour autant qu'elle le sache. Et s'il ne l'était pas ? Que connaissait-elle vraiment de lui ? Si elle s'apercevait en arrivant qu'il ne correspondait pas au portrait qu'il avait brossé de lui – s'il était par exemple un type adipeux de quarante ans, voire pire, elle ne se donnerait même pas le mal d'appeler Rachel. Elle se contenterait de mettre tout de suite les voiles, d'appeler simplement un taxi.

Angela s'engagea dans l'allée circulaire de l'hôtel.

— Amuse-toi bien, dit-elle. Ne fais rien que je ne ferais pas.

— Traduction : tu peux *tout* faire, commenta Rachel en se tournant vers le siège arrière.

Savannah voulut débloquer la portière, mais Rachel la saisit par le bras.

— Tu veux que je t'accompagne ?

— Non, non. Ça va.

— Sois prudente, s'il te plaît. Protège-toi et tout le reste... La vache ! Je n'arrive pas à croire que tu vas, tu sais, faire ces trucs avant moi. Jamais je ne l'aurais cru.

— Question de destin, j'imagine, commenta Savannah d'une voix plus assurée qu'elle ne se sentait. Ne t'inquiète pas, tu trouveras bientôt le bon numéro.

Elle descendit et referma la portière. Rachel se pencha par la vitre.

— Jure-moi de m'appeler demain.

— Sans faute. Et n'oublie pas : si ma mère ou mon père téléphone pour n'importe quelle raison, je viens de partir de chez toi et je rentre à pied. Et tu me préviens dans la seconde qui suit, quelle que soit l'heure.

— Tu peux compter sur moi. Sur nous.

— Sinon, n'appelle pas. Bon, à plus. Merci, Angela.

À présent qu'elles l'avaient aidée à arnaquer ses parents, elles ne manqueraient pas de la protéger. Sinon, elles en seraient aussi pour leurs frais.

Savannah pénétra dans l'hôtel d'une démarche faussement dégagée, faisant de son mieux pour paraître vingt ans, au cas où Kyle l'attendrait déjà. Cette mystification se révéla inutile : dès que les portes coulissantes se refermèrent, elle comprit que c'était lui qui se tenait à la réception. Il avait beau lui tourner le dos, elle en eut la certitude. Ses vêtements – tee-shirt blanc froissé et short caramel, tongs noires – ainsi que le sac de toile écroulé à ses pieds, en plus de sa tignasse noire bouclée, lui confirmèrent qu'il s'agissait bien de l'homme qu'elle avait appris à connaître – et même à aimer – au cours des semaines précédentes.

Elle s'immobilisa pour l'étudier. Il n'avait absolument pas quarante ans et il n'était pas gros. Il avait la peau café au lait, des mollets musclés et poilus – mais pas trop – et des épaules larges sous lesquelles son dos s'effilait vers des hanches étroites. Elle le trouva un peu plus petit que dans son imagination, mais néanmoins superbe. De dos, en tout cas. Si le côté pile correspondait à la photo et à sa description, il en irait obligatoirement de même côté face. Elle revit en un éclair cette photo, songea à la courbe lisse de son ventre divisé par une bande de poils et en ressentit des picotements dans les doigts.

Il ramassa son sac, se tourna et la vit. Elle adopta à nouveau la démarche qu'elle avait répétée en cachette toute la semaine pour s'approcher de lui.

— Mince ! s'écria-t-il. Je suis vraiment descendu au bon endroit !

L'envie de rebrousser chemin et de prendre ses jambes à son cou faillit l'emporter. Non pas parce qu'elle avait peur, même si elle n'était pas totalement rassurée, mais parce qu'elle avait la sensation de n'être qu'une fraudeuse. Kyle ne se contentait pas de ressembler à sa photo, il avait quelque chose de plus. Quelque chose de plus... vrai, de plus viril, de plus... adulte. Elle n'avait tout simplement pas réalisé à quoi ressemblait un homme de vingt-trois ans. Qui connaissait-elle de cet âge ? Personne. Ce chiffre n'était pas très éloigné du vingt sorti de son imagination, mais jusque-là elle n'avait aucune idée véritable de ce qu'il donnait chez un homme. Kyle correspondait à tout ce qu'il était censé être, alors qu'elle-même avait la sensation d'avoir douze ans plutôt que vingt. Cela devait sauter aux yeux.

Mais bon, elle était là, lui aussi, et elle devait essayer de faire bonne figure, de toute façon.

— Salut, dit-elle. Effectivement, si tu es Kyle, tu ne t'es pas trompé d'endroit.

— Jalousé de tous les hommes... c'est moi, à partir de maintenant.

— Merci, répondit-elle.

Sans doute était-elle rouge comme une tomate, car son visage la brûlait. Elle fit un effort pour retrouver un semblant d'aplomb et sortit un :

— C'est très gentil de ta part.

Les cours de savoir-vivre n'avaient pas été inutiles.

Il s'avança, et ils restèrent plantés là, au milieu du hall de l'hôtel, assez proches l'un de l'autre pour permettre à Savannah de sentir son odeur légèrement iodée mélangée à un parfum musqué qui devait être celui de son déodorant. Le cœur de Kyle battait-il aussi frénétiquement que le sien ? Il paraissait très calme.

— J'ai rempli nos fiches.

— Oh... bien.

— Ils m'ont demandé si je voulais mettre les frais au compte de la carte de crédit de Mme Hamilton.

Oh merde !

— Oui, hum...

Il tira sur une mèche des cheveux de Savannah.

— T'inquiète. Je savais déjà que ton nom de famille n'était pas Rae. Mais je ne connaissais pas le vrai. Tout baigne. Je ne t'en veux pas de me l'avoir caché.

— Excuse-moi. Ça m'a coûté de mentir. Mais c'est vrai, je ne voulais pas exposer mon nom aux yeux de tout le monde.

— Logique. Les femmes intelligentes me plaisent.

Intelligente, effectivement. Mais pas assez pour savoir qu'ils lui poseraient cette question à propos de la carte de crédit.

— J'ai autre chose à te demander, ajouta-t-il. Et ne panique pas parce que je te la pose : tu es bien étudiante ?

Mon Dieu, elle s'était vraiment plantée. Qu'est-ce qui l'incitait à penser qu'elle ne fréquentait pas la fac ? Elle se sentit prise au piège par sa question. Il était si proche qu'elle distinguait la veine qui battait dans le creux de son cou.

— On peut s'asseoir ? demanda-t-elle pour gagner un peu de temps et d'espace.

— Évidemment !

Heureusement qu'il ne lui proposa pas de monter plutôt dans leur chambre, car elle n'était pas prête à se retrouver en tête à tête avec lui. Ils se dirigèrent vers un coin canapés. Elle hésita, ne sachant quel siège choisir, ignorant ce qu'elle allait lui dire et si elle parviendrait à se sortir de cette situation. Elle avait cru que le voir en chair et en os serait aussi facile que de chatter en ligne, aussi facile que de bavarder au téléphone. Jusqu'au moment où elle l'avait aperçu, elle avait cru le connaître. À présent, elle se sentait gauche et stupide.

Kyle la prit par la main pour la faire asseoir près de lui.

— Alors ? dit-il.

Il lâcha sa main.

Elle déposa à côté d'elle son sac en toile verte, lequel, outre ses affaires habituelles, contenait à présent son bikini, une petite culotte, un débardeur et un petit flacon rempli d'une solution au citron. Mais elle se cramponna à la bandoulière comme à une bouée de secours, et elle se prépara à tout lui confesser. Le moment était venu de savoir s'il la rejetterait à cause de ses mensonges.

— Bon, d'accord. Je ne suis pas en fac.

Kyle acquiesça gentiment.

— Je m'en doutais. J'ai commencé par vérifier dans l'annuaire, pour voir si tu t'appelais vraiment Savannah Rae. Rien ne correspondait. Alors j'ai interrogé du monde, envoyé ta photo en e-mail à des potes que je connais là-bas. Personne n'avait entendu parler de toi. Ils pouvaient ne pas te connaître, évidemment... mais je me suis dit qu'une poupée comme toi ne passait pas inaperçue. Et j'ai donc décidé de te poser directement la question.

Il n'avait pas l'air fâché du tout.

— Tu dois me trouver horrible, mais je ne le suis pas, répondit Savannah. Tu sais comment ça se passe avec Internet. Les filles doivent être extrêmement prudentes. J'avais l'intention de te le dire aujourd'hui. En fait, tu m'as prise de vitesse.

— Je te comprends parfaitement, affirma-t-il.

Elle vit, dans ses yeux marron foncé, qu'il ne lui mentait pas. Son sourire fit même ressortir une fossette sur sa joue gauche.

— Mais tu t'appelles bien Savannah, non ?

Elle opina vigoureusement du chef.

— Oui ! Savannah Hamilton. Et en fait, je vis ici, à Ocala.

Il reprit sa main.

— J'apprécie ton honnêteté. Écoute, c'est pareil des deux côtés. Il faut être prudent... Alors, je dois t'avouer que je ne suis pas vraiment en troisième cycle.

— Ah non ?

— Non. Mes parents m'ont coupé les vivres avant que je termine ma licence. Un mensonge débile que leur a raconté le doyen sur moi. Il me manque quelques UV. Je ne voulais pas passer pour une espèce de perdant à tes yeux. Mais je m'intéresse sérieusement à la biologie marine et je veux reprendre mes études.

Savannah en demeura bouche bée.

— Tu vis bien à Naples ?

Il secoua la tête.

— Je loue un appart près de Summerfield avec un copain.

Savannah se mit à rire.

— Mon Dieu ! Quelle paire de menteurs on fait ! Je me sens moins coupable.

Il lui effleura les lèvres des doigts. Ce simple contact déclencha un frisson jusque dans son ventre. Il se rapprocha d'elle.

— Et tu es loin d'être moche ! Si on montait dans notre chambre, maintenant qu'on a mis les choses au clair ?

Kyle faisait fausse route sur ce dernier point : il croyait toujours qu'elle le conduirait à Miami le lundi et qu'elle avait vingt ans. Ces éclaircissements pouvaient attendre. De toute évidence, il était du genre décontracté, et aussi chaleureux

208

qu'elle l'avait imaginé. Il ne lui tiendrait sans doute pas rigueur de ses autres mensonges.

Toutefois, pour ne rien risquer, elle ne lui en ferait l'aveu que plus tard. Demain peut-être. Oui, ce serait le jour idéal.

32

Quatre heures après son fiasco avec Clay, Meg roulait au cœur de la Floride centrale, sous un ciel blanchâtre délavé par la chaleur. À perte de vue, des prairies décolorées bordaient les deux côtés du ruban gris pâle de la route. Ici, à des kilomètres de tout ce qui était susceptible d'attirer les dollars des touristes, s'étendait un paysage désolé. Elle n'avait pas croisé une seule voiture en plus d'une heure, hormis des carcasses de véhicules abandonnés qui rouillaient.

La simplicité du cadre, le chuintement des pneus sur la chaussée l'engourdissaient. Elle se sentait en sécurité, là, nulle part. Elle n'était personne, se fondait dans le paysage.

Elle était perdue.

Une intersection se présenta. Elle ralentit et immobilisa le véhicule, incapable de décider de la direction à prendre. Elle aurait eu besoin de panneaux indicateurs, de poteaux sur lesquels auraient été clouées des pancartes, à défaut d'autre chose, de signaux fléchés en direction de « Salut », de « Guérison » ou de « Finissons-en ». Mais dans la réalité, elle ne voyait que des herbes hautes et des troncs d'arbres nus dressés vers le ciel, un bidon de liquide de refroidissement renversé, une carcasse de machine à laver, à quelques mètres. Elle éteignit le moteur et descendit du Lexus.

La chaleur de haut-fourneau l'étouffa sous sa chape. Cette région semblait un petit enfer, avec ses routes qui ne menaient nulle part, sa température caniculaire et sa poussière. Elle ruissela aussitôt de transpiration et offrit son visage au ciel ; la sueur coula le long de ses cheveux et de ses oreilles. Dans l'air flottait une odeur fétide, évocatrice de petits poissons et de crustacés en décomposition dans un invisible marigot. Pour tout bruit ne lui parvenaient que le bruissement des brins d'herbe les uns contre les autres et le léger sifflement de la plus infime des brises.

Elle avait envie de hurler, de dire : « Pourquoi, mon Dieu ? » De promettre, de marchander sa guérison. Elle aurait accueilli le diable, s'il lui avait offert une commutation de peine. N'importe quoi, n'importe quoi plutôt que de voir son corps l'abandonner, malgré tous ses efforts.

— Je vous en prie, chuchota-t-elle.

Silence.

33

— Pose en bikini pour moi, dit Kyle dès qu'ils furent entrés dans la chambre d'hôtel. Tu as bien apporté celui à fleurs ?

— Quoi ? Maintenant ? Tout de suite ?

— Eh oui, maintenant.

Il l'enlaça par l'épaule et, d'un geste badin, la poussa contre le mur. Le corps pressé de tout son long contre le sien, il l'embrassa. Des lèvres seulement pour commencer, puis avec la langue. Quelle sensation extraordinaire, exactement ce qu'elle désirait ! Il recula.

— J'ai envie de te voir dedans, j'y ai pensé toute la journée.

Il rapprocha ses hanches des siennes, et elle le sentit tout dur, plus volumineux, songea-t-elle, que son ami Jonathan. En raison de son âge, peut-être ?

Ce petit jeu lui plaisait, mais la perspective d'avoir à enfiler son bikini, à poser pour lui, à passer au crible de son regard la gênait quand même.

— Tu me verras dedans quand on ira à la piscine.

Il l'embrassa dans le cou.

— Non, non, c'est différent en public. S'il te plaît. (Un nouveau baiser sur la bouche.) Tu veux bien le faire pour moi ?

— Je suis timide, protesta-t-elle.

— Timide, vraiment ? (Il recula un peu.) Tu n'as pas l'air timide, mais bon, je crois que je sais comment remédier à ce petit problème.

D'une main, il la guida vers le lit.

— Assieds-toi. Je vois ce dont tu as besoin.

Il ôta son tee-shirt et le laissa tomber sur le bureau. La lumière tamisée assombrissait sa peau sur laquelle se détachaient les minuscules pointes durcies de ses seins. Savannah eut envie d'y passer ses paumes, de sentir les attaches de ses muscles fuselés sur ses épaules robustes.

— On y va, déclara-t-il en sortant quelque chose de sa poche. Ce sachet contient la recette de la décontraction.

Savannah mit une seconde à comprendre de quoi il s'agissait.

— Oh, je ne... Enfin, je n'ai jamais...

— Vraiment ? Pas de problème. Il faut un début à tout, non ?

Pas pour elle. Elle n'était pas idiote : les drogues vous lessivaient le cerveau, et elle aimait le sien tel qu'il était. Mais... pour être honnête, l'herbe n'était pas aussi nocive que des tas d'autres substances. Elle n'était censée provoquer aucune dépendance. Sauf erreur de sa part, elle venait d'être légalisée au Canada. Si elle essayait, ne serait-ce qu'une fois, elle saurait d'expérience si elle désirait s'en passer.

— Exact, reconnut-elle. Il faut un début à tout.

Si cela l'aidait à se détendre, ce serait déjà un bon début. Elle n'aurait pas à recommencer... quand ils se connaîtraient mieux.

Kyle sortit un fin joint blanc du sachet et l'alluma avant de s'asseoir près d'elle.

— Le truc, c'est de commencer lentement, d'accord ? Tu le portes comme ça à ta bouche et tu tires une toute petite bouffée. Tiens, essaie.

Se sentant à la fois stupide et aventureuse, Savannah imita ses gestes.

— Tu l'aspires et tu la gardes le plus longtemps possible, recommanda Kyle.

Quand elle parvint à faire exactement ce qu'il lui recommandait, sans tousser, elle se sentit très satisfaite d'elle-même. Elle exhala la fumée avec un petit rire.

— Ce n'est pas vraiment difficile. Et en fait, l'odeur me plaît.

— Douce Marie-Jeanne..., dit-il. Bon, essaie encore. Mais une plus grosse bouffée.

Savannah toussa un peu en inhalant, mais elle réussit au troisième essai. Kyle glissa une main sur sa cuisse nue et releva sa jupe gitane, découvrant sa culotte. Elle retint la fumée le plus longtemps possible, puis elle la souffla. Du gâteau.

— Recommence, ajouta Kyle.

Cette fois, elle eut l'impression d'être une vraie pro. La fumée lui brûlait et lui piquait la gorge, tout en la rendant bizarrement lisse. Elle ne ressentait aucun changement.

— J'ai l'impression que ça ne me fait rien.

— Attends une seconde, petite vierge. C'est du bon shit. Crois-moi sur parole.

« Petite vierge ». Si ce truc exerçait les effets qu'il prétendait, s'il la détendait, elle parviendrait à se conduire comme si elle s'y connaissait. Il ne saurait jamais qu'elle était également vierge dans le domaine sexuel. Elle se lança.

Quand Kyle fuma à son tour, elle posa une main sur son dos et la fit remonter sur son omoplate, vers son cou, pour le caresser juste sous l'oreille droite. Elle avait entendu raconter que les hommes aimaient bien être caressés là. Par qui ? Elle ne s'en souvenait pas, et elle ignorait si Kyle appréciait ou non son initiative, mais de son côté elle y prenait goût.

Il saisit sa main droite pour la poser sur son torse et la fit ensuite descendre vers son ventre. Il avait d'autres idées, plus intéressantes. Elle se laissa guider jusqu'à la bande de poils qui l'avait si souvent fait rêver et qu'elle avait l'impression de connaître déjà intimement.

— À toi.

Il lui tendit le joint et s'allongea sur le lit, ce qui fit descendre son short. Savannah prit le joint de la main gauche, le porta à ses lèvres et inhala, toujours fascinée par sa main droite. Elle pouvait le faire, elle pouvait la glisser dans cet interstice quand bon lui semblait...

— Attention, dit Kyle.

Au début, elle crut qu'il parlait de sa main, mais il évoquait le joint qui n'était plus qu'un mégot. Il le lui reprit, aspira une dernière fois avant de se lever pour l'écraser. Dès qu'il se rassit, il remonta le tee-shirt de Savannah. D'instinct, elle leva les bras et le vêtement passa directement par-dessus sa tête.

— Va te changer, dit-il. Je t'attends ici.

Savannah se rendit à peine compte qu'elle se levait et sortait le bikini de son sac, dans la salle de bains. Elle en pouffa d'étonnement. Le miroir lui renvoyait la même image que d'habitude, mais elle se sentait légère comme une plume, et la tête lui tournait.

— Ça marche, lança-t-elle.

Elle se dépouilla rapidement du reste de ses vêtements, et eut tôt fait de se retrouver en bikini. Ce spectacle allait plaire à Kyle. Incroyable, l'assurance que vous conférait l'herbe ! Elle jeta un coup d'œil vers le flacon de solution au citron censée empêcher une grossesse si on se rinçait avec préventivement, mais elle décida que cette manipulation compliquée ne valait pas le coup. Elle demanderait à Kyle s'il s'était muni de préservatifs. Si ce n'était pas le cas, peu importait. De toute façon, aucune femme n'était enceinte la première fois. La moitié des patientes de sa mère n'arrivaient pas à concevoir, malgré tous leurs efforts.

— Me voici, chéri ! s'écria-t-elle en rentrant dans la chambre d'un pas décidé.

Elle se pétrifia. Kyle était adossé à la tête de lit, nu comme un ver.

— Cool ! Ne bouge surtout pas.

Savannah lui obéit. De toute façon, elle se sentait incapable de remuer un doigt de pied.

— Bon, dénoue le haut. Comme ça.

Il mata longuement sa poitrine, puis lui adressa un sourire en désignant son bas-ventre.

— Regarde-moi l'effet que tu me fais ! Je ne t'ai pas menti. Maintenant, glisse la main dans ton slip.

Savannah avait l'impression de s'être dédoublée : d'un côté, elle se sentait aussi excitée qu'il l'était manifestement ; de l'autre, elle était complètement détachée de l'ensemble de cette scène. Une partie de son cerveau, comme extérieure à elle, se demandait si les préliminaires se déroulaient bien ainsi. Son émoi charnel le disputait à sa confusion.

— Kyle, je ne...

— Approche-toi ! lui ordonna-t-il. Je te fais peur ? Excuse-moi.

Savannah s'exécuta avec empressement, prête aux baisers et aux caresses passionnés, aux étreintes dont elle avait rêvé. Kyle l'attira à côté de lui et, pendant une minute – ou davantage, elle avait du mal à se concentrer sur le temps –, ils s'embrassèrent et il lui caressa le dos et les seins avant de s'aventurer plus bas.

— Ça te plaît, non ? chuchota-t-il d'une voix rauque.

Il la touchait un peu brutalement et elle n'était pas persuadée d'apprécier ses caresses, mais elle s'empressa de répondre :

— Oh oui !

— Tu es tellement sexy ! Je m'en doutais. J'en étais sûr. Laisse-moi goûter cette bouche succulente.

Il changea de position pour attraper la tête de Savannah qu'il poussa vers le bas ; elle dut s'agripper pour ne pas perdre l'équilibre. Elle se retrouva le nez sur le sexe en érection qui lui avait inspiré une telle curiosité. Eh bien, elle le voyait en gros plan ! Mais elle n'avait pas la moindre idée de la manière de s'y prendre pour faire ce qu'il voulait. Elle nageait en pleine confusion, se sentait intimidée et légèrement ridicule, mais elle se convainquit que cela ne devait pas être tellement dur. Cela la fit pouffer de rire. Tellement *dur* ? Elle s'écarta d'une poussée et s'assit sur les talons, les mains sur la bouche, incapable de contenir son hilarité.

Kyle aussi se mit à genoux.

— En général, il ne fait pas rire les poules, déclara-t-il, avant de la bousculer légèrement. Allonge-toi.

Comme elle allait se coucher sur le dos, il ajouta :

— Non, sur le ventre.

Elle lui obéit, pouffant encore un peu. Il lui enleva le bas de son bikini et lui écarta les cuisses.

— Super, le spectacle !

Il mit de nouveau sa main entre les jambes de Savannah, et d'un seul coup, il pesa sur elle de tout son poids. Il l'écrasait avec une telle brutalité que son rire se transforma en halètement de douleur.

— Pas de quoi rire, hein, chuchota-t-il, la bouche pressée contre son oreille.

Elle était sûre qu'il la taquinait, qu'il voulait lui donner du plaisir. C'était le but de l'opération, non ? Sauf qu'elle n'en éprouvait aucun. Au début, elle sentit une piqûre aiguë, puis elle eut mal à chacune de ses poussées.

— Tu prends la pilule ? lui demanda-t-il au bout d'un moment.

— Non, haleta-t-elle.

Pour l'instant, elle essayait juste de supporter la douleur. Elle était persuadée que ce serait plus agréable la fois suivante. Elle aurait dû le prévenir qu'elle était vierge. Il s'y serait pris plus doucement.

— Vilaine fille, dit-il en se retirant.

Sur ce, il laissa échapper une série de brefs grognements. Elle sentit un liquide chaud couler sur ses reins. C'était préférable.

Il s'affaissa à côté d'elle.

— Putain, tu me rends dingue, affirma-t-il avec un sourire qui creusa ses fossettes. Je me suis laissé emporter... Bon, tu as quel âge, en vérité ?

— Vingt ans.

— Ne me prends pas pour un abruti.

Comment pouvait-il le savoir ?

— OK. Dix-huit ans. J'ai dix-huit ans.

— Tu en es sûre ?

Il passa lentement un doigt sur son ventre.

Elle se remit à rire, à cause de sa façon de hausser un seul de ses sourcils noirs et de lui adresser son sourire à fossettes.

— D'accord. J'aurai seize ans dans deux semaines.

Voilà. C'était dit. Il connaissait la vérité.

— Tu as quinze ans ! Quinze ans ? Tu te fiches de moi ?

Elle hocha la tête.

— Putain, quinze ans !

Son visage s'obscurcit et elle craignit, subitement, d'avoir poussé le bouchon trop loin.

— C'était ta première fois ? Pour ce qui est de... enfin, tu sais.

— Pardon, j'aurais dû te le dire.

— Non, non, ma belle, c'est cool. Simplement, il ne faut en parler à personne.

— Mais Rachel et sa sœur sont déjà au courant. Elles m'ont conduite ici.

— Elles connaissent mon âge ?

— Pas vraiment...

Il l'attira contre lui ; leurs hanches s'encastrèrent. Il l'embrassa dans le cou.

— Dans ce cas, la vie est belle.

Bien que ce fût une idée stupide, Savannah pensait que dès qu'elle rentrerait à la maison, le dimanche après-midi, sa mère *saurait*, d'un seul regard. Elle n'avait qu'une pratique très limitée du mensonge, et si l'immense culpabilité qu'elle éprouvait ne se voyait pas, elle devait néanmoins être perceptible. Mais avant même d'entrer, elle sut qu'elle disposerait de temps supplémentaire pour en effacer toute trace : les voitures de ses parents n'étaient là ni l'une ni l'autre.

Selon leurs règles, elle appela tout de suite sa mère. Elle tomba sur sa boîte vocale et laissa donc un message pour la prévenir qu'elle était rentrée. En fait, elle aurait tout aussi bien pu le lui annoncer du fin fond de l'Islande. Ses parents avaient une confiance agaçante en son sens des responsabilités et en son honnêteté, franchement... Mais la faute lui en incombait, car elle avait toujours possédé ces deux qualités. Pourtant, tirer profit de leur crédulité lui inspirait une sensation presque aussi bizarre que d'avoir passé une nuit entière à fumer de l'herbe et à faire l'amour. La tromperie n'était pas davantage dans sa nature que la drogue et le sexe. Qu'était-elle devenue, en vingt heures à peine ?

Elle se laissa tomber sur son lit et contempla fixement le plafond. Les muscles de ses cuisses lui faisaient mal, son entrejambe la brûlait et son cerveau fonctionnait à la vitesse d'un escargot. Pourtant, son cœur lui paraissait plus plein qu'il ne l'avait jamais été. Oui, elle avait trompé ses parents, pris de la drogue, et s'était prêtée à la plupart des jeux érotiques de Kyle, et tout cela ne lui ressemblait peut-être pas. Tout au moins à l'ancienne Savannah. La nouvelle Savannah avait un petit ami sexy, drôle, plus âgé qu'elle, qui la trouvait *torride* et qui lui avait dit, en la déposant à deux pâtés de maisons de chez elle, qu'il ne pourrait plus la sortir de ses pensées. Déclaration accompagnée d'un regard dont le simple souvenir lui donnait des frissons dans le ventre. On aurait dit qu'il la considérait comme la chose la plus belle, la plus importante de sa vie.

La nouvelle Savannah était assez intelligente pour utiliser les outils lui permettant de parvenir à ses fins, tout comme l'ancienne Savannah. Seul l'enjeu avait changé. Allongée sur son dessus-de-lit fleuri, elle fit le vœu de ne pas mentir plus que nécessaire, de garder les idées claires (ne serait-ce que pour être capable de se souvenir de tous ses actes en détail) et jura d'être la meilleure petite amie que Kyle ait jamais eue. Cette idée euphorisante en tête, elle ferma les yeux et rattrapa les heures de sommeil dont elle avait si cruellement besoin.

34

Meg rentra le dimanche soir avec la sensation d'avoir avalé une légère surdose de Valium pendant ses errances. Des pans entiers de la nuit précédente lui échappaient. Elle se rappelait simplement qu'elle s'était garée dans le parking d'un motel minable au bord de la I-75, après avoir failli provoquer une collision frontale en pleine nuit. Elle avait dormi, lovée sur le siège arrière du Lexus, et avait été réveillée par le halètement poussif des dix-huit-roues qui s'animaient autour d'elle. Du dimanche ne lui restait rien non plus, en dehors d'images floues. Elle ne savait même pas comment elle avait retrouvé son chemin.

Elle fut soulagée de constater que Savannah était occupée au téléphone, enfermée dans sa chambre. Soulagée de l'intérêt superficiel que porta Brian à sa vague histoire d'accouchement long et difficile qui l'avait retenue une journée et demie

217

à l'hôpital. Ce sentiment était-il réel ou ne constituait-il qu'une vue de l'esprit ? Il était réel, car elle n'aurait su quoi lui répondre s'il l'avait regardée de près et lui avait demandé ce qui n'allait pas. Elle était soulagée de ne pas avoir à improviser, en dépit du petit réconfort qu'elle aurait pu éprouver s'il avait remarqué que quelque chose ne tournait pas rond. Il nota tout de même qu'elle boitait, mais une fois de plus, elle servit son ampoule imaginaire en guise d'explication. Après l'avoir informée qu'il restait un morceau de pizza au frigo, Brian partit jouer au poker en ligne dans son bureau. Meg but un grand verre d'eau et alla directement s'effondrer sur leur lit.

Le sommeil commença par se dérober. Le peu d'intérêt que semblaient lui manifester les deux êtres censés être les plus proches d'elle la sidérait. Alors que Meg se trouvait confrontée à la plus grave crise de sa vie, ils vaquaient à leurs petites occupations habituelles. Elle ne comptait pas à leurs yeux, sauf lorsqu'ils avaient besoin de ses services. Un appareil. Une commodité. Voilà ce qu'elle était. Elle aurait tout aussi bien pu passer la nuit précédente à faire des passes à Key Largo. Certes, elle n'aurait pas dû se formaliser de ne pas retenir leur attention, puisqu'elle n'aurait su comment y réagir. Mais en tant que famille, ils auraient dû sentir d'instinct sa détresse. Tout allait de travers.

Lasse de s'apitoyer sur elle-même, elle prêta l'oreille au chuintement régulier de l'air frais par les fentes du ventilateur et finit par sombrer dans un sommeil lourd et vide. Elle ne fit aucun rêve, comme si la conscience d'être atteinte de la SLA avait paralysé son cerveau.

Le lendemain au réveil, elle ne savait plus où elle se trouvait, oubliant que le destin avait tiré sur elle une balle, aussi sûrement que la carabine d'un assassin. Le bruit de la douche, le pépiement énergique d'un roitelet derrière la fenêtre de la chambre, le rayonnement doré du soleil matinal annonçaient tous un jour de semaine ordinaire. Son amnésie ne dura cependant pas. La mémoire lui revint avec la violence d'un coup de poing à l'estomac. Elle dut s'obliger à se lever et à s'habiller.

Elle adopta l'attitude le plus naturelle possible pour accompagner Savannah et Brian à la porte, avant d'avaler deux tasses de café noir ultrafort. Ses idées se précisaient avec une lenteur extrême. Le nuage se levait. Pas complètement, mais à une hauteur suffisante pour lui permettre de voir qu'aucun homme, aucune destination inconnue ne la feraient échapper à son tragique destin.

Elle pouvait espérer un miracle, mais elle n'y comptait pas. Par conséquent, si elle voulait *vivre* le reste de son existence, elle avait intérêt à s'y mettre tout de suite.

Elle passa quelques coups de fil pour organiser sa journée et se rendit dans une librairie-papeterie où elle acheta un carnet doublé de cuir brut. Solide, car il devrait résister au temps. Solide, comme elle-même ne l'était pas.

À son retour, elle se cala sur son siège favori de la véranda et commença à écrire :

Lundi 1ᵉʳ mai 2006
Savannah, ce journal t'est destiné. Ce matin, mon médecin m'a appelée pour me confirmer son diagnostic. Je souffre d'un truc appelé SLA, ou maladie de Lou Gehrig. Je t'en parlerai. Je ne sais pas encore quand, mais avant que tu lises ceci. Je *l'écris pour que tu gardes quelque chose de moi quand je serai partie. D'ici là, nous aurons beaucoup parlé, mais tu oublieras sans doute assez vite mes paroles. Tu les perdras, elles se désintégreront au fil du temps – je le sais, parce que j'en fais l'expérience depuis la mort de grand-mère Anna. Il y a quelques semaines, grand-père m'a donné des carnets qu'elle avait écrits, une espèce de journal, et ils m'aident à retrouver des détails importants de mon passé. Tu auras besoin d'un élément du même genre, autant ou peut-être plus que j'ai besoin, moi, de te le fournir. J'écris donc ce journal pour nous deux.*
Qu'est-ce que la SLA ? Une maladie musculaire dégénérative. Irréversible et fatale. Quand je m'entends te l'annoncer, j'ai envie de pleurer...

Meg cessa d'écrire, le temps de refouler le flot de larmes qui montait à ses yeux, puis elle poursuivit :
Aucun enfant ne devrait avoir à apprendre une nouvelle pareille. J'ignore pourquoi j'ai la SLA. Ce n'est ni une maladie qui « s'attrape » ni une maladie génétique (à l'exception de cas extrêmement rares dont je ne fais pas partie, alors ne t'inquiète

pas pour toi). Elle se contente... de te tomber dessus. Depuis le début de mes études de médecine, je sais qu'il n'existe pas toujours de réponse aux « pourquoi », surtout lorsqu'ils se réfèrent à une maladie ou à un décès inattendus. J'espère que tu ne passeras pas ton temps à lutter pour trouver une réponse à cette question, et que ce journal t'aidera à accepter la réalité. Le Dr Patel peut te donner de bons conseils sur la manière de t'y prendre. Personnellement, je regrette de ne pas l'avoir plus écoutée au fil des ans.

En résumé, la SLA paralyse tous les muscles du corps, y compris, à la fin, ceux qui te permettent de respirer, mais elle n'affecte pas du tout le cerveau. Ce que je note ici est donc le fruit d'idées claires, aussi claires en tout cas qu'elles l'ont jamais été.

Sans doute ai-je envie, dans ce journal, de te transmettre une partie de ma sagesse... de te donner des conseils sur la manière de devenir une femme sûre d'elle-même qui prend les bonnes décisions, qui ne se laisse dicter le cours de sa vie par personne. J'ai commis des erreurs, de graves erreurs. Je le sais aujourd'hui, mais je n'y peux plus grand-chose. Je désire néanmoins partager avec toi les leçons que j'en tire et te dire simplement... des choses. Et je me sens plus tranquille, en sachant que tu pourras consulter une petite part de moi, pourrais-je dire, de temps en temps. Et peut-être associer un jour tes propres enfants à ta démarche.

Elle reposa son stylo, car sa main fatiguait déjà. Le Dr Bolin lui avait dit que sa chance résidait peut-être dans le fait que ses premiers symptômes n'étaient apparus que graduellement, mais désormais elle semblait en « période d'accélération ». Cette maladie était aussi variée que ceux qui la contractaient : homme et femme, de toute couleur de peau, de tout âge, même si elle ne frappait presque jamais les très jeunes gens. Les symptômes pouvaient vite empirer puis se stabiliser – voire connaître une complète rémission. Ou pas. La SLA ne se présentant pas comme une maladie précise, mais plutôt comme un spectre d'éléments cliniques identiques, rares étaient les malades qui défiaient les données habituelles et se traînaient jusqu'au terme des cinq ans. Si quelques-uns avaient vécu dix ans après la découverte de leur maladie, soixante-quinze pour cent d'entre eux mouraient dans les cinq ans. La plupart en quelques semaines comme des mouches en cas de diagnostic tardif. Ses propres symptômes pouvaient soit s'accélérer, comme ils semblaient le faire actuellement, soit se stabiliser. La malchance aidant, elle pouvait se retrouver d'ici à quelques semaines en fauteuil roulant et perdre l'usage de son bras du jour au lendemain.

Elle reprit le stylo pour poursuivre avec entêtement.

Je vais voir Manisha en fin de matinée pour lui annoncer la mauvaise nouvelle. Je suis obligée d'abandonner sur-le-champ la pratique de la médecine. Je fais courir trop de risques aux patientes, aux bébés. Pour l'instant, ma main et mon bras droits constituent mon problème principal, et si je veux être honnête avec moi-même – et je peux tout aussi bien l'être ici –, ma jambe droite aussi. Maintenant que je connais le fin mot de l'histoire, je ne peux plus continuer à inventer des excuses parce que j'ai laissé tomber quelque chose, que je me suis cogné les orteils contre le trottoir, que j'ai trébuché et ainsi de suite. La conscience de mon état me poursuit désormais sans cesse, comme une belle-mère acariâtre.

Devait-elle écrire cela ? « Belle-mère acariâtre » ? Savannah penserait peut-être qu'elle brossait là un portrait de Shelly. Tant pis, c'était fait, et elle n'avait aucune envie de se corriger. Un bon journal se devait d'être honnête, non censuré. Avant tout non censuré. Elle ne parlerait évidemment pas du tout de ses problèmes avec Brian ; par exemple, elle s'abstiendrait d'évoquer le moindre sujet susceptible de l'embarrasser ou d'embarrasser Savannah. Elle aimait bien Shelly, et elle ne manquerait pas de le dire. Savannah comprendrait que cette expression n'était qu'une figure de style. Un journal destiné à un tiers n'était pas si facile à écrire que cela. Mais Meg était bien décidée à offrir ce cadeau à sa fille, aussi imparfait fût-il. Elle ne possédait pas grand-chose d'autre à lui léguer.

J'ignore comment je vais supporter de devoir abandonner ce métier qui fait tellement partie de moi, cette carrière qui m'a demandé de tels efforts. Si j'avais su qu'elle s'interromprait de manière si brutale, je ne me serais jamais donné tout ce mal. C'est à toi que j'aurais consacré le temps que j'ai octroyé à mes cours, à mes études à la maison, à ma formation et à mes patients.

Mais ces remarques donnent l'impression que je regrette d'être médecin, ce qui n'est pas le cas. J'aimerais juste pouvoir récupérer ce temps, sachant ce que je sais aujourd'hui. J'aimerais pouvoir avoir eu les deux : ma carrière, et de plus longs moments en ta compagnie. Puisque j'en suis aux souhaits, je souhaiterais ne pas avoir la SLA mais un avenir à partager avec toi, sur lequel je comptais bien. Nous détenons ici la preuve que le futur n'existe pas. Nous ne disposons véritablement que de l'instant présent.

L'effort avait tellement affaibli ses doigts qu'elle n'arrivait plus à tenir le stylo correctement. Elle le posa et coinça le journal sous le coussin de son siège. Ainsi, elle pourrait le prendre souvent, à l'insu de tout le monde. Comme s'ils prêtaient attention à ses faits et gestes !

Elle alla dans sa chambre et attacha ses cheveux en arrière avec une barrette que sa main fatiguée parvenait tout juste à manipuler. Elle avait rendez-vous à déjeuner avec Manisha. Ensuite, elle irait à Silver Springs rendre visite à une autre patiente de Bolin, une certaine Lana Mathews. Cette femme de trente-cinq ans était mère de quatre enfants, tous âgés de moins de neuf ans. La simple pensée de cette malheureuse fendait le cœur de Meg. Quand elle l'avait appelée le matin pour savoir si elle acceptait de l'aider à affronter la situation – un coup de fil qu'elle n'avait réussi à passer qu'au bout de la cinquième tentative –, c'était Penny, la sœur de Lana et son infirmière bénévole, qui avait décroché. « Venez la voir, lui avait-elle dit. Vous verrez, c'est moins dur que vous ne l'imaginez. »

35

— Demande un autre avis, déclara Manisha.

— C'est fait. J'ai vu trois médecins, dont un spécialiste des maladies neuromusculaires.

Manisha agita sa fourchette au-dessus de sa salade asiatique au poulet.

— Vois-en d'autres ! Et ne t'arrête pas là. Il y a d'autres choses : la maladie de Lyme... Tu n'as que la maladie de Lyme ! Je vais te prescrire l'antibiotique nécessaire pour une durée de trois mois. Après, on vérifiera tes symptômes...

— Manisha !

— Quoi ? N'accepte pas ce diagnostic !

— Pour commencer, je ne présente aucun des autres symptômes de Lyme. Deuxièmement, j'ai passé tous les tests. C'est cliniquement évident. Bolin m'a appelée juste avant que je quitte la maison pour me dire qu'ils n'ont pas trouvé de *Borrelia burdgorferi* dans mon sang. Je n'ai ni la maladie de Lyme ni aucune autre maladie. J'ai la SLA.

À la manière dont Manisha tripotait ses mandarines, Meg vit bien qu'elle essayait d'inventer un argument plus convaincant. C'était Manisha tout craché, cet entêtement empreint de bienveillance pratique. Depuis qu'elles étaient associées, Manisha veillait sur elle comme elle-même avait toujours veillé sur ses sœurs.

— Dis-moi comment ils peuvent déjà le savoir, déclara Manisha. Il faut souvent des mois pour établir ce diagnostic.

Meg fut navrée d'être en mesure de répondre aussi facilement à cette question pertinente.

— J'ai servi de cobaye à Bolin. En plus de ses examens habituels, il a procédé sur moi à un nouvel essai sur le liquide rachidien, pour chercher des marqueurs biologiques qui viennent d'être découverts. Et il les a trouvés, conclut-elle. Une de mes bonnes amies dirait que c'est mon destin de le savoir aussi vite.

— Quelle amie ? Elle ne sait pas de quoi elle parle.

Meg lui prit la main.

— Mais si. Je pense que je ne suis pas un cas difficile à résoudre. Ou alors, j'ai juste de la chance ; moins de drame, moins de stress avec des peut-être. Je déteste être dans les limbes. Heureusement que je ne le suis pas.

Elle essaya d'empêcher sa voix de frémir, mais Manisha ne se laissa pas leurrer. Elle baissa la tête pour cacher ses larmes, renifla et s'essuya le nez avec sa serviette.

— Qu'est-ce que… qu'est-ce que dit Brian ?

— Je ne l'ai pas encore mis au courant.

— Quand le feras-tu ?

— Bientôt. Franchement… je n'en sais rien. Je ne peux pas le cacher longtemps, c'est clair. Même s'il ne remarque rien, ajouta-t-elle.

Manisha ne blâma pas Meg de critiquer Brian, ainsi qu'elle l'avait fait en d'autres circonstances, les rares fois où, dans un accès d'irritation ou d'agacement, elle n'avait pu taire ses sentiments. Cette fois, elle se contenta de demander :

— Et Savannah ?

— Je vais leur dire. Bientôt.

Manisha se redressa et soupira.

— Tu vas engager quelqu'un pour s'occuper de toi ? Ta sœur Beth, peut-être ? Elle pourrait s'installer chez toi ? Je ferai tout mon possible pour t'aider. Je t'en prie, Meg, dis-moi juste ce que je peux faire.

Meg resta à court de réponse. Elle ne savait pas encore ce qu'elle voulait faire, qui elle pouvait engager ou mobiliser. Ce genre de planification la dépassait, pour le moment. La signification de son diagnostic demeurait encore floue, comme la brume dissimulant la rive opposée du Styx. Livrée à une maladie capricieuse à géométrie variable, elle se sentait aussi sonnée que si un camion venait de la frôler au bord d'un trottoir. Pour l'instant, elle pouvait tout au plus poser un pied devant l'autre en espérant qu'il la mènerait où elle devait aller.

— Je te le dirai, Manisha. Merci. Maintenant, réfléchissons plutôt à qui tu pourrais t'associer. J'arrêterai sans doute de travailler d'ici à une semaine ou deux.

La maison de Lana Mathews, à Silver Springs, ne correspondait en rien à l'idée que s'en était faite Meg. Elle avait imaginé une ambiance de chambre de malade plongée dans l'obscurité et dans laquelle Lana, totalement handicapée, passait des heures à regarder la télévision ou à somnoler, pendant que sa cadette, Penny, âgée de trente-trois ans, s'occupait du foyer et des enfants, s'accordant de temps en temps une minute pour changer de chaîne ou vider le haricot. En fait, elle trouva Lana confrontée à la vie quotidienne mouvementée d'une famille de quatre enfants.

— Voici Colleen, dit Penny, présentant à Meg une fillette blonde maigrelette, d'environ cinq ans, assise en tailleur au bout du lit d'hôpital placé près des fenêtres du salon.

La vue donnait sur des maisons minuscules identiques à celle dans laquelle Meg venait d'entrer : pavillons de trois chambres, salle de bains, façades brun clair, crème, jaune pâle ou blanches, murs latéraux recouverts de bardeaux en vinyle. Des poiriers et des érables chétifs sortaient piteusement de la terre broussailleuse, certains entourés de palissades de plastique blanc, d'autres de jouets multicolores, en plastique aussi, comme l'érable de Lana. Deux petites voitures compactes aux coloris délavés étaient garées dans l'allée étroite.

— Vous venez de passer dans l'entrée à côté des deux petites, Melissa et Ashleigh. Et de l'aînée, Nicole. Et voici Lana.

Contente de pouvoir s'appuyer sur des années de pratique médicale, Meg prit la main de la femme allongée sur le lit.

— Bonjour, Lana. Je m'appelle Meg Hamilton.

La main de Lana était molle et glacée, en dépit du soleil qui entrait par les fenêtres et de la chaleur qui permettrait aux fillettes de ne porter qu'un short et un débardeur.

Lana, une jeune femme blonde aux yeux d'un bleu intense qui avait dû être jolie encore très peu de temps auparavant, bougea la tête d'à peine un demi centimètre et acquiesça d'un mouvement quasi imperceptible. Son visage n'était qu'un masque de muscles avachis, et une flaque de salive se formait aux commissures de sa bouche légèrement entrouverte.

— Elle parle plus du tout, mais elle entend parfaitement, expliqua Penny. Colleen était en train de lire une histoire à sa maman, pas vrai ?

Colleen leva le livre.

— *Saute sur papa*, dit-elle. Après, je lui lirai *Bonsoir, lune*. C'est son préféré, à maman. Elle me le lisait tous les soirs.

— Colleen, elle lit vraiment bien. Moi, je vous jure que c'est parce qu'elle a appris à la maison. Et puis, on s'ennuie pas avec elle, et elle est serviable ! Même qu'elle aide pour le sale boulot, si vous voyez ce que je veux dire.

— Faut que maman porte une couche, annonça gaiement Colleen. Mais c'est pas sa faute. C'est parce qu'elle a attrapé la maladie de ce joueur de base-ball.

Penny chassa gentiment la fillette du lit de Lana.

— Pourquoi t'irais pas goûter avec tes sœurs ?

— Quatre filles, déclara Meg en regardant la gamine sautiller jusqu'à la porte, au-dessus de laquelle étaient accrochés une plaque portant l'inscription *Jésus est parmi nous* en lettres blanches sur fond noir et quatre cadres ovales de cuivre brillant, contenant chacun un visage enfantin. Nous étions quatre dans ma famille aussi. J'ai trois sœurs.

— De vraies bénédictions, ces petites, dit Penny avec un sourire qui donna à Meg un aperçu du visage plein de vie que devait avoir Lana. Colleen traîne tout le temps, mais c'est Nicole qui en fait le plus. Elle a huit ans et elle surveille super bien les petites pour moi. Un ange, je vous dis.

— Où est leur père ?

Penny prit Meg par le coude pour la guider vers la cuisine.

— On revient dans une seconde, lança-t-elle à Lana, on va juste chercher du jus de fruits.

Elle attendit d'être dans cette pièce étroite, étonnamment bien rangée, décorée d'une foule de dessins au crayon affichés sur le réfrigérateur et sur les portes des armoires.

— Rob, il a été tué dans un accident de camion juste après la naissance de la petite Melissa. Personne a jamais fait tourner les choses comme Lana, malgré son chagrin, jusqu'à ce que ce truc lui tombe dessus l'automne dernier. Croyez-moi, ça me tue de voir qu'elle peut plus prendre ce bébé dans les bras ! (Elle s'essuya les yeux.) Mais d'ici peu, elle pourra en serrer d'autres contre son cœur, au ciel. Vous croyez pas que c'est comme ça au paradis ? Tous ces bébés perdus, faut bien qu'ils aient quelqu'un pour s'occuper d'eux. Alors moi, je pense que Jésus, il fait monter là-haut certaines des meilleures mères.

226

Ben voyons, songea Meg, *et il laisse par la même occasion des orphelins sur terre.* Elle ne trouvait pas cette théorie particulièrement réconfortante. Mais Penny se considérait sans doute comme une doublure efficace. Ce qu'elle était manifestement. Qui sait ? Tous les êtres humains avaient peut-être une mission, dans la vie, comme dans la mort, même si nul ne pouvait le savoir à l'avance.

Penny installa quatre tasses de couleurs vives différentes sur le plan de travail.

— Vous avez des gosses ?

— Une fille. Elle aura seize ans dans deux semaines.

— Pauvre de vous ! Votre condamnation est vraiment dure. Mais regardez Lana : elle se plaint jamais. Évidemment, elle peut plus, à cause de sa voix, mais si elle était pas contente, ça se verrait. Elle a pleuré qu'une fois ou deux depuis qu'elle est dans cet état. Attention : jamais devant les filles. Mais même avant, elle remerciait Jésus pour le temps qu'il lui reste.

— Et vous ? s'enquit Meg. Comment vous sortez-vous de tout ça ?

Penny maintint la carafe de jus de fruits en suspension au-dessus de la tasse rouge.

— Y a de quoi vous mettre sur le flanc, c'est pas moi qui vous dirai le contraire. J'ai plus de vie à moi. Mon mari, Lee, il s'est mis à la colle avec une collègue de travail, vu depuis combien de temps je suis partie. Mais je me dis que je peux pas faire autrement pour ma sœur. Ça durera pas toujours, ajouta-t-elle prosaïquement en versant le jus. Et puis j'ai des dames des services sociaux et de l'église, plus la mère de Rob, qui viennent me soulager de temps à autre.

— Et votre mère ?

— Dieu la bénisse, elle nous a quittés quand on était gosses.

— Elle est morte ?

— Non, elle nous a quittés. Elle est partie avec un type de Los Angeles. Du coup, Lana s'occupait de nous. Maintenant, c'est mon tour.

Meg jeta un regard en direction de Lana. La maison était si petite qu'elle pouvait tout entendre. Que se disait-elle ? Le manque d'égards apparent de Penny pour ses sentiments était à la fois attristant et compréhensible : il est facile de considérer comme un meuble une personne totalement immobile. Lana était adossée à l'oblique, les bras mous et inertes comme ceux d'une poupée de chiffon. Le bout de plastique rouge sinueux d'un tube de perfusion dépassait du bas de sa chemise rose. Lana avait peut-être *envie* de participer à la conversation, de raconter sa version des faits, de dire si elle était heureuse de demeurer là avec sa sœur et ses filles ou si elle préférait leur épargner le spectacle avilissant de cette perfusion, de ces couches qu'on lui changeait, à elle, jeune adulte, récemment encore débordante de vie, dont il fallait soulever les jambes pour essuyer les fesses. Elle avait peut-être envie de corriger les propos de Penny ou d'ajouter quelque chose. Mais si tel était le cas, personne n'avait le moyen de le savoir.

Les filles rentrèrent en troupeau et semblèrent ravies de décrire à Meg leurs jeux préférés : sauter à la corde, dessiner à la craie, faire du tricycle, et jouer au papa et à la maman. Elles lui racontèrent aussi comment elles aidaient leur tante Penny à s'occuper de leur maman qui allait bientôt être rappelée au ciel pour « vivre avec Jésus et papa ». Meg aurait voulu leur demander si leur mère allait leur manquer, si elles se sentaient trahies par Dieu, mais, bien évidemment, elles ne sauraient quoi lui répondre. De toute manière, Meg n'allait pas se permettre de dire ce genre de choses à quatre mètres à peine de Lana. Elle posa à Penny quelques questions pratiques sur les soins prodigués à Lana, accepta le verre de jus de fruits que lui proposait Colleen et, dès que cela fut possible sans faire preuve d'impolitesse, s'échappa de la petite maison ensoleillée qui emprisonnait cette femme mourante.

Le trajet de retour à Ocala lui parut interminable. Avait-elle désormais plus de difficultés à conduire ou son imagination travaillait-elle trop ? Devait-elle vraiment appuyer plus fort pour accélérer sans à-coups, penser à bien maintenir la voiture au milieu de la route ? Quand deviendrait-il dangereux pour elle de prendre le volant ? La vue de sa maison la délesta d'un poids. Mourir dans un accident de la route aurait vraiment été le comble de l'ironie. De plus, elle avait des choses à régler avant de retrouver Jésus ou le responsable en chef, quel qu'il fût.

Elle se prépara un verre de chocolat – là encore avec la sensation de dépenser plus d'énergie qu'avant – et l'emporta sur le patio pour continuer son journal. L'image de Lana Mathews la hantait.

Je me suis rendue chez une malade de la SLA plus jeune que moi, aujourd'hui presque paralysée. On a installé un lit d'hôpital dans son living, où elle est confinée. Ses enfants l'entourent, sa sœur aussi, mais ce n'est pas une vie. Elle est juste allongée là, à attendre la prochaine défaillance de son corps. Il ne lui reste presque plus que le souffle.

Lui revint à l'esprit la nuit où elle était restée coincée dans l'écurie avec Bride. D'une certaine façon, elle savait exactement ce que ressentait Lana. Quelle horreur ! Quelle tristesse ! Elle se vit à sa place, mais planquée dans un cadre beaucoup moins gai. Brian ne supporterait pas de la voir exposée à tous les regards. Quant à Savannah... Savannah aurait besoin de vivre, pas de se retrouver prisonnière. Comme ses journées allaient être *assommantes* ! Savannah lui ferait-elle la lecture quand elle lui rendrait visite ? Non, elle lui chanterait quelque chose. Ces moments, au moins, seraient agréables.

Je suis stupéfiée que Lana veuille vivre de cette façon... Mais comment savoir si c'est le cas, puisqu'elle n'a aucun moyen de s'exprimer ? Je comprends les arguments avancés par la religion, par les croyants, contre le suicide et je les respecte. Jésus est très présent dans la maison des Mathews, ce qui explique beaucoup de choses. Quand je suis repartie, Penny, la sœur, m'a dit : « N'oubliez jamais que Notre Seigneur Jésus-Christ veille sur vous. »

Elle cessa d'écrire et contempla, au-delà du chatoiement de la piscine, le vallon ombragé de pins. « Comment le savez-vous ? », avait-elle voulu demander à Penny. Mais elle n'en avait rien fait. C'était la foi qui conduisait les gens à formuler ce genre d'affirmations. Ils ne *savaient* pas. Ils *croyaient*.

Eh bien, elle aussi croyait en certaines choses. Elle croyait au mystérieux pouvoir de la vie et de l'univers – à Dieu, si l'on avait envie de le désigner par ce nom. Elle croyait que l'esprit vivait quelque part avant de devenir un embryon et après aussi, quand il avait quitté un corps de n'importe quel âge. Elle croyait que, de toute éternité, les êtres humains vivaient à l'orée d'un royaume de savoir, de beauté et de paix, mais que rares étaient ceux capables d'y pénétrer. Elle ne craignait pas de mourir.

En revanche, vivre dans un état d'invalidité et d'impuissance la terrifiait.

Il n'en était pas question.

Elle nota tout cela dans son carnet.

36

La pluie qui tombait le mardi contraignit Meg à demeurer tristement enfermée dans sa maison silencieuse. Les grondements du tonnerre la ramenèrent au passé. Peut-être était-ce normal, quand on apprenait que son temps sur terre était compté. Elle songea à la jeune fille qu'elle avait été à seize ans, à sa vie, comparée à celle de Savannah. Elle emporta son journal à l'arrière de la maison, sous le portique, s'installa dans une chaise longue et ferma les yeux. Des scènes de sa jeunesse ressurgirent avec une netteté si fascinante qu'elle ne put s'empêcher de la revisiter, en dépit des nouvelles blessures que cette exploration risquait de lui causer.

Le soir de son anniversaire. Une simple fête de famille : un gâteau au chocolat nappé d'un glaçage blanc avec son prénom et son âge en pépites de chocolat ; une caisse de soda à l'orange et des assiettes en plastique vertes (sa couleur préférée, à cause des yeux de Carson) ; des cadeaux fabriqués par ses sœurs, enveloppés dans du vieux papier journal et empilés sur le plan de travail pour laisser la place à toute sa famille, élargie à Carson et à ses amies Libby et Christine autour de la table. Cette année-là, elle n'avait souhaité qu'un album, *Synchronicity*, de Police. Carson le lui avait offert. Quant à ses parents, ils lui avaient fait cadeau de boucles d'oreilles en perles de culture et de *Persuasion*, le roman de Jane Austen, parce que sa mère avait entendu dire qu'il plaisait beaucoup aux jeunes filles.

Après la dégustation du gâteau, la distribution des cadeaux et l'écoute répétée de l'album, ses amies étaient parties et elle avait joué au Scrabble avec Carson, sous les yeux de Kara, qui leur soufflait des idées à tous les deux, ce qui faussait bien évidemment la partie. Ils avaient laissé tomber et étaient sortis. Par cette soirée de juin suffocante, ils avaient traversé la prairie humide, cernés par les coassements des crapauds et les chants d'amour tapageurs des cigales, jusqu'à leur repaire. Quand elle pensait à la liberté que ses parents lui accordaient avec Carson, elle se demandait comment ils avaient pu faire preuve de tant d'insouciance. Elle-même était au courant du moindre geste de Savannah, pouvait la joindre sur son portable à tout moment et n'imaginait pas lui laisser la bride aussi lâche, qui plus est avec un petit ami ! Ses parents lui avaient fait totalement confiance... trop confiance, comme la suite l'avait prouvé, mais elle essayait de ne pas leur en tenir rigueur. Leurs intentions étaient aussi bonnes que les siennes.

Ce soir de son anniversaire, elle était absolument sûre de sa vie, de son avenir avec Carson. Il avait alors dix-sept ans et un corps d'homme, sculpté par le rude travail de la ferme. Ils s'étaient déshabillés et, animés par la joie débridée de leur jeunesse et de la liberté, avaient découvert leur corps, évoquant, d'une voix basse et rauque, la première fois où ils feraient vraiment l'amour. Un moment qu'ils voulaient aussi unique qu'eux, aussi rare et vrai que le sentiment qui les liait. Ce soir-là, Carson avait formulé le vœu de construire un jour leur propre maison, à cet endroit même, pour rester proches de leurs parents.

Elle avait tout gâché en épousant Brian. À l'époque, elle avait vu les choses sous un angle différent, cru accomplir un acte généreux, quoique injuste, en se sacrifiant pour sa famille. Il ne pouvait découler que du bien d'une telle rectitude morale. Carson s'en remettrait, il finirait par trouver la véritable femme de sa vie. Peut-être était-ce chose faite. Meg se demanda s'il le croyait. Bien sûr. Val le comblait de joie. Comment aurait-il pu en être autrement ?

Son choix n'avait pas été aussi positif qu'elle l'avait espéré, l'hémorragie financière de la ferme avait continué, Julianne était tombée enceinte au lycée, Beth s'était détournée du mariage et de la vie domestique. Quant à Kara, elle allait bien. Kara était heureuse, mais elle l'aurait été de toute façon. Elle avait hérité des plus grandes qualités de leurs parents, récolté le bon grain, sans un brin d'ivraie. Meg, pour sa part, avait eu Brian et cette vie exempte de soucis matériels. Elle avait également eu Savannah. Mais elle l'aurait peut-être eue de toute façon. Voir sa fille et Carson ensemble n'avait pas résolu l'énigme.

Carson, grand bien lui fasse, était sur le point d'épouser une jeune femme ravissante et pleine de santé, qui de toute évidence l'adorait. Et les parents McKay avaient continué à bien s'en sortir malgré son départ. Dans le fond, la culpabilité qui rongeait Meg n'avait pas lieu d'être. À son insu, elle lui avait évité le fardeau que Brian allait devoir supporter : une femme atteinte d'une maladie incurable, aux soins chers et compliqués si elle attendait d'être clouée à un fauteuil roulant ; une épouse qui se suiciderait – même si elle ignorait encore comment. Car si elle avait beaucoup de mal à concevoir ce qu'elle voulait, Meg savait parfaitement ce qu'elle ne voulait pas.

Elle reprit son journal.

Nous sommes mardi et il pleut. Dois-je interpréter cette pluie comme un signe ? Pas d'entraînement de soft-ball cet après-midi, pas de golf pour papa. Je pourrais préparer un bon repas de famille, vous gâter et vous annoncer ce qui me tombe dessus. Peut-être le ferai-je quand nous rentrerons de notre visite chez papy Spencer. Ou peut-être pas. Pour l'instant, j'ai l'impression d'être en cavale. Je cache la vérité derrière une façade de normalité. Nous sommes tous si occupés, nous passons les uns à côté des autres sans véritablement nous voir.

Elle réfléchit à cette dernière phrase. Le subconscient jaillit vraiment du stylo ! Que pouvait-il lui échapper à propos de son mari ou de sa fille pendant qu'elle procédait à cet intense examen intérieur ? À côté de quoi était-elle toujours passée ? Elle n'avait aucun moyen de le savoir, surtout dans le cas de Brian. Et aucune envie d'aller y regarder de trop près, peu désireuse de décider de la conduite à tenir au cas où il aurait eu une liaison.

Meg songea aussi aux secrets qu'elle avait gardés toutes ces années. Elle avait caché à Brian ses doutes sur sa paternité ; caché à Savannah qu'elle connaissait très bien Carson et, à ses sœurs, les raisons qui l'avaient poussée à épouser Brian. Tout cela l'entraînait dans une spirale trouble, où le déni de la vérité la désorientait complètement.

Que faire ? Elle n'en avait pas la moindre idée.

Elle passa de longues minutes à contempler les gouttes de pluie s'écrasant à la surface de la piscine et dégoulinant des palmiers en pots. Malgré la mélancolie ambiante, elle adorait les effluves des jours pluvieux, les parfums exquis dont la brume épaississait l'air. Sa mère se plaisait à dire que les gouttes étaient les larmes de joie de la Sainte Vierge, destinées à réapprovisionner en eau tous les enfants de la Terre. Meg, moins attachée à l'idole sacrée de sa mère, était incapable de discerner ce genre de bienveillance dans leurs vies misérables. Cela aurait peut-être été le cas s'ils avaient fréquenté l'église, comme sa mère dans son enfance, mais son père déclarait que cela ne les mènerait probablement qu'à leur ruine. Meg se demandait à présent s'il ne redoutait pas surtout d'avoir à affronter tous ces regards qui les jugeraient, à contraindre ses filles à subir cette pitié.

Mène une vie courageuse, Savannah, mais pas intrépide. On ne peut éviter les regrets. Ils s'empilent comme les pierres d'un cairn. Mais fais attention à ne pas les laisser monter au point de t'empêcher de voir par-dessus le sommet.

Telle une chanson dont les paroles auraient été fredonnées trop bas pour lui permettre jusque-là de les déchiffrer, elle entendit son conseil se répercuter dans le clapotement de la pluie. Avait-elle laissé ses pierres s'entasser trop haut ? Ses choix malheureux ressemblaient à d'énormes rochers, ses bonnes intentions étaient enfouies, étouffées sous le poids de conséquences inattendues. Cependant, il n'était peut-être pas trop tard pour se racheter, en partie tout au moins.

Elle rentra dans la maison pour décrocher le téléphone.

37

Rares étaient les jours que Carson ne passait pas en compagnie de Val, de Gene ou de l'un de ses amis, et où il n'avait pas d'engagement professionnel imminent. Le promoteur de son concert de La Nouvelle-Orléans l'avait annulé à la dernière minute, invoquant les magouilles de la reconstruction. Ils essaieraient de le reprogrammer pour la fin de l'été. Carson avait donc laissé Val partir seule à Bali et regagné Seattle. Il profiterait de ce temps libre pour ranger son appartement avant l'arrivée des déménageurs. D'après son expérience, ils allaient tout emballer, ordures comprises, si on ne leur demandait pas de s'en abstenir.

Il venait de se verser un grand verre de bière japonaise quand son téléphone sonna. Sans ses lunettes, il ne pouvait pas déchiffrer le nom du correspondant sur l'écran d'accueil.

— McKay, répondit-il.

Un bref silence, suivi de :

— C'est Meg. Il pleut, chez toi ?

— Meg qui ? demanda-t-il.

Il était inconcevable que *sa* Meg puisse l'appeler, et encore moins entamer si platement une conversation.

— Powell. Hamilton. Powell-Hamilton.

— *Meg ?*

— Oui. Je tombe mal ?

— Non, non, pas du tout ! Et oui, il pleut. Pourquoi cette question ?

Il trouva sa voix très bizarre. Était-elle ivre ? D'un coup d'œil à l'horloge, un vieux cercle de bois vermoulu suspendu tout en haut du mur de briques peintes entre des fenêtres de trois mètres cinquante : onze heures vingt-cinq, soit trois heures de plus en Floride. Un peu tôt pour qu'elle ait bu. Pour lui aussi, se dit-il au passage. Mais bon, il triait et jetait des affaires depuis six heures du matin.

— Il ne fait pas très chaud, mais ça va. En fait, je suis à l'intérieur, donc...

— Ta mère m'a dit que j'aurais de la chance si j'arrivais à te joindre chez toi. Il paraît que ça n'est pas facile.

— C'est donc elle qui t'a donné mon numéro ?

— J'espère que tu ne m'en veux pas. Je lui ai dit... (un soupir)... que j'avais besoin de t'annoncer une nouvelle très importante. Elle a accepté, et pourtant je n'ai pas voulu lui révéler de quoi il s'agissait. S'agit. Bref, j'aurais sans doute dû réfléchir un peu plus avant de t'appeler. Excuse-moi...

Il s'assit sur un tabouret de bar, à la fois intrigué et décontenancé par le timbre calme et pourtant étrange de sa voix.

— Ne t'inquiète pas. C'est bien. Enfin... je suis content d'avoir de tes nouvelles.

Curieusement, il l'était vraiment.

— J'hésite... Je crains de te peser, en voulant me délester d'un fardeau. Et t'en délester aussi. En fait, je crois que tu seras content de le savoir.

— Crache le morceau ! ne put-il s'empêcher de lui lancer.

Le jour de leur rupture, elle avait marqué une hésitation identique et sa réplique avait été la même. Les choses n'avaient donc pratiquement pas évolué.

— Si nous étions dans un film, j'observerais un silence dramatique, puis je dirais : Carson, je vais mourir.

Il avala une rasade de bière.

— Heureusement qu'on n'est pas au cinéma, répondit-il.

— ... Carson ?

Le son de sa voix le pétrifia.

— Personne n'est encore au courant, poursuivit-elle, en dehors du spécialiste que j'ai vu la semaine dernière et de Manisha, mon associée. J'ai été obligée de lui dire, parce que je ne peux pas reprendre mon travail. Mais en dehors de toi... personne.

Il embrassa la pièce du regard, comme si Meg allait apparaître. Il avait besoin de la voir. L'ancien amour de votre vie ne vous appelait pas tranquillement pour vous annoncer qu'elle était mourante. C'était irréel, c'était dingue. D'ailleurs, elle était peut-être dingue.

— Une seconde, dit-il, contemplant sans le voir le Pudget Sound par la fenêtre. Qu'est-ce que tu entends par mourir ?

— Je sais... je suis désolée. C'est nul de ma part de te l'annoncer de but en blanc, mais j'y suis obligée. Comme ça, tu comprendras ce que je vais te dire ensuite.

— Mourir comment ? Mourir... quand ?

Il restait bloqué sur ce mot.

— J'ignore exactement quand... ou comment. Je me bats encore avec ce problème. J'ai la SLA. La maladie de Charcot, ou de Lou Gehrig, comme tu voudras.

— Non ! s'écria-t-il, se refusant à la croire. Personne n'attrape plus ça. Ils ont trouvé un remède, après tous les Téléthon de Jerry Lewis...

— Carson, tu parles de la dystrophie musculaire ; c'est une autre maladie, malheureusement incurable, elle aussi, mais pas toujours fatale, Dieu merci.

— Bien, mais... qu'est-ce que tu entends par « comment » quand tu dis que tu te bats encore ?

— Eh bien... peu importe. J'ai... je me suis mal exprimée. Ce qui compte, c'est que j'ai quelque chose à te dire, à t'expliquer avant de mourir, je veux que tu saches la vérité sur ce qui est arrivé... sur la raison pour laquelle j'ai épousé Brian.

On y était. Elle voulait se soulager, lui annoncer que c'était parce que Hamilton était riche et pas lui. Pas à l'époque. Lui dire qu'elle était navrée de l'avoir rejeté et que si elle avait connu ses ambitions, elle se serait accrochée à lui. Un truc boiteux de ce genre. Cela faisait des lustres qu'il avait tout compris.

— Ah oui ? Bien, je t'écoute.

— Tu parais fâché.

— Ça n'a rien de très mystérieux.

— Tu es déjà au courant ? Comment as-tu fait ? Personne ne le savait. Je croyais que le secret avait été soigneusement gardé.

— C'était clair comme de l'eau de roche, Még. Il avait du fric. Pas moi.

Elle observa un silence.

236

— D'accord, reprit-elle, je vois comment tu as pu aboutir à cette conclusion. Et si on essayait de trouver le plus petit dénominateur commun, comme on dit, je serais prête à partager ton avis. Mais ce n'est pas tout à fait... ce n'est pas tout à fait sous ce jour que j'ai vu les choses à l'époque.

Alors, elle lui expliqua. Ce n'était pas tant la fortune d'Hamilton qui l'avait attirée que l'usage qu'il lui avait proposé d'en faire. Elle lui raconta la situation désespérée de ses parents.

— Tu te rappelles qu'on parlait de leur saisie bancaire, fin 1987 ? Mon aide ne servait à rien. Mes parents croulaient sous les dettes, et Brian était au courant, parce que l'hypothèque avait été prise chez Hamilton. Elle était presque toujours remboursée en retard, parfois seulement en partie.

» Je ne te l'ai jamais dit, mais Brian me poursuivait de ses assiduités, et je le repoussais toujours. Cette fois-là, il m'a proposé de fermer les yeux sur les paiements en retard et d'effacer l'hypothèque si je consentais à lui accorder une chance et que je l'épousais. Sinon... nous perdrions la ferme, au minimum. Je ne pouvais pas... j'ai vraiment pensé... Oh, Carson, soupira-t-elle, mes parents m'ont dit que c'était vraiment généreux de ma part, ne serait-ce que de l'envisager, que je les délivrerais d'un énorme fardeau. Tu sais, ils ne m'ont jamais poussée ouvertement à accepter, mais je connaissais la situation. Et je me suis convaincue que toi et moi, on s'en remettrait. Toi surtout. Je me suis dit que tu allais me haïr. Point final.

— Je t'ai effectivement haïe.

Hamilton avait donc été capable d'effacer leur ardoise de près de quatre cent mille dollars, songea Carson. Comment pouvait-il reprocher à Meg d'avoir réfléchi à sa proposition ? Bien sûr, il pouvait l'accuser de s'être vendue, de l'avoir trahi, d'avoir sali sa propre intégrité. Cela ne serait pas totalement faux, mais pas totalement vrai non plus.

— Je résume, reprit-il. Hamilton a attendu que tes parents soient au bord de la faillite pour s'ériger en sauveur ? Ce fils de pute.

— Carson...

— Quoi ? C'est immonde, Meg, ce qu'il a fait. Bon sang, tu n'as jamais eu le choix !

237

— Je ne t'ai pas appelé pour te monter contre Brian. Ce n'est pas un criminel. Il s'est contenté de profiter d'une occasion. Si mes parents avaient remboursé régulièrement, il n'aurait pas disposé de ce tremplin. Il n'est pas totalement responsable.

— Hum…, fit Carson.

Il n'avait pas la moindre envie d'excuser Hamilton. Mais il devait reconnaître que les parents de Meg avaient leur part de responsabilité, beaucoup plus importante que la sienne, et il en éprouvait un soulagement étrange : Meg ne l'avait pas rejeté, elle n'avait pas succombé aux sirènes de l'argent. Elle n'avait été qu'un agneau mené au sacrifice.

— Je t'ai haïe pendant une dizaine de minutes, et je me suis écroulé en mille morceaux pendant les dix-huit mois qui ont précédé ton mariage… C'est seulement après que j'ai décidé de repartir de zéro et d'aller de l'avant.

— Je regrette de ne pas avoir pu te le dire. C'était inconcevable, Carson. Ridicule. J'ai du mal à croire que j'ai fait ça, que j'ai choisi ça. J'aurais dû chercher une autre solution. Je peux juste t'assurer que je m'en veux horriblement de t'avoir fait subir cette épreuve. C'était… les choses… (Nouveau soupir)… c'était la mauvaise solution, j'ai eu tort et je m'en excuse du fond du cœur.

Ce dernier mot n'était guère plus qu'un murmure.

— Ah, Meg…

Le passé le happa, et les explications de Meg lui firent réévaluer cet événement lointain. Que se serait-il passé si elle avait refusé la proposition d'Hamilton, si elle l'avait épousé, lui, alors que ses parents se noyaient dans leurs dettes, qu'ils perdaient leur entreprise et leur terre ? La catastrophe se serait de toute évidence abattue sur eux.

Telle une bouée enfoncée sous l'eau par une vague, l'autre nouvelle que lui annonçait Meg refit surface. Elle était *mourante*. Était-ce vrai ?

— Attends un peu. Ne me dis pas que tu projettes de te *tuer* ?

Peut-être n'était-elle que juste déprimée et en quête de soutien. Ou, à défaut de soutien, d'une forme de paix, avant de mettre fin à ses jours.

— J'ai vraiment la SLA. Au mieux, il me reste deux mois avant d'être clouée au lit. Les... les perspectives ne sont pas souriantes, Carson, et... et je ne vois pas comment je peux faire subir ça à Savannah.

Elle s'était mise à pleurer sans bruit, mais il percevait la souffrance qu'elle éprouvait pour sa fille, son impuissance. Il avait une envie désespérée d'être à son côté, où qu'elle fût. Elle n'avait même pas parlé à Brian. Elle assumait seule cette tragédie, de la même manière qu'elle avait tout assumé dans son enfance. Spencer et Anna comptaient sur leur petite Meggie, si gentille, responsable et mûre, pour s'assurer que le dîner était prêt, que les filles avaient fait leurs devoirs ou que les enclos étaient bien fermés pour la nuit. Ils comptaient sur son travail à la banque, sur le salaire qu'elle leur remettait. Et, pour couronner le tout, ils s'en étaient remis à elle pour les sauver de leur incompétence, de l'irresponsabilité sans bornes de Spencer.

Mais qui s'était jamais occupé d'elle ? Il avait voulu le faire, il avait essayé. Seulement, ils étaient tellement jeunes ! Il était son chevalier servant, à l'époque, mais cela n'avait pas suffi. Il n'avait pas réussi à repousser la meute de loups. Il n'avait pas été capable de réfléchir à un moyen de résoudre les problèmes de ses parents. N'était-ce pas à eux de le faire ? Malgré tout, il avait le sentiment de lui avoir failli aussi.

— Tu vas prévenir tes sœurs ? Est-ce qu'elles peuvent t'aider ou...

— Je vais leur dire. Le dire vite à tout le monde. Je suis juste encore un peu... Vendredi, juste avant ton concert, c'est là que je l'ai appris.

Il repensa à son apparence, à sa crispation. Quelle mesquinerie de sa part d'avoir sorti cette remarque narquoise sur les Hamilton et leur statut social ! Elle devait avoir une bien piètre opinion de lui.

— On pourrait en parler plus longtemps, reprit-elle, mais je dois raccrocher. Je vais chercher Savannah au lycée, donc... En tout cas, je te remercie de m'avoir permis de me soulager. Je... j'ai toujours voulu te l'avouer, mais au début, je me sentais en quelque sorte captive. Et par la suite, quand j'aurais pu rembourser l'hypothèque moi-même, je me suis dit : À quoi bon, puisque Carson me hait ? (Elle eut un petit rire d'autodérision.) Au fait, papa a remboursé Bruce quand il a vendu la ferme.

— Bruce l'a obligé à payer ?

Cette conclusion paraissait la seule logique, malgré son aspect saugrenu.

La voix de Meg, encore enrouée par les larmes, s'adoucit un peu :

— Non. Libre à toi de ne pas le croire, mais papa a décidé qu'il fallait le faire.

Spencer avait donc rendu l'argent de son plein gré. Sans doute une crise de culpabilité à retardement. Très à retardement. Sympathique pour Hamilton d'avoir enfin récupéré son argent, sympathique pour Spencer de s'être soulagé la conscience. Mais Meg, dans ce bourbier, libérée de chaînes qu'elle n'avait même pas essayé de rompre parce qu'elle s'imaginait que lui, Carson, la haïssait ?

À tout le moins, pourquoi n'avait-elle pas quitté Brian et vécu sa vie ?

Pour le bien de Savannah, sans doute. De toute façon, il ne pouvait pas le lui reprocher. Rester avec Brian n'était pas plus répréhensible que les aventures qu'il avait connues pendant une dizaine d'années.

— Je dois me dépêcher, ajouta-t-elle. Je suis contente de t'avoir parlé. Contente de t'avoir vu et... d'avoir rencontré Val. Je te souhaite beaucoup de bonheur, Carson.

Il voulut répondre quelque chose d'aussi gentil, trouver des mots d'espoir, de soutien. Mais il n'en eut pas le temps : elle raccrocha sans même lui dire au revoir.

38

À la sortie du lycée le mardi, Savannah courut du préau jusqu'à la voiture de sa mère, ce qui ne l'empêcha pas de se faire tremper. Après avoir jeté son sac de classe sur le siège arrière, elle tordit ses cheveux en queue de cheval.

— Je dois passer voir papy Spencer, lui annonça Meg.

— Ah non, pas encore ! Dépose-moi d'abord.

Elle avait promis à Kyle de l'appeler à dix-huit heures.

— J'aimerais bien, mais je ne veux pas conduire plus que nécessaire par des conditions pareilles. Je te promets qu'on ne restera pas longtemps.

Savannah remarqua alors le front soucieux et les yeux cernés de sa mère.

— Papy va bien ?

— Pour autant que je le sache. Pourquoi ?

— Tu as l'air inquiète.

La voiture prit la file, sortit du parking et s'engagea dans la circulation en soulevant des gerbes d'eau. Les essuie-glaces s'en donnaient à cœur joie.

— Je suis fatiguée. J'ai mal dormi et j'ai dû conclure mon rapport sur ce bébé que nous avons perdu dimanche. C'est vraiment triste.

— Comment peux-tu le supporter ? lui demanda Savannah. Je veux dire... ces bébés qui meurent au moment de l'accouchement. Ça doit être horrible.

— Oui. La première fois que ça m'est arrivé, j'ai songé à abandonner l'obstétrique. Mais je me suis rendu compte que les femmes enceintes ont besoin d'assistance. On ne peut pas les laisser tomber à cause d'une erreur ou d'un mauvais tour de la nature. Je ne peux pas imaginer avoir exercé un métier plus satisfaisant que le mien.

— Exercer tout court.

— C'est ce que j'ai dit.

— Non. Tu as dit « avoir exercé ».

— Mais non !

— Mais si ! Je t'ai entendue.

— Ton iPod a dû te bousiller les oreilles.

— Comme tu voudras.

Chacune s'abrita sous un parapluie pour gagner l'immeuble de Bel Horizon, mais cette protection ne les empêcha pas de se mouiller les pieds. Savannah, chaussée de tongs rouges, ne se gêna pas pour patauger au beau milieu des flaques d'eau, tandis que sa mère avançait à pas lents. Elle portait les mêmes mocassins de cuir neufs que le vendredi et faisait toujours un peu attention à son pied droit.

— Si ces chaussures te font tellement mal, pourquoi les as-tu remises ? l'apostropha la jeune fille depuis la porte d'entrée.

Meg secoua son parapluie.

— Elles ne me font pas mal... Zut ! J'avais oublié, je suis vraiment bête, ajouta-t-elle gaiement. Savannah ne la crut pas une seconde.

— Tu plaisantes ?

— Quoi ? répondit sa mère d'un ton innocent contredit par son air coupable. D'accord, reconnut-elle. Je ne l'ai même pas encore dit à ton père, mais autant te l'annoncer maintenant : j'ai une espèce de pépin neurologique qui s'est aggravé au cours d'un accouchement difficile et... j'ai vu un spécialiste, mais ce problème me donne des... comment dire... des spasmes dans les bras et les jambes. Une faiblesse. C'est...

Savannah se calma.

— Oh, c'est nul, ce truc. Tu dois te faire opérer ?

— Non, non. Une rééducation physique m'aidera peut-être, mais je vais devoir me mettre en congé pendant un certain temps.

— Pourquoi n'as-tu pas prévenu papa ?

— Tu le connais. Toujours occupé.

Et toc ! songea Savannah, tout en acquiesçant de la tête.

— C'est vrai. En tout cas, préviens-moi si tu as besoin d'aide.

— Merci, ma puce. Je n'y manquerai pas.

La porte s'ouvrit.

— Bonsoir, les filles ! J'avais bien cru entendre des voix. Je reviens juste de mon rendez-vous avec mon copain, le Dr Clifford Aimes. Il avait que des mauvaises nouvelles. Des mauvaises nouvelles. (Il les fit entrer.) Vannah, tu trouveras les frappacinos que tu aimes tellement dans le frigo. Sers-toi.

Savannah ne se fit pas prier. Elle était sûre que sa mère allait protester, ou tout au moins lui dire de faire attention à ne pas se couper l'appétit, mais elle n'eut droit à aucun commentaire sur la boisson.

— Quelle genre de mauvaises nouvelles ? demanda Meg.

— Meg, je te parie qu'à l'heure où je te parle ta mere se paie ma fiole, là-haut. D'après Aimes, j'ai deux gros calculs rénaux. C'est pour ça que j'ai mal. Elle arrêtait pas de me dire que je devais passer des examens. Mais, bien sûr, j'étais trop occupé pour suivre ses conseils.

Avec un soupir à fendre l'âme, il prit un verre à vin dans un égouttoir suspendu et une bouteille sur le plan de travail.

Meg s'installa à la table.

— Qu'est-ce qu'ils veulent faire ?

— Une petite opération. Elle porte un nom bizarre. Je l'ai noté quelque part. (Il fouilla dans la poche de sa chemise, puis celles de son pantalon, et finit par sortir un bout de papier de la poche arrière.) « Néphrolithotomie percutanée ». Ça fait combien de lettres, à ton avis ? (Il les compta.) Autant que dans ce foutu alphabet ! Tu peux faire confiance aux professionnels de la médecine pour tout compliquer. Mais bon, je serai sur pied en deux jours. Évidemment, j'aurai besoin de toi pour ramasser mon courrier, arroser mes plantes, m'apporter une goutte ou deux de mon whisky écossais préféré.

— Nous verrons. Papa, à partir de maintenant, tu vas devoir faire très attention à ta santé. Il ne faut pas laisser ton état se dégrader jusqu'à la crise. Ton diabète complique tout.

— Justement, tu es là pour m'en empêcher.

Il alla s'installer dans le fauteuil inclinable que Savannah connaissait depuis toujours. Le fauteuil préféré de sa grand-mère était placé à l'autre bout de la table basse. Le voir si vide, si abandonné, la déprima.

— Non, répondit sa mère. Tu ne peux pas compter sur moi pour te surveiller. Tu vas devoir te conduire en adulte. Soit t'organiser seul, soit faire confiance au personnel de la résidence. Tu ne peux pas te contenter de... Enfin, tu es responsable, non ?

— Dis donc, je te trouve vraiment ronchon aujourd'hui. C'est à cause de ton mari ou c'est le temps qui te déprime ? Tout à l'heure, j'ai failli me noyer en sortant du cabinet du Dr Aimes. D'après la météo, ça va durer jusqu'au week-end. Vannah, tu vas sans doute pas pouvoir jouer au soft-ball.

— Sans doute, répondit Savannah, sans comprendre pourquoi sa mère s'abstenait d'expliquer son problème neurologique à son grand-père.

Elle alla s'asseoir dans le fauteuil d'Anna et tira une mèche de cheveux de sa queue-de-cheval pour en faire une tresse.

243

— La pluie ne me gêne pas. Pour tout dire, j'en ai même marre de jouer au soft-ball.

À présent qu'elle avait Kyle, le temps qu'elle consacrait au sport passait au second plan. Sa vie précédente lui paraissait ne plus rimer à rien. Elle voulait aller de l'avant, *accomplir* quelque chose, et pas seulement réingurgiter des connaissances aux examens et gaspiller des heures sur un terrain d'entraînement avec une bande d'adolescentes privilégiées. Elle voulait aider Kyle à reprendre pied, peut-être à se remettre aux études.

La veille, elle avait séché l'après-midi, pour aller à la banque retirer cinq cents dollars sur ses économies. Kyle lui avait demandé de lui virer cette somme par l'intermédiaire de la banque de son frère à Miami. Il l'avait appelée dès qu'il l'avait reçue.

— Poupée, t'es vraiment inouïe ! Tu peux pas savoir combien ça compte pour moi. Je t'aimerai toujours.

L'amour. Toujours !

— Pas pour ton argent, avait-il ajouté. Parce que tu as... une âme généreuse. Belle.

Savannah s'obligea à revenir au présent, à noter les détails de l'opération de son grand-père, prévue pour le surlendemain.

— Pourquoi t'appelles pas tes sœurs pour leur annoncer que je vais passer sur le billard ? demanda-t-il.

Il prit un flacon de médicament sur la table basse.

— C'est quoi ? demanda Meg.

— Un truc contre la douleur.

— Quand as-tu pris le dernier ?

Elle s'approcha de lui.

— J'en ai pas encore avalé un seul.

Elle saisit le flacon, lut l'étiquette, renversa les cachets dans sa main et les compta avant de les remettre à l'intérieur.

— Très bien. À présent, tu choisis : le vin ou les cachets.

Il s'empara du flacon.

— Arrête ! Tu parles comme un médecin.

Meg emporta le verre de vin dans la cuisine. Elle boitait nettement.

— Tu m'en diras tant ! Je parle sérieusement : pas d'alcool avec les antalgiques. Et note à quelle heure tu dois les prendre, pour ne pas oublier.

— Qu'est-ce que tu as à la jambe ?

— Rien du tout. Tu as entendu ce que je viens de te dire ?

— Oui, oui. Apporte-moi un peu d'eau, nom de Dieu, pour que je puisse avaler ce truc.

Savannah se leva d'un bond.

— J'y vais.

— Merci, ma puce. Bon, papa, je te téléphonerai plus tard. Tout ce que je te demande, c'est de faire attention. Parce que j'en ai fini pour aujourd'hui.

Il se leva, une main posée sur le flanc gauche.

— Attrape-moi cette boîte sur le plan de travail, Meg. C'est des photos de vous quand vous étiez petites. Un vrai fatras. Je les ai trouvées dans le placard du vieux couloir. Je sais pas du tout pourquoi elle les avait fourrées là.

Meg jeta un coup d'œil dans la boîte.

— Elle voulait sans doute les ranger un jour ou l'autre.

— J'imagine. Oh, une seconde ! J'ai autre chose à te donner.

Il alla chercher dans sa chambre un sac de shopping blanc et le tendit à Savannah.

— C'est quoi ? demanda-t-elle.

— Deux ou trois romans d'amour. Des chaussettes.

— Merci.

Il les raccompagna jusqu'à la porte.

— Et dites pas que je vous ai jamais rien donné.

Savannah sourit. Il n'était pas si nul que cela. Plutôt drôle, en fait. Elle ne s'en était pas vraiment rendu compte quand sa grand-mère était encore de ce monde. C'était gentil de sa part de lui acheter ses boissons préférées – très caféinées – que sa grand-mère gardait toujours en réserve pour elle. Les deux nuits précédentes, elle avait parlé tellement tard à Kyle qu'elle avait eu besoin d'un petit coup de fouet. La caféine lui avait également permis de tenir debout le dimanche soir, quand son père l'avait réveillée de sa sieste pour lui rappeler de faire ses devoirs.

La pluie s'était calmée. Savannah prit le volant et elles rentrèrent en silence. Sa mère s'inquiétait sans doute de l'opération de son grand-père et de son mystérieux problème neurologique. Avec un peu de chance, elle serait vite guérie. La vie manquait quand même de logique : au moment même où Meg allait disposer d'un peu de temps à lui consacrer, elle, Savannah, n'avait plus envie de partager sa compagnie. Avec Kyle, elle était comblée.

Se sentir totalement appréciée la faisait littéralement planer. Être aimée *pour elle-même*, non en raison de liens du sang ou d'une obligation quelconque. Elle sourit intérieurement en songeant : *Je pourrais m'y habituer.*

TROISIÈME PARTIE

*Tout le monde devrait observer avec atten-
tion la direction dans laquelle l'attire son
cœur et consacrer ensuite toutes ses forces à
la suivre.*

Proverbe hassidique

TROISIÈME PARTIE

39

Meg avait l'intention de mettre Brian au courant de sa maladie le mardi soir, pendant que Savannah serait à son cours de musique, mais elle passa le plus clair de sa soirée au téléphone avec ses sœurs à leur expliquer en détail l'état de santé de leur père.

— Ses calculs ne sont pas graves, dit-elle à Beth. Ils vont les ôter au laser, et il sera sorti d'affaire d'ici à deux jours.

Beth soupira.

— Je suis soulagée. Mais je crois que je vais quand même venir. On passera du temps entre filles. J'ai besoin de changer de cadre, après le semestre que je viens de vivre.

Exactement ce que Meg souhaitait lui entendre dire. Elle voulait essayer de réunir ses sœurs sans avoir à leur annoncer sa maladie de but en blanc. D'abord profiter de leur compagnie, pendant un petit moment au moins, sans être contrainte de supporter la chape étouffante de leur pitié.

Apprenant que Beth faisait le déplacement, Julianne se sentit obligée de l'imiter. Mais elle et Chad étaient très serrés financièrement.

— Même avec les tarifs réduits, on a dépensé une fortune pour venir aux obsèques de maman. Il ne me laissera jamais dépenser une somme pareille pour l'avion.

— Je paierai ton billet, lui proposa Meg. Et celui de Kara. Et de Beth. (Il fallait être équitable.) Prends cela comme de mini-vacances sans les enfants.

— Et sans Chad ! précisa Julianne. Avec son nouveau job, il est bien trop souvent à la maison.

Après en avoir terminé avec elle, Meg joignit Kara, qui fut aussi contente de toutes les retrouver et accepta sans se faire prier le cadeau de Meg.

— Merci, grande sœur. Todd aura plus de mal à se plaindre de mon absence. Et je pourrai en profiter pour visiter des maisons. J'ai lu une annonce intéressante dans le journal du dimanche. J'aimerais bien aller y regarder de plus près, juste pour me faire une idée pour plus tard.

Meg rappela ensuite Beth pour lui dire qu'elle voulait lui payer le voyage, dans la mesure où elle payait celui des autres.

— Merci, répondit sa sœur, mais tu sais, tu n'es pas obligée de faire encore tout pour nous.

Effectivement, songea Meg. Mais c'était agréable d'accomplir un dernier geste significatif.

Quand elle eut terminé de réserver les billets, d'envoyer les itinéraires par courriel et de confirmer le tout par un autre coup de fil à chacune de ses sœurs, Brian était parti chercher Savannah. Elle décida donc de lui parler plus tard, quand il viendrait se coucher. Mais sa longue journée la rattrapa et elle s'endormit en attendant qu'il ait fini de se brosser les dents.

Le lendemain matin, elle s'arrêta à la porte de la salle de bains pendant que Brian se rasait, pour lui dire qu'ils devaient parler. Si elle ne le faisait pas tout de suite, elle ignorait quand se présenterait une autre occasion. Beth atterrissait à dix-sept heures, Kara à dix-huit heures et Julianne à vingt heures quinze.

Elle l'observa dans le miroir. Il se servait d'un vieux rasoir mécanique et de crème à raser. D'un geste sûr, fruit d'années de pratique, il faisait glisser la lame du haut en bas de sa mâchoire, tout en gardant un œil sur la petite télé plasma qu'il avait fait installer l'année précédente. Heureusement qu'elle n'avait pas à se raser (en suivant comme lui, pour couronner le tout, les cours de la Bourse). Vu l'état de sa main, son visage ne serait plus qu'une masse de petites coupures sanguinolentes.

— Tu peux t'attarder un peu après le départ de Savannah ? lui demanda-t-elle.

— Pourquoi ?

Il était en train de se raser le menton.

Ce matin, elle avait dû se servir de sa main gauche pour faire couler la douche. Au début, cela l'avait déprimée, puis fâchée. Chacun de ses gestes allait se transformer en épreuve.

— J'ai quelque chose à t'annoncer.

— Tu ne peux pas le faire maintenant ?

Il n'avait manifestement pas remarqué le frémissement de sa voix.

— Non, répliqua-t-elle.

Sur ce, elle s'éloigna, pour l'empêcher d'argumenter.

Savannah mélangeait du sucre et de la crème dans un gobelet de café à emporter. À sept heures moins le quart, son iPod était déjà branché à plein tube. Comment pouvait-elle supporter ce vacarme ? Meg aimait profiter du calme matinal. Elle roulait jusqu'à l'hôpital sans allumer la radio, et s'attardait le plus longtemps possible dans la salle de repos avant d'entamer sa ronde. Les braillements des nourrissons qui l'accueillaient souvent à l'étage de la maternité ne la gênaient pourtant jamais. Au contraire, ils lui donnaient l'impression d'être en vie et utile.

Plus jamais elle n'éprouverait cette sensation...

Même si elle restait à la maison, Meg s'habillait comme pour aller travailler. Brian ne se doutait pas un instant qu'elle ne partait pas tout de suite après lui, conformément à leur routine. Elle avait brièvement envisagé de rester en pyjama et de lui mentir. Elle aurait pu lui raconter qu'elle avait interverti son emploi du temps et commençait désormais plus tard. Mais elle avait vite rejeté cette idée, de même que d'autres mensonges éventuels, sur les raisons de son boitillement persistant, par exemple, et sur la nécessité de l'attelle qu'elle avait l'intention d'acheter pour son bras, afin de dissimuler la paralysie imminente de sa main. Elle n'avait aucun moyen de savoir quand ou si cette phase dégénérative ralentirait. Mentir ne servirait donc à rien. Elle devait la vérité à Brian comme à Savannah.

Brian, pour commencer. Il aurait dû savoir avant tout le monde, avant même son rendez-vous avec Bolin. Elle aurait dû lui confier ses craintes et ses projets. Mais elle l'en avait écarté, le laissant partir vendredi matin pour Boston, convaincue qu'il lui en voulait encore, en dépit du Lexus qu'il lui avait offert pour s'excuser. Elle ne l'avait pas appelé le

vendredi après avoir vu Bolin. Ni le samedi, du fin fond de
la Floride. Sans doute avait-elle eu tort de décrocher son téléphone pour se confier d'abord à Carson, et non à son mari.
Mais, à la vérité, elle s'en moquait.

Un klaxon retentit. Elle donna une tape sur l'épaule de
Savannah et lui enleva un de ses écouteurs.

— Angela t'attend. N'oublie pas que tes tantes arrivent ce
soir. Ne prévois rien d'autre.

— Je sais...

Savannah attrapa un bagel dans la huche à pain, enfonça
un couvercle sur son café, mit son sac de classe en bandoulière et se hâta de sortir.

Savannah paraissait plus fatiguée que d'habitude. Avait-elle
étudié très tard ? Où en était-elle de son devoir de biologie ?
Préoccupée par les bouleversements récents de sa propre vie,
Meg n'avait porté qu'un vague intérêt au quotidien de sa fille.
Les examens approchaient à grands pas, de même que la fête
d'anniversaire de Savannah. Mon Dieu, elle ne pouvait pas lui
assener cette nouvelle avant...

Brian entra dans la cuisine, vêtu de son costume gris clair.
Le rouge de sa cravate à motifs se détachait sur sa chemise
blanche – la période Sonny Crockett n'était plus qu'un lointain souvenir. Il se resservit un peu de café avant de lui
demander :

— Tu veux me parler de Spencer ? De l'argent ? Écoute,
Meg, après notre dispute, je suis allé me soûler, parce que je
pensais que c'était terminé entre nous. Depuis que Spencer
a remboursé papa, il y a quelques semaines, j'attendais que
tu t'en aperçoives et que tu me dises que c'était fini, que tu
voulais divorcer.

C'était donc pour cela qu'il s'était tu ?

— Tu plaisantes ? lança-t-elle.

Il fit non de la tête.

— Je te jure. J'aurais dû te parler quand j'ai eu l'impression que Spencer ne te disait rien, mais...

— Oui, tu aurais dû !

— Pardon.

Il semblait contrit, même si elle ne pouvait s'empêcher de
s'interroger sur la profondeur de son remords. Brian, sous son

épaisse pellicule de charme, ne révélait jamais ses vrais sentiments, même à elle.

— J'ai juste... Enfin, regarde-toi : tu as réussi, tu es médecin, tu es séduisante, et tu t'occupes de notre foyer avec la même efficacité que le meilleur de mes directeurs, si bien que je n'ai pas arrêté de me demander pourquoi tu aurais besoin de moi. Spencer m'a fait clairement comprendre que tu serais pressée de reprendre ta liberté.

— Il se trompe, Brian. Si c'était une question d'argent, j'aurais pu te quitter il y a longtemps.

— Tu n'aurais pas demandé le divorce ?

Elle comprit à sa voix vacillante qu'il l'avait vraiment redouté.

— Non, répondit-elle.

Un sentiment de sympathie l'envahit. Ce qu'il craignait n'était rien, comparé à ce qu'elle allait lui annoncer.

Brian se leva et s'appuya au plan de travail, plus détendu, plus sûr de lui, l'image même de l'homme d'affaires de haut vol. Il *paraissait* imperméable. Savoir qu'il ne l'était pas la rassurait, tout en lui inspirant de la tristesse. Il ignorait comment affronter les ennuis de la vie. En avait-il d'ailleurs jamais eu ? Depuis le berceau, il avait été protégé, nourri, respecté, choyé : par ses parents, ses employés et, oui, même par elle.

Elle plia la main avant de lui dire :

— Non, en fait. J'ai des ennuis depuis quelque temps.

— Quoi ? Dans ton travail ?

— Non, non, tout va bien. Ou plutôt, tout *allait* bien. J'ignore si ça va continuer comme ça.

Elle tournait autour du pot.

— Pourquoi ? Manisha s'en va ?

— Non, c'est moi.

— Bravo ! Ça fait plaisir à entendre. Avancer et grimper.

Il déposa sa tasse de café dans l'évier, comme il le faisait toujours. Quand il en aurait de nouveau besoin, elle serait à sa disposition dans le placard, comme d'habitude. Ainsi fonctionnait la vie de Brian. Meg s'en voulait d'être sur le point de la bouleverser. Malgré tout son côté calculateur, il ne méritait pas de supporter le fardeau de sa malchance.

Elle contempla son visage. D'ici à quelques secondes, il aurait à jamais perdu son insouciance.

— Ce n'est pas du tout ce que tu crois. Je suis atteinte d'une maladie appelée SLA. Incurable.

Il cilla et recula, comme si on l'avait poussé.

— Répète ?

— Tu en as déjà entendu parler sous le nom de maladie de Lou Gehrig.

— Meg..., fit-il, les mains levées en un geste de supplication, comme s'il disait : *Comment as-tu pu laisser arriver une chose pareille ?*

Elle haussa les épaules.

— Je sais.

Elle se sentait dans la peau d'une actrice de troisième zone récitant son texte. Ce dernier sonnerait plus juste si elle le chantait, comme dans un opéra, d'une voix d'alto ou de soprano, la musique serait appropriée au drame qui s'abattait sur eux.

— Lou Gehrig ? répéta-t-il. Je ne vois pas. Ça veut dire quoi, exactement ?

Effectivement, qu'est-ce que cela voulait dire exactement ? Elle ne le savait toujours pas et s'en tint donc aux grandes lignes habituelles.

— C'est une maladie musculaire neurodégénérative. Un spécialiste d'Orlando a établi le diagnostic vendredi. Je ne me suis pas rendue à des réunions. Je passais des tests.

Brian se frotta le visage des deux mains, avant de les laisser tomber sur les côtés.

— Mon Dieu, Meg... Tu en es certaine ? Enfin, tu as l'air en parfaite santé.

Il clignait des yeux, comme s'il ne parvenait pas à distinguer les signes de son mal.

Meg se sentit rétrécir. Elle s'en voulait d'avoir si bien réussi à cacher son état.

— Je sais, répondit-elle de sa voix de médecin, mais mon bras droit ne fonctionne déjà presque plus et ma main est faible. J'ai des problèmes avec ma jambe. D'ici peu, ma voix me trahira aussi. Dans combien de temps ? Ça, je suis incapable de te le préciser. Il semblerait que je sois en période d'accélération : en ce moment, mon état dégénère très vite.

Un diagnostic précis est difficile à poser. Chaque cas est un peu différent.

Elle était lasse de s'entendre dire ces phrases qu'elle n'avait déjà que trop lues, entendues et prononcées. Elle s'écroulait déjà d'épuisement à la perspective d'avoir à répéter cette litanie pesante à ses sœurs, puis à son père et à sa fille.

Brian examinait les bouts de ses Oxford noires. Elle était navrée pour lui. Il resterait à jamais lié à son histoire. Dans les soirées et les garden-parties, les gens se chuchoteraient à l'oreille : *C'est celui dont la femme... elle était médecin... elle avait la maladie de Lou Gehrig.* Pire encore, il devrait planifier dans le détail sa vie et celle de Savannah. Même si elle ne doutait pas qu'il confierait ce devoir à sa mère, laquelle serait probablement enchantée de l'avoir à nouveau sous sa coupe.

Il releva les yeux et secoua la tête.

— Je ne sais pas quoi dire.

— On en reparlera plus tard, d'accord ? Va travailler, essaie de ne pas ruminer. Je sais bien que c'est impossible, mais essaie quand même. Je vais l'annoncer à mes sœurs avant leur départ. Pas ce soir, en tout cas. Alors, ne dis rien non plus. Dès qu'on saura que l'opération de papa s'est bien passée, j'en parlerai.

— Savannah...

— Je lui ai raconté que j'avais un nerf qui déraillait. Impossible de lui avouer que c'est incurable. Pas... pas encore. Je dois d'abord la laisser fêter son anniversaire en paix.

— Et les traitements ? Il doit bien y avoir quelque chose.

— Non.

Meg le sentit un peu flancher.

— Il va falloir t'hospitaliser ?

— Non. La plupart des malades sont soignés à domicile et dans des services de soins palliatifs.

Elle songea à Lana Mathews, inerte de la tête aux pieds. Réduite à attendre dans cet état.

— Je sais bien que tu ne peux pas vraiment me le préciser, mais... à ton avis, combien de temps ?

Il se refusait à la regarder.

Elle s'approcha de lui et prit ses mains froides dans les siennes.

— Aucune idée. Mais sans doute pas plus de quelques mois.

Son nœud de cravate était légèrement de travers. Elle n'y toucha pas.

— Je n'arrive pas à le croire...

— Va travailler. Il ne m'arrivera rien aujourd'hui.

Après le départ de Brian, Meg prépara un thé et l'emporta dans le petit salon. Elle ouvrit les fenêtres pour laisser pénétrer l'air humide du matin, puis entreprit d'appeler une à une chacune de ses patientes, afin de les informer qu'en raison d'un problème de santé elle les transférait à d'autres médecins. Elle laissa des messages à la plupart d'entre elles, parla en personne à quelques-unes, sans s'appesantir sur les détails. En moins d'une heure, elle eut fait le tour de toutes celles dont les dossiers étaient en cours. Les autres apprendraient la nouvelle la prochaine fois qu'elles téléphoneraient pour prendre rendez-vous.

— Très bien, voilà une bonne chose de faite, dit-elle en raccrochant après le dernier coup de fil.

Elle n'en revenait pas de se sentir si peu affectée par cette conclusion étrange, d'être capable de laisser tomber Allison Ramsay, Candace Banner et Jill Jabronski, par exemple, sans se sentir traumatisée. Toutes ces femmes enceintes, toutes ses patientes comptaient, et pourtant, pour elle, couper le cordon n'avait rien de compliqué, à présent qu'elle devait déterminer ses priorités.

Elle prit son journal.

3 mai 2006

J'aimerais te dire un peu ce que ça fait de mourir en pleine force de l'âge. D'abord, j'ai l'impression d'être flouée pour une raison essentielle : je te dois plus que je ne t'ai donné jusqu'à présent. Je ne parle pas des choses matérielles, mais de mon temps. Je te dois du temps et ça me rend malade de repenser à toutes ces journées où j'ai fait des heures supplémentaires, alors que j'aurais pu regarder Discovery Channel *avec toi ou l'écouter répéter une nouvelle chanson. Aux week-ends où j'ai mis des bébés au monde, au lieu de te préparer tes* cookies *préférés au potiron et aux raisins secs ou de faire une balade à cheval avec toi chez papy et mamy Spencer. Je me suis toujours*

256

dit que nous aurions plus de temps quand tu aurais grandi, que tu aurais terminé tes études. J'aurais travaillé moins et nous aurions voyagé ensemble. Ou alors, tu te serais engagée dans le Peace Corps et je t'aurais rendu visite sur les lieux de tes affectations, où j'aurais pu aussi mettre un peu mon savoir-faire au service du bénévolat. Tu nous aurais divertis avec tes chansons. Tout le monde se serait joint à nous. Nous aurions appris les paroles aux enfants du coin, nous leur aurions laissé un petit quelque chose pour les aider à supporter la maladie, la famine ou le chagrin.

J'aimerais tellement avoir une chanson pour toi.

40

En dépit des gros efforts qu'elle devait désormais faire pour dissimuler les signes de sa maladie, le mercredi soir, Meg apprécia plus les retrouvailles avec ses sœurs que par le passé. Installée dans le patio, elles burent du vin et rirent des épreuves de la maternité. Beth n'était pas entièrement sur la même longueur d'onde, mais elle avait ses propres anecdotes à leur raconter sur les étudiants qui tentaient maladroitement de minimiser par des mensonges des notes de devoir ou de contrôle.

— Ils s'imaginent que je n'ai jamais eu dix-neuf ans, que je suis nulle en Internet et gadgets électroniques. J'ai l'air si croulante que ça ?

Kara éclata de rire.

— À trente ans ? Tu n'es qu'un bébé. L'encre de ton dernier diplôme n'est pas encore tout à fait sèche.

— J'ai quand même des ridules autour des yeux...

Beth s'inclina en avant, mais Meg, assise à sa gauche, ne distingua qu'un teint et une peau lisses. Ni rides ni taches de rousseur. Beth ressemblait à leur mère, à la branche des Jansen, des sudistes à la peau crémeuse dont les ancêtres venaient de Scandinavie. Elle avait des cheveux foncés comme ceux de Savannah, mais raides, et une coupe seyante au carré, à hauteur du menton, qui faisait ressortir ses yeux bruns.

— Je ne vois pas la moindre ride, dit Meg. Ce qui te différencie des étudiants, ce sont toutes ces lettres qui suivent ton nom... *docteur* Powell[1].

— Peut-être, *docteur* Hamilton, acquiesça Beth en riant. Si seulement ces lettres signifiaient que je suis capable de faire le bien, comme toi. J'ai l'impression de me contenter de noter des essais nuls et d'assister à des discussions... enfin, des réunions... du conseil d'université d'une longueur abominablement exacerbante.

— Épelle-moi ça, la taquina Kara.

— Quoi, « réunions » ?

— Non, « exacerbante ».

— Je n'ai jamais été capable de prononcer ce genre de mot correctement, fit remarquer Julianne. Il existe vraiment ?

Kara donna un coup de coude à Julianne, assise à sa gauche.

— Quand je pense que je trouvais mon vocabulaire limité ! lança-t-elle. Si tu avais terminé tes études, tu connaîtrais les mots à rallonge.

Julianne rejeta en arrière ses longs cheveux cuivrés comme ceux de Meg.

— J'ai obtenu mon brevet en candidate libre. De toute façon, qu'est-ce que ça peut faire ? J'élève des enfants, je ne corrige pas des essais.

Kara, la seule à avoir hérité de la chevelure rousse de leur père, leva une main, les doigts tendus.

— Tu sais compter ? J'ai quatre enfants, mais je ne m'en sers pas comme prétexte pour excuser mon inculture. Et si tu ouvrais un livre, une fois de temps en temps ?

— Si tu ne passais pas ton temps à bouquiner dans un fauteuil, tu ferais peut-être une taille trente-six, comme moi, répliqua Julianne avec son grand sourire malicieux.

Elle avait toujours pris Kara, qui ne détenait pas l'autorité de sœur aînée de Meg et n'était pas assez proche d'elle pour être sa copine, comme souffre-douleur.

---

1. Aux États-Unis, les titres universitaires figurent en abrégé après le nom. (*N.d.T.*)

Kara tira la langue.

— Je fais la même taille que Marilyn Monroe, dit-elle.

— Les filles ! intervint Meg comme elle l'avait toujours fait. Ne vous disputez pas ! Julianne, attrape cette boîte, derrière toi. Papa m'a donné de vieilles photos de nous. J'ai pensé que vous seriez contentes de les partager.

— Tu as déjà pris celles qui te plaisent ? demanda Beth, faisant prendre conscience à Meg qu'elle avait failli se planter, faire allusion à sa maladie avant d'être vraiment prête à leur en parler.

— Oui. Juste quelques-unes. De moi.

Julianne sortit de la boîte un fouillis de clichés de différents formats, certains entoilés avec du papier épais, d'autres écornés, la plupart flous, délavés ou froissés.

— Elles sont rangées dans un ordre quelconque ?

— Non, répondit Meg. En fait, maman s'est contentée de les fourrer là-dedans.

Elles entreprirent de classer les photos.

Beth en tendit une à Meg.

— Et celle-ci ? Toi et Carson en... 84, lut-elle au verso.

Meg la prit de sa main gauche. Son pouce droit se contractait sans relâche. Elle le coinça sous sa jambe pour le cacher à ses sœurs.

— Fête du bac.

Ils avaient organisé un grand pique-nique au bord de leur étang.

Kara regardait par-dessus l'épaule de Meg.

— Je m'en souviens. Regarde tes cheveux. Coiffure très années 80 !

Meg se rappelait les efforts qu'elle avait déployés pour relever souplement ses cheveux raides.

— Rien que pour la frange, j'ai utilisé tout un vaporisateur de laque.

— C'est ça, et après, tu as tout fichu en l'air en nageant.

— Carson a l'air vraiment content de lui, remarqua Beth.

— On venait juste de terminer son déménagement dans la grange rénovée.

Il souriait à la perspective de la soirée qu'ils avaient prévue : Meg allait sortir en douce de chez elle pour le rejoindre là-bas, et ils feraient l'amour pour la première fois.

Elle aussi souriait, mais avec un peu plus de retenue ; sa mère prenait la photo, et elle ne voulait pas laisser transparaître son euphorie. Carson avait un prétexte : il fêtait son bac.

Beth s'inclina en arrière.

— En définitive, qu'est-ce qu'il vous est arrivé ? Vous sembliez aussi liés que les doigts de la main et du jour au lendemain, fini ! J'ai eu l'impression qu'il avait déménagé ou qu'il était mort. Je ne l'ai plus jamais revu. C'était vraiment bizarre !

— Tu sais parfaitement ce qu'il s'est passé, déclara Julianne. Meg l'a laissé tomber pour Brian.

— C'est clair, dit Beth, mais ce que je veux savoir, c'est pourquoi. Jusque-là, Carson faisait pratiquement partie de la famille. Je ne me souviens pas de la moindre dispute entre vous.

Meg reposa la photo. Elle pouvait leur avouer la vérité, à présent que plus rien ne comptait, mais à quoi bon ? Elle ne voulait pas faire peser sur elles un quelconque sentiment de responsabilité ou de culpabilité. Ni altérer l'image qu'elles avaient de leurs parents. Toujours la grande sœur protectrice. Son attitude ne changerait jamais.

— Nous ne nous sommes pas disputés, déclara-t-elle. Nous nous sommes contentés de... prendre des directions différentes.

— Parce qu'il voulait être musicien, avança Julianne, et que tu voulais rester plus près de la maison et devenir médecin. C'est ça ?

— En quelque sorte, confirma Meg, réponse qui lui valut des regards circonspects de Kara et de Beth.

Kara se souvenait forcément que, comme elle, Carson avait choisi sa carrière beaucoup plus tard. Quant à Beth, elle était capable de renifler un mensonge. Elle leur fut reconnaissante de ne pas relever. Elle ne serait pas capable d'inventer quelque chose de plus convaincant.

— Brian avait beaucoup à m'offrir, ajouta-t-elle néanmoins à l'intention de Beth, j'ai cru que ça pouvait faire une différence.

Beth secoua la tête.

— L'argent, dit-elle. Parfois, on s'en sort mieux sans.

— Comment peux-tu dire une chose pareille ? protesta Julianne. Regarde autour de toi. Ça ne te plairait pas de vivre dans un tel cadre ?

À Québec, elle habitait dans une maison à deux niveaux de la fin des années 1960, avec une seule salle de bains.

Beth haussa les épaules.

— Je ne dirais pas non si ça me tombait dessus par hasard, mais ça ne suffirait pas à mon bonheur.

— Ton « bonheur » ! s'écria Julianne. C'est pour ça que tu es toujours célibataire. Tu vises trop haut. Personne n'est constamment heureux.

— Faux ! répliqua Kara. Je suis heureuse, et Todd aussi. Je ne changerais rien à ma vie… en dehors de revenir vivre ici.

— Toi, tu t'es mariée par amour, dit Beth. Tu es la seule à t'y être prise correctement. Pour l'instant.

— À t'entendre, on dirait que je n'aime pas Chad, protesta Julianne, plus que jamais à fleur de peau.

Elle ne supportait pas d'avoir tort et détestait ne pas se sentir sur un pied d'égalité avec ses sœurs.

Beth esquissa un sourire narquois.

— Tu l'as épousé parce que tu étais en cloque. Tu le connaissais depuis quand ? Trois mois ?

— Quatre, corrigea Julianne.

Meg sortit une autre photo. Elles y figuraient toutes les quatre, alignées en rang d'oignons dans leurs toilettes de Pâques : robes à volants, collants et chaussures de cuir verni blanc. Julianne était à peine en âge de tenir debout toute seule. Elle passa la photo à Beth pour tenter de leur faire changer de sujet.

— Tiens. Tu te souviens de ça ? Grand-mère Alice était encore en vie. Elle est passée nous chercher pour acheter nos robes et elle nous a obligées à aller à l'église.

Beth lui adressa un regard entendu. Elle avait parfaitement compris sa tactique.

— Non, je ne m'en souviens pas du tout. Regarde comme nous sommes toutes proprettes et mignonnettes. De la pure science-fiction. Dommage !

Meg opina. Elle ne comprenait que trop bien les attraits de la science-fiction.

41

Le jeudi soir, après avoir passé la plus grande partie de la journée à l'hôpital auprès de leur père, Meg et ses sœurs s'assirent de nouveau dans le patio autour d'un verre de vin et reprirent leur conversation de la veille. Le mélange de leurs souvenirs et l'addition de leurs énergies en un seul lieu créaient une machine à remonter le temps. En un clic, elles étaient passées de la première leçon d'équitation qu'elles avaient donnée à Julianne sur Guenièvre, leur shetland ronchon, à un tour sur le manège Matt Hatter de Disney World où elles s'étaient époumonées parce que Kara avait vomi sa barbe à papa. Un simple « Vous vous rappelez quand... » suffisait à les faire démarrer. Meg s'imprégnait de leur entente et s'étonnait des variations entre leurs souvenirs. Beth, par exemple, ne se rappelait pas du tout leur jument, Bride, alors que Kara s'en souvenait parfaitement.

Brian fit une apparition dans le patio pour leur annoncer qu'il emmenait Savannah et Rachel acheter des glaces. Ils s'étaient organisés à l'avance pour permettre à Meg de rester seule en compagnie de ses sœurs. Elle leur reversa du vin et lorsqu'elles furent toutes détendues – pouvait-il exister un meilleur moment ? – elle aborda par la bande le sujet de sa maladie : est-ce que l'une d'entre elles songeait à venir bientôt s'installer en Floride ? Le journal qu'elle tenait pour Savannah – outre qu'il lui donnait l'impression de mieux contrôler la situation – l'aidait à se faire moins de souci sur la manière dont sa fille s'en sortirait. Dans l'idéal néanmoins, il serait bon que l'une de ses sœurs veille sur Savannah et sur leur père.

Meg savait déjà que Kara souhaitait se rapprocher, mais comme elle le faisait dans leur enfance, elle posa la question à toutes.

Kara répondit la première. Todd était d'accord, mais ils ne pourraient déménager tant qu'il n'aurait pas achevé son engagement de vingt ans – autrement dit, pas avant trois ans. Ce préambule déboucha sur la scolarité de Keitter et Evan. Seraient-ils perturbés si on les changeait de lycée ? Kara reconnut à contrecœur qu'en toute honnêteté ils devraient peut-être attendre la fin des études secondaires de tous leurs fils. Les enfants de Julianne étaient plus jeunes, mais le problème demeurait le même. Sans compter que Chad n'avait aucune intention de s'installer aux États-Unis. Ce fut la réponse de Beth qui étonna Meg : après une dizaine d'années passées en Californie, elle avait envie de changement.

— Le brouillard me fatigue, déclara-t-elle gaiement. De plus, l'une d'entre nous devrait donner un coup de main à Meg pour papa. Je peux trouver un poste à peu près n'importe où. La Floride me manque, et qui sait combien de temps il lui reste à vivre ?

Elle offrit ainsi à Meg l'enchaînement nécessaire.

— Exactement. La vie est tellement imprévisible. La sienne – ou la nôtre – pourrait décliner du jour au lendemain. Prenez mon cas, par exemple.

Sur ce, elle fit une fois de plus son annonce amère : SLA. Incurable. Imprévisible. Paralysie. Respirateur artificiel.

Ses sœurs restèrent foudroyées.

Retenant son souffle, Meg observa leurs visages boule-versés sur lesquels se lisaient leurs efforts pour comprendre ce qu'elle venait de dire. Après quoi, Julianne se mit à gémir, brisant la tension à sa manière mélodramatique habituelle.

Kara jura de revenir très vite en Floride, avec ou sans Todd, et Beth enlaça Meg. Pour la première fois depuis que Lowenstein avait instillé dans son cerveau le poison de la SLA, Meg se laissa aller à son chagrin. La tête appuyée contre l'épaule de Beth, elle fondit en larmes.

Quand elles se furent toutes essuyé les yeux et le nez, Beth lui demanda comment elle comptait utiliser le temps qui lui restait. On pouvait lui faire confiance pour ne pas prendre de gants.

— Je vais vider mon bureau, dit Meg, voir mon avocat, organiser les choses, j'imagine...

Kara sourcilla.

— Non, parle sérieusement : qu'est-ce que tu vas *faire* ? Du genre : « J'ai toujours eu envie de... », et tu remplis le blanc : voir les chutes du Niagara, sauter en parachute, coucher avec Antonio Banderas. Ce genre de trucs.

Meg demeura à court de réponse. Sa vie avait été si pleine, elle avait visité tant d'endroits, partagé tant de joies. Il ne lui manquait pas grand-chose.

— Je parlerai tous les jours à ma fille, déclara-t-elle enfin.

Son unique autre souhait relevait de l'impossible.

Le vendredi matin, elle répéta la nouvelle plus succinctement à son père, pendant que ses sœurs attendaient derrière la porte de sa chambre, prêtes à le soutenir. Il la contempla d'un regard fixe, puis toussota pour essayer, en vain, de refouler ses larmes.

— Ne perds pas de temps, Meggie.

Le temps perdu. Une chanson des Eagles, non ?

Si seulement je pouvais empêcher mon esprit de se demander ce que j'ai laissé derrière moi sans m'inquiéter du temps perdu.

42

Pour la première fois depuis sa rencontre avec Val, Carson n'éprouva aucun plaisir à entendre sa voix au téléphone. Elle l'appela le vendredi à l'heure du déjeuner, alors qu'il partageait avec trois déménageurs une pizza qu'il avait fait livrer. Il sortit lui parler sur son grand balcon. Le soleil voilé lui fit cligner les yeux. Les eaux miroitantes du Sound, plus grises que bleues, étaient piquées de petits voiliers ; les plaisanciers savouraient le printemps de Seattle. Il aurait bien aimé en profiter comme eux, mais le plaisir que lui inspiraient cette saison, Val, son déménagement à Malibu était aussi profondément enfoui que ses affaires dans les cartons du déménagement.

— C'est fini, lui annonça Val, si bien que l'espace d'un dixième de seconde, Carson oublia qu'elle se référait à sa compétition de surf à Bali. Je l'ai dépassée d'un cheveu ! Tu devrais voir les rouleaux. Je n'étais pas sûre de pouvoir tenir, mais j'ai réussi.

Il s'obligea à paraître plus enthousiaste qu'il ne l'était.

— Bravo ! Félicitations.

— Merci. Je regrette que tu ne sois pas près de moi...
Zut ! Je dois y aller. J'ai accepté une interview de trois
minutes pour ESPN avant la remise des récompenses, et le
type se pointe. Et la nana d'ABC aussi. Désolée d'être aussi
pressée. Je te rappelle plus tard.

Plus tard. Cela vaudrait mieux, elle serait moins exaltée.
Mais lui, serait-il davantage d'humeur à discuter avec elle ?
Tout son univers était assombri par les terribles nouvelles de
Meg. Plus le temps passait, plus il se sentait mal.

Comment imaginer le traumatisme qu'elle vivait ? Avait-elle
prévenu Hamilton ? Il avait consulté Internet pour en savoir
plus sur la SLA, et le simple fait d'y penser le terrorisait.
Elle s'était exprimée si calmement... Trop calmement. D'un
ton trop résigné. Pour quelle raison ne se révoltait-elle pas ? Il
devait lui reparler, l'encourager à *faire* quelque chose. Bon
sang, elle était médecin. Elle disposait obligatoirement
d'informations qu'il ne pouvait avoir. Un remède expéri-
mental devait exister pour obtenir, sinon la guérison, du
moins une rémission. Il avait souffert de se la voir confisquer
par Hamilton, mais cette souffrance était infime, comparée au
trou noir qui s'ouvrirait dans sa vie si cette *chose* la lui enle-
vait. Il devait la voir.

Il rentra dans l'appartement.

— Messieurs, annonça-t-il aux déménageurs, j'ai un
problème. Vous pouvez prendre le reste de votre journée.

Ils se consultèrent du regard et haussèrent les épaules à
l'unisson. Puis Ernesto, le chef, lui dit :

— Va falloir reprogrammer avec la direction. On est pris
jusqu'à la fin de la semaine.

— Pas de problème.

Carson replaça le reste de la pizza dans le carton pour leur
permettre de l'emporter, sortit les quatre dernières bières du
frigo et les leur tendit, puis il les jeta pratiquement dehors.

— Ne les buvez pas avant de prendre le volant.

Dès qu'ils furent partis, il repoussa plusieurs cartons pour
s'asseoir sur le canapé et se frotta la bouche. Il n'avait pas
le choix. Il appela son agent immobilier pour lui demander
de retarder la signature tant pis si les acheteurs retirent leur
offre.

— Dites-leur que j'ai une urgence familiale.

Un mensonge qui n'en était pas vraiment un : Meg n'était-elle pas pour lui une espèce de... sœur lointaine ? Une sœur, vraiment ? Elle était en tout cas plus proche que n'importe quel membre éloigné de sa famille. Mais il parvenait difficilement à définir leur relation, sauf par la négative : elle n'était ni sa petite amie, ni sa fiancée, ni sa femme. Elle n'était plus son amie. L'expression *âme sœur* lui vint à l'esprit, mais n'était-elle plus qu'un cliché ? Il y revint : son âme sœur... Cela existait-il ? Il n'en était pas persuadé. Sa sœur de *cœur*, en tout cas. Voilà ce qu'elle était. Ce qui ne signifiait pas qu'il n'aimait pas Val. Ces sentiments ne pouvaient se comparer. Meg possédait une part de son être que Val ne verrait jamais, n'atteindrait jamais, ne comprendrait jamais. Il aurait dû se battre pour elle, dû passer outre la douleur que lui infligeait sa fierté blessée et lui montrer à quel point elle se trompait. Que ne faisait-on pas avec le recul ?

Il contacta son agence de voyages. Quand il eut réservé un billet sur un vol en partance le soir, il composa le numéro de ses parents. Sa mère répondit.

— Salut, maman. Tu te rappelles, quand je suis parti l'autre jour, tu m'as dit que tu regrettais de ne pas me voir davantage ?

Silence. Puis :

— Carson, est-ce que ça a un rapport avec Meg ? Parce que si c'est le cas, souviens-toi que ça l'a bien arrangée de te laisser tomber pour Brian Hamilton quand c'était lui qui croulait sous l'argent.

— Il s'agit d'autre chose, maman.

— Ah bon ? Elle ne t'a pas téléphoné pour t'annoncer qu'elle divorçait ?

Il ferma les yeux. Si seulement... Puis il lui apprit la terrible maladie de Meg.

— Je ne sais pas ce que je peux faire pour elle, ajouta-t-il. J'ai juste... J'ai besoin d'être sur place.

Il attendit que sa mère eût enregistré la nouvelle.

— Très bien, dit-elle. Je peux comprendre. Et Val ? Elle est au courant ?

— Je lui parlerai demain. Ça ne devrait pas poser de problème. Elle est très compréhensive. Cela ne changera pas la date.

— Mon pauvre chéri, dit-elle. Je suis tellement triste pour Meg. C'est affreux pour eux tous. Appelle-nous quand tu auras atterri, pour que nous sachions à quelle heure t'attendre.

— Merci, maman, dit-il, soulagé de son soutien. Tu sais, décida-t-il ensuite, il sera tard. Je ne veux pas vous déranger. Je peux dormir dans la grange.

— Mon chéri, je comprends tes sentiments, mais ça fait des années que tu n'y as pas dormi. Si ça se trouve, le climatiseur ne fonctionne même plus. Prends la chambre d'amis, comme d'habitude. Si ça t'arrange... on ne t'attendra pas.

— Je crois que je me sentirai mieux si je dors dans la grange, insista Carson.

— Bien. Tu sais que nous serons de toute façon contents de t'avoir parmi nous.

43

Le vendredi, Savannah déjeuna à la petite cafétéria du lycée avec ses copines habituelles, Rachel et Miriam, une jeune fille mince, d'une beauté éblouissante, dont le père avait jadis fait partie de l'équipe de base-ball des Minnesota Twins. Elles se demandèrent si elles se rendraient plus tard aux réjouissances du Cinco de Mayo au centre-ville, mais Savannah refusa de s'engager à quoi que ce soit. Mentalement, elle revenait sans cesse à ce que Kyle lui avait susurré, tard dans la nuit, au téléphone. Des promesses tendres, intimes, sur ce qu'ils feraient à son retour en ville dans la soirée.

Il l'avait obsédée pendant toute la semaine, aussi elle n'avait pas obtenu de notes satisfaisantes à l'interrogation de trigonométrie et au contrôle d'histoire, et s'était assoupie pendant le film projeté en cours d'art plastique, mais elle tenait le coup. Seule sa tante Beth semblait remarquer qu'elle n'était pas souvent à la maison. La veille, quand elle était rentrée de chez le glacier avec son père, elle était venue la voir et s'était assise sur son lit une minute.

— Tu ressembles à une souris dans une maison pleine de chats, avait-elle lancé. Tu es amoureuse ?

Savannah avait été contente de lui avouer qu'elle sortait avec un garçon.

— Mais maman n'est pas au courant, avait-elle ajouté. Cette histoire de nerf coincé la rend vraiment distraite, alors j'ai préféré ne pas lui en parler.

Le visage de Beth s'était assombri.

— C'est vrai qu'elle est très préoccupée, avait-elle reconnu, mais à mon avis, cette nouvelle la rendrait heureuse.

— Ce n'est pas le scoop du siècle, avait répliqué Savannah. Tu peux lui annoncer toi-même.

Beth estimait que c'était à elle de le faire :

— Ne crains pas de partager des trucs avec ta mère. Elle te place tout en haut de sa liste, tu sais.

Savannah y avait repensé. D'accord, mais d'après elle, c'était papy Spencer qui figurait pour l'instant en tête des priorités de sa mère. À juste titre. Son opération s'était bien passée, mais il souffrait beaucoup, ce qui le rendait grincheux et exigeant. « Quand je pense qu'il se demande pourquoi j'ai sauté sur la première occasion de quitter la maison ! » avait remarqué sa tante Julianne.

Savannah la comprenait parfaitement. Évidemment, ses parents n'avaient rien d'abominable, mais ils étaient presque toujours absents, et quand ils étaient là ils remarquaient à peine sa présence. Ils ne s'intéressaient que de très loin à sa vie *réelle*, et elle avait la sensation très nette de ne pas figurer au cœur de la leur. En fait, elle avait plutôt l'impression d'être un pensum, un objet encombrant qu'on devait toujours transporter : lycée, entraînements, matches... Vivement qu'elle ait sa propre voiture !

Ce soir, Kyle descendait de nouveau dans ce qu'elle considérait à présent comme « leur » hôtel. Elle avait envie de l'inviter à dîner et au cinéma.

— Super, avait-il dit, si j'arrive à me retenir de te tripoter.

Il avait hâte, affirmait-il, de la goûter de nouveau.

Rachel agita sous son nez un sandwich au thon.

— Savannah. Où es-tu ?

Elle repoussa la main de son amie.

— Nulle part. Quoi ?

— Tu viens avec nous en ville ou non ?

Quelques semaines auparavant, elle les aurait accompagnées n'importe où sans hésiter une seconde, et elle aurait pris comme cible de sa dérision toute fille refusant de se joindre à ses copines à cause d'une amourette. Avant Kyle, elle ne comprenait pas comment on pouvait faire passer un garçon avant ses amies. À présent, elle suivait : certains garçons le méritaient. Pas ceux qui plaisaient à ses amies, cependant : ses critères étaient plus élevés.

— Non, je ne peux pas venir. J'ai un rendez-vous.

— Je t'ai dit que je ne pouvais pas te couvrir encore, lui chuchota Rachel à l'oreille.

Sa famille décollait le lendemain à l'aube pour assister à un mariage au pays de Galles.

— Je sais. Mais ne t'inquiète pas. Je ne resterai pas toute la nuit.

Miriam leur jeta une boulette de pain, qui atterrit sur l'épaule de Savannah.

— Pas de secrets, ordonna-t-elle.

— C'est ça, Rachel, enchaîna Savannah à voix haute, avant de déclarer à Miriam : elle me racontait qu'elle préfère le corps de Michael Jackson à celui d'Ashton Kutcher. Ça y est, le secret est éventé.

Le couinement de dégoût de Miriam la fit rire et elle esquiva le coup de poing feint de Rachel.

— Si tu me trouves dévergondée, dit Rachel, figure-toi que Savannah en pince pour Marilyn Manson.

— Oh, chéri ! lança Savannah d'un ton faussement passionné.

Elle se disait que ses amies n'avaient aucune idée, contrairement à elle, de la Chose avec un grand C.

44

Anna Powell avait écrit les derniers mots de son journal quelques heures avant sa mort, au début du douzième carnet. Meg évitait de les lire, pour ne pas avoir à affronter leur caractère définitif. Malgré son refus de se laisser piéger par le passé et par la souffrance que sa lecture était susceptible de lui causer, plus elle avançait, moins elle avait envie de terminer ce parcours avec sa mère. Elle avait néanmoins découvert, par le biais de son propre journal, que la fin n'était pas définitive pour le lecteur, en tout cas. Elle pouvait reprendre du début et refaire tout le voyage en compagnie de sa mère.

Le vendredi soir, après le départ de ses sœurs très émues, elle se commanda un repas chinois chez le traiteur. Savannah était au cinéma et Brian dînait avec un client. Quand elle se sentit capable de le supporter, elle s'attaqua au dernier passage :

10 septembre 2005
Minimum : 17,5 °C, maximum : 31,5 °C. Clair, venteux, chaleur étouffante.
Ce soir, ma migraine qui refuse de passer. Sans doute causée par l'humidité ou par un orage qui couve. Je sens que le baromètre descend.
Comme Spencer allait à cette exposition d'orchidées aujourd'hui, je me suis arrangée pour déjeuner en tête à tête avec Meggie. Je suis peut-être folle, mais j'avais une sensation très bizarre, comme si un ange perché sur mon épaule me suppliait de parler à mon aînée, de me soulager de ce que j'avais sur le cœur. J'ignorais à quoi ça allait servir, mais j'ai décidé de le faire, simplement pour rendre l'ange heureux.
Meg est passée me prendre et j'ai remarqué qu'elle ralentissait en longeant la maison des McKay. « Il paraît que leur récolte de pamplemousses va être exceptionnelle cet hiver, ai-je remarqué, pour entretenir la conversation. De la route, on distingue les fruits en maturation, ce qui n'est pas toujours le cas. Certaines années sont moins fructueuses. » Bref, elle a

accéléré, comme si je venais de la surprendre en train de faire une grosse bêtise.

Je me lance donc dans le petit discours que j'avais préparé, alors que j'avais l'intention d'attendre la fin du déjeuner. Je voulais simplement qu'elle sache le souci que je me fais pour elle, que je me sens coupable de la manière dont on l'a incitée à épouser Brian. Bien sûr, c'est un gentil beau-fils, prévenant, poli, serviable et tout le reste, mais c'est pas le genre d'homme qui peut la rendre heureuse. Il lui manque quelque chose. J'ai bien réfléchi, et cette chose, je l'appellerais « passion ». Brian a de l'énergie, un dévouement et de l'ambition à revendre. Certains nommeraient cela passion, mais, moi, je parle du genre d'énergie qui relie une personne aux forces de la nature et de la vie. Comme celle de Spencer et de Savannah. Ou de Meggie, quand elle était petite. Et Kara, que Dieu la bénisse, avec ces quatre garçons et toutes ces idées !

C'est vrai que Spencer manque parfois de sensibilité. J'ai soixante-quatre ans, et malgré toutes les difficultés que j'ai endurées à cause de ses idées folles, de ses mauvais calculs, de ma courte vue ou de ce qu'on voudra, j'ai toujours été contente d'être sa femme. Meggie et Brian ont vraiment la belle vie, mais je sais — nous savons tous — qu'il leur manque quelque chose. Brian l'étouffe. Il la vide de son énergie. J'ai bien l'impression que ce mode de vie, malgré son apparence idyllique, l'a déconnectée de tout ce qu'elle aimait petite fille.

J'ai voulu lui confier ma peur qu'elle se transforme en carriériste déprimée et solitaire si elle continue comme ça. Mais dès que je lui ai dit : « Ma grande, je m'inquiète un peu pour toi en ce moment », elle s'est mise à me parler des excellents résultats scolaires de Savannah et de la voiture qu'ils vont lui offrir pour son anniversaire au printemps prochain ! J'ai déraillé comme un chien qui vient de voir un chat et j'ai mis mon grain de sel sur les gosses pourris d'aujourd'hui à qui on donne tout et n'importe quoi. Attention, je ne les accusais pas, elle et Brian — j'ai quand même un peu la fibre diplomatique —, mais je lui ai dit qu'à mon avis un enfant qui reçoit tout sans jamais lever le petit doigt est privé des leçons les plus importantes de la vie. Meg ne m'a pas contredite.

Au restaurant, j'ai essayé de reprendre mon petit discours, mais un peu plus subtilement. « Encore deux ou trois ans, et

Brian et toi, vous allez vous retrouver seuls. Ça va être un sacré changement, non ? lui ai-je déclaré. Comme tu as tout de suite été enceinte, vous n'avez guère eu le temps de mener une vie de couple. » Elle a acquiescé et, du coup, je me suis dit qu'on avançait un peu. Mais sur ce, elle s'est mise à me parler d'une de ses patientes qui attend un enfant à quinze ans et qui est déjà mariée ! Et je n'ai pas réussi à remettre la conversation sur elle et Brian... Alors, j'ai abandonné. Je me suis dit que je n'avais pas bien dû comprendre ce que voulait cet ange.

On a passé un merveilleux moment, Meggie et moi. Ça n'a pas de prix. Je ne me rappelle pas la dernière fois qu'on a bavardé comme ça tranquillement tout un après-midi. Je ferais mieux soit de m'occuper de mes propres affaires et de pas l'ennuyer, soit d'attendre le moment où elle sera prête à confier ses soucis.

Si jamais ça lui arrive. Avec moi en tout cas. Peut-être a-t-elle des reproches à nous faire, à Spencer et moi. Si c'est le cas, je ne peux pas lui en vouloir. Je dois juste trouver le courage de lui poser directement la question et de lui demander pardon. Mais, Sainte Mère qui êtes aux cieux, je n'aime pas remuer la vase ! Pour l'instant, je vais voir s'il reste de ces cachets anti-douleur extraforts que Spencer prenait quand on lui a fait sa double dévitalisation. Si je n'arrive pas à me débarrasser de cette migraine, je ne pourrai jamais dormir, et Dieu sait si une bonne nuit de repos me ferait du bien.

Un long soupir fit tressaillir Meg.

Elle en voulait effectivement en partie à sa mère : celle-ci aurait peut-être bien fait de remuer un peu la vase. Elle lui aurait répondu : « Oui, maman, tu as eu tort d'encourager mon mariage, et papa aussi », et elle aurait ajouté : « Mais je comprends, j'ai ma propre part de responsabilité, et Brian également. » Les torts étant partagés, le fardeau qu'elles portaient toutes les deux s'en serait trouvé allégé. Si seulement elle n'avait pas tout fait pour éviter de parler de son mariage, si seulement sa mère n'avait pas laissé tomber aussi facilement...

Si seulement.

Existait-il une expression plus triste ?

45

Savannah attendait devant le cinéma où son père venait de la déposer. Elle fit signe à Kyle qui s'approchait du trottoir.

— Douce Savannah…, chantonna-t-il par la vitre de sa voiture.

Il conduisait une Pontiac de la fin des années 90, aux sièges tendus de tissu gris élimé et taché – il avait trop souvent laissé les vitres ouvertes sous la pluie –, mais Savannah s'en moquait.

— Tu ne te gares pas ?

Les joues de Kyle se creusèrent de fossettes quand il sourit.

— Et si on sautait le film ? Je suis trop impatient de te voir. J'arriverai jamais à me concentrer sur l'écran.

Comment pouvait-elle refuser quoi que ce soit à un sourire pareil ? Elle monta à bord. Dès qu'ils eurent démarré, Kyle alluma un joint et le lui tendit.

— Pas la peine, dit-elle. Mais vas-y.

Il lui fourra le joint sous le nez.

— Allons, tu risques pas de devenir accro. Tu t'es bien amusée la semaine dernière, non ?

Si elle niait, elle passerait pour une hypocrite. Elle ne voulait surtout pas lui faire croire qu'elle le jugeait ou se conduisait comme une fille de son *âge*.

— D'accord, je vais tirer une bouffée.

Elle lui repassa le joint.

— J'ai quelque chose pour toi.

Elle sortit de son sac une grosse enveloppe et la déposa sur les genoux de Kyle.

— Pour payer tes cours de rattrapage cet été. Tu t'es inscrit ?

— Ma belle ! Quelle générosité ? Ça fait combien ?

Elle s'inclina pour lui chuchoter à l'oreille :

— Mille.

— Nom de Dieu !

Son enthousiasme la ravit tellement qu'elle lui mordilla l'oreille.

— Tu peux vraiment te le permettre ?

— Oui, je les ai pris sur mes économies, comme la dernière fois. Je te l'ai dit : je n'en ai pas besoin. Autant que ça serve à quelque chose d'utile.

Le rendre heureux, voire reconnaissant à son égard, par exemple. Le faire penser à elle, qui sait ? comme à une associée. Quand elle sortirait du lycée, il aurait terminé sa licence à Florida State et ils pourraient partager un super appartement à Tallahassee. Elle fréquenterait State à son tour, pendant qu'il préparerait sa maîtrise. Ses parents participeraient peut-être même aux frais : d'ici là, ils l'adoreraient, car ils auraient eu le temps d'oublier leur différence d'âge, et dans le cas contraire...

Ils ne cessèrent de se repasser le joint pendant toute la traversée de la ville. À leur arrivée à l'hôtel, elle eut presque l'impression d'avoir volé jusque-là. Pendant que Kyle prenait une chambre, Savannah l'attendit dans la voiture, fredonnant un air de No Doubt en farfouillant dans la boîte à gants en scandant :

— Crayon, permis, jauge pneus, mini-lampe poche, mini-lampe poche, mini-lampe poche... frites, capotes !

Trois préservatifs traînaient au fond, attachés par un vieil élastique sale.

— T'as trouvé la planque ?

Kyle la fit sursauter. Il venait d'entrer dans l'hôtel, non ? Le temps se déroulait vraiment d'une drôle de manière quand on était stone.

Elle tira sur l'élastique.

— Tu es boy-scout ? Toujours prêt !

La semaine précédente, il ne s'était pas embarrassé avec des préservatifs. Il lui avait déclaré que c'était bien plus amusant de se débrouiller au dernier moment. Peu importait, du moment qu'il ne la mettait pas enceinte.

Une fois dans la chambre, il déposa son sac à dos de toile sur le lit et s'affaissa à côté.

— Comme tout bon boy-scout, je suis bien équipé. Regarde : je me le suis procuré à Miami.

Il exhiba un appareil photo numérique. Savannah voulut s'asseoir près de lui, mais il lui intima « Stop ! » d'une main levée.

— Une seconde. Photo.

274

Il alluma l'appareil, fit le point sur elle et prit la photo.

Savannah se félicita d'avoir mis une nouvelle jupe jaune citron et un chemisier de coton blanc, des vêtements plus branchés que ceux qu'elle portait d'habitude et qui avaient plu à toutes ses tantes, sur le point de partir pour l'aéroport. Sa mère avait même réussi l'exploit de sortir de son brouillard pour lui dire que ce nouvel ensemble la mettait « parfaitement en valeur ». Du coup, Savannah s'en était voulu de la tromper avec une telle aisance. Sa tante Beth avait probablement raison : elle devait informer sa mère qu'un garçon lui plaisait, ne serait-ce que pour l'habituer à l'idée qu'elle sortait avec quelqu'un.

— Déboutonne ton chemisier, ordonna Kyle. Pose pour moi.

Elle s'exécuta, mais marqua un temps d'arrêt.

— Une seconde ! C'est juste pour toi ?

— Qu'est-ce que tu crois ? répliqua-t-il, l'appareil photo braqué sur elle.

De l'endroit où elle se trouvait, elle n'eut aucun mal à se dépouiller de sa jupe et à exhiber le soutien-gorge en dentelle blanc, récemment acheté aussi, comme la jupe, le chemisier et quelques autres fanfreluches, sur la carte de crédit de sa mère. Elle avait informé cette dernière à l'avance du coût des vêtements et avait même concocté un mensonge pour expliquer les frais d'avion et d'hôtel quand ils apparaîtraient sur le relevé : elle prétendrait que toutes ces dépenses étaient sans doute à imputer au vol du code de sa carte. Simple comme bonjour.

— Et maintenant, ta jupe !

Kyle sortit un petit flacon de pilules pendant qu'elle dégrafait la jupe en tortillant des hanches. L'audace lui venant, elle prit la pose.

— Ça te plaît ?

Il se leva, la saisit par la main et l'attira vers le lit.

— À ton avis ?

Il l'obligea à placer la main sur son entrejambe. Ça lui plaisait effectivement beaucoup. Il prit dans le flacon une minuscule pilule jaune.

— Cette dope est géniale. Tu peux l'essayer si ça te dit, mais n'imagine pas que je te force, hein ? Elle rallonge le trip, point final. (Il mit la pilule dans sa bouche et l'avala sans eau.) C'est cool, mais t'es peut-être pas prête pour ce truc.

Savannah essaya de mesurer raisonnablement son offre. Il venait d'en prendre une. Par conséquent, en quoi pouvaient-elles être nocives ? Et elle était prête. Pour le lui prouver, elle saisit le flacon et en fit sortir à son tour une pilule qu'elle mit dans sa bouche, exactement comme lui. Un cachet aussi minuscule ne pouvait présenter aucun danger.

La drogue fit alors son effet. Par la suite, elle ne se souvint que par éclairs tranchants de la succession des événements : pose en sous-vêtements. Pose sans. Sex toys tirés du sac de Kyle. Coup frappé à la porte alors qu'elle était allongée, pieds et mains lâchement menottés – « Un ami », avait annoncé Kyle en allant ouvrir. Ensuite, Kyle qui la pénétrait par tous les côtés. Le copain était-il toujours là ? Elle ne se rappelait pas avoir vu quelqu'un, et lorsque les effets de la drogue commencèrent à se dissiper, ils étaient seuls.

Le temps recommença à se dérouler à une vitesse normale. Savannah jeta un coup d'œil au réveil de la table de chevet.

— Mon Dieu ! Je suis en retard.

Il était presque une heure du matin.

Elle s'habilla à la hâte, trouva son portable et constata qu'elle avait reçu des appels de ses parents et de Rachel. Un vent de panique la submergea. Qu'allait-elle pouvoir raconter à Meg et Brian ?

— Tu dois me raccompagner à la maison.

Kyle, encore nu, s'approcha d'elle.

— Pardon, bébé. Je... On s'est trop défoncés. Wouah ! Quel pied, en tout cas !

Il caressa ses seins, puis il descendit, glissa les mains sous sa jupe.

— Tu es une petite nana super sexy. La plus sexy que j'aie jamais rencontrée, lui chuchota-t-il à l'oreille.

Sa bouche chaude la chatouilla et sa déclaration lui plut, et pourtant, elle éprouvait une forme de honte. Comment avait-elle pu faire toutes ces choses de son plein gré ? Était-elle ce genre de fille ?

— Au fait, les photos...

— Mon trésor à moi.

Il repoussa ses cheveux pour l'embrasser dans le cou.

Savannah ne parvenait plus très bien à établir la différence entre la réalité et les images sorties de son imagination.
Elle aurait voulu lui demander si quelqu'un les avait vraiment regardés faire. Avait-il uniquement dit que ce serait sexy
si quelqu'un les observait ? Elle s'abstint cependant de lui
poser la question. Mieux valait laisser couler pour le moment,
y réfléchir plus tard, quand l'effet de la drogue se serait
dissipé et qu'elle aurait retrouvé son équilibre.

Kyle l'obligea à poser la main sur son érection. Encore ? Le
moindre centimètre de son propre corps lui paraissait endo-
lori, abîmé.

Les larmes lui montèrent aux yeux.

— Je dois vraiment rentrer, chuchota-t-elle.

— Cinq minutes, répliqua-t-il.

Il la força à s'agenouiller, et elle ne sut comment refuser.

46

Le retour de Savannah fit presque défaillir Meg de soulagement. Elle s'aida de son bras valide pour se lever du canapé
du salon.

— Mais où étais-tu passée ?

À présent qu'elle était rassurée, sa colère eut vite fait de
prendre le dessus.

Bien trop mal à l'aise pour affronter son regard, Savannah
fixa derrière elle un trio de palmiers en pots dans un angle de
la pièce.

— Avec des amis.

— Pas avec Rachel, répliqua Brian qui ne s'était pas
couché non plus.

— Je n'ai pas dit « avec Rachel ».

Le visage de Savannah était extrêmement tendu, et on
aurait dit qu'elle avait pleuré.

Meg s'approcha d'elle.

— Tu es blessée ?

Les yeux toujours fuyants, Savannah semblait effondrée.

— Tu veux me parler seule à seule ?

— Je vais bien, OK ? Je vais bien. Je suis juste très fatiguée.

— Tu es juste punie, lança Brian en allant éteindre la cuisine. Je t'interdis de faire le moindre projet pour le reste du week-end.

— C'est ça ! hurla Savannah.

Elle resta plantée au bord du tapis de laine chinois, comme s'il délimitait un champ de force dans lequel elle ne pouvait – ou ne voulait – pas pénétrer, se dit Meg. Comme si l'attendaient là des questions, des défis, voire des conséquences encore pires que la réaction de Brian.

— Ma puce ? demanda-elle avant de traverser le tapis pour prendre la main de Savannah.

Sa colère s'était évanouie. Elle n'était plus qu'inquiétude. Sa fille ressemblait beaucoup aux victimes des sévices sexuels : regard fuyant, épaules affaissées exsudaient une odeur désagréable, provoquée par le traumatisme.

Savannah se dégagea.

— Je vais me coucher, annonça-t-elle. Je vais bien.

Qui essayait-elle de convaincre le plus ? De toute évidence, il s'était passé quelque chose. Combien de fois avait-elle répété « bien » en une minute ? Elle disposait d'un vocabulaire beaucoup plus riche, même si personne ne brillait par sa cohérence à une heure quarante-cinq du matin. Elle n'était peut-être qu'épuisée. Ou alors elle s'était disputée avec une amie ou avec un garçon. Qui sait, elle avait peut-être refusé de monter dans la voiture d'une amie ivre pour rentrer à pied ? Meg essayait de se convaincre que le problème ne résidait que dans ses propres soupçons, et que Savannah allait bien, comme elle le disait.

Elle attendit d'avoir entendu la porte de sa fille claquer, à l'autre bout du couloir, pour confier ses craintes à Brian.

— J'ai vu les mêmes signes sur d'autres femmes : il se peut qu'elle ait subi des avances, ou une agression sexuelle.

L'énoncer à haute voix l'affolait, lui faisait mal pour Savannah. Où était-elle allée ?

Brian vint s'asseoir sur le bras du canapé.

— Peut-être qu'elle prend cet air pitoyable pour éviter d'avoir des ennuis.

— Tu plaisantes ?

— Simple hypothèse. Enfin, tu l'as entendue comme moi. Tu as vu son air maussade. Elle a dû se dire que comme nous étions occupés avec tes sœurs, nous ne remarquerions même pas qu'elle rentrerait aussi tard.

— Elle savait parfaitement que ses tantes partaient ce soir, répliqua Meg. Ça ne lui ressemble pas du tout.

La moulure en feuille d'or trilobée du plafond attira son attention. Elle avait coûté trois fois le montant d'un semestre de ses études de médecine.

— On s'occupera d'elle demain matin, dit Brian. J'ai besoin de me débarrasser de toute cette tension – et toi aussi.

Faisait-il allusion à la SLA, en plus de l'opération du rein de son père, de la visite de ses sœurs et de la première violation du couvre-feu par leur fille ? Dans ce cas, il se décidait enfin à s'aventurer dans ces eaux depuis leur conversation du mercredi matin. Ils devaient aborder les conséquences que sa maladie allait avoir sur leur vie, évoquer les détails pénibles. Pas tout de suite, bien sûr, mais vite.

— Vas-y, dit-elle. Je crois que je vais rester ici encore un peu, le temps de me calmer. Je n'ai pas sommeil.

— Je peux te tenir compagnie, si tu veux, mais j'ai rendez-vous au golf à huit heures.

— Non, vas-y. N'oublie pas de faire sonner ton réveil.

Sur le chemin de leur chambre, Brian marqua un arrêt, comme s'il voulait ajouter quelque chose. Mais il se ravisa et alla se coucher.

Meg emporta un verre, une bouteille de gin, un stylo et son journal sur la véranda grillagée. Tout autant que Savannah, elle avait besoin de se calmer. Elle choisit son fauteuil préféré et avala une profonde bouffée d'air moite, s'efforçant de ne pas penser à ses poumons qui, comme ses bras et ses jambes, s'affaiblissaient.

Savannah, je me ronge les sangs. J'aimerais aller dans ta chambre pour savoir ce qu'il t'est arrivé ce soir. Mais je me souviens de la manière dont je voulais à tout prix protéger ma vie intime à ton âge. Serais-tu heureuse de ma sollicitude ou me

repousserais-tu ? Je crains que tu n'aies été victime d'une agres-
sion, mais il se peut aussi que je réagisse trop violemment. C'est
tellement difficile de te laisser mener ta vie d'adolescente !

J'ai été trop occupée par la visite de tes tantes pour écrire.
Je me sens la charge, avec ce journal, de te laisser un message
essentiel. Mon sablier semble se vider plus vite de jour en jour,
et j'ai si peu abordé les sujets importants. J'ai l'impression qu'il
me faudrait une vie entière pour te guider. À seize ans, je
croyais n'avoir aucun besoin de ma mère, et j'aurais trouvé ridi-
cule qu'elle veuille m'aider dans ma vie d'adulte. Je me serais
demandé pourquoi elle refusait de lâcher prise, je lui aurais dit
de me résumer l'essentiel de sa sagesse et de me laisser décou-
vrir le reste toute seule. Jamais je n'aurais pensé qu'elle appre-
nait encore beaucoup de choses elle-même.

Meg se servit le gin de sa main gauche, économisant la
droite pour le journal. Les petits inconvénients s'ajoutaient les
uns aux autres, mais elle contenait sa frustration. Bien pire
l'attendait, si elle résistait longtemps. Si elle ne parvenait pas
à supporter ces premiers désagréments, jamais elle ne maîtri-
serait les plus graves.

Elle sentit la chaleur de l'alcool se propager de sa gorge
vers le bas de son corps comme une longue mèche
enflammée. Elle savoura cette sensation agréable au creux de
son ventre, songeant au moment où elle aussi serait à mettre
au débit des plaisirs perdus.

— Arrête ! s'ordonna-t-elle.

Mamy a mis longtemps à comprendre que certains de ses
jugements étaient faux, et j'ai appris qu'elle le savait unique-
ment le jour où j'ai lu son journal intime. Elle a bien essayé de
me confier l'une de ses plus grandes erreurs, mais je n'étais
pas prête à l'écouter. Je sais parfaitement que tu n'es peut-être
pas prête à entendre certaines de mes conclusions, mais essaie,
Savannah. Et, je t'en prie, fais-toi aider quand tu n'arriveras
pas à saisir ce qui m'a poussée à faire ce que je projette. Tu
auras sans doute besoin que quelqu'un... complète mes tenta-
tives d'explication. Tante Kara se souvient de l'enfance que j'ai
vécue, de nos conditions de vie à l'époque. Le Dr Patel pourra
répondre à tes questions sur mon métier, sur ma maladie. Tu

sais qu'elle t'aime comme sa propre fille. Papa devrait égale-
ment pouvoir t'aider, mais il souffre aussi.

Cela durerait un petit moment. Puis Brian ferait des pieds
et des mains pour « grimper et avancer », selon sa formule
préférée, se libérer du poids de sa maladie et de son suicide.
— Suicide, prononça-t-elle.
Pour quelle raison cet acte présentait-il une connotation
si négative et désespérée ? La plupart des médecins le
comprenaient, même si tous ne l'admettaient pas publiquement. Les membres du cercle de Brian le considéraient sans
doute comme une marque de démence. Et *lui* ?
Peut-être était-ce bien de la folie. Et si dans son cas la SLA
défiait toute logique ? La petite étincelle d'espoir qui venait
de jaillir eut vite fait de s'éteindre. La maladie se propageait
à présent en elle à la vitesse d'un feu de brousse. Mais elle ne
parvenait pas à l'accepter. Pourquoi ne pouvait-elle appartenir
au carré des chanceux ?
Elle devait rester concentrée sur sa fille, sur sa tâche.
Passé cet accès d'auto-apitoiement, Meg retrouva son prag-
matisme et se demanda comment, à défaut d'avoir de la
chance, elle pouvait garder le contrôle de la situation. Mince
réconfort, qu'elle ne refuserait pourtant pas.

Certaines personnes s'interrogeront sur la façon dont j'ai
abordé ma maladie – ma mort. Tu en feras peut-être partie.
Des gens diront que j'ai fait preuve d'égoïsme, que j'ai commis
le péché ultime. Je te le déclare tout net : je ne crois pas à
l'enfer des chrétiens. L'enfer est ici, sur terre. L'enfer, ce sont
nos erreurs, les souffrances qu'infligent aux humains les bains
de sang, les famines et les guerres, c'est le refus persistant de
notre culture d'autoriser un malade incurable à mourir avec
dignité. La SLA se transforme en cachot dont on ne peut
s'échapper, dégradant un être humain, le dépouillant de son
humanité, de sa fierté, de sa faculté d'agir en « être vivant ».
Quand tu le réaliseras, tu comprendras peut-être pourquoi j'ai
choisi de ne pas m'imposer ni t'imposer ce calvaire.
À présent, j'arrête mon feuilleton à l'eau de rose.

Elle étira la main et massa ses muscles affaiblis. Le relâchement de son écriture la frappa. D'ici peu, elle ne serait plus capable de se servir d'un stylo. Tant pis, s'il le fallait, elle écrirait de la main gauche. Elle ferait le nécessaire pour aborder le maximum de sujets possible. Ce serait tout ce que Savannah garderait d'elle.

Par quoi allait-elle continuer ? Elle songea à son histoire avec Carson. Devait-elle encourager sa fille à obtenir des réponses de lui ? Elle hésitait. Savannah ignorait pratiquement tout de cette relation. Devait-elle en savoir plus ? Uniquement dans la mesure où Carson était son père. Pour l'instant, Meg risquait simplement d'ouvrir une boîte aussi emplie de maux que celle de Pandore. Et pourtant... au fond de la jarre qui avait déversé tant d'abominations se trouvait aussi l'Espérance. Demander une parcelle d'espoir, sinon pour elle, du moins pour Savannah, n'avait rien d'exorbitant.

Après sa rencontre du vendredi avec Carson, Meg était convaincue que même s'il n'était pas le père de Savannah, il pourrait exercer une bonne influence sur elle. S'il acceptait cette relation à laquelle rien ne l'obligeait. Elle avala une longue rasade de gin, dans l'espoir que l'alcool l'aiderait à démêler ce problème, à relier son esprit et son cœur. Carson n'était-il pas en droit de savoir qu'il avait peut-être un enfant ? Savannah n'avait-elle pas le droit de savoir qu'il était son père, le cas échéant ? Et Brian, d'apprendre éventuellement que Savannah n'était pas sa fille ? Si Carson était bien le père, tous trois risquaient de subir un grave traumatisme, mais Meg ne pouvait en toute conscience emporter ce secret dans la tombe.

Comment découvrir la vérité ? Il lui fallait faire procéder à des tests ADN sur Savannah et Brian. Petit problème facile à régler à l'insu de sa fille. Une simple prise de sang de routine lui fournirait l'échantillon nécessaire. Mais elle devait prévenir Brian – obtenir son consentement –, à moins... à moins de récolter un échantillon à son insu aussi. Du sang serait idéal, mais d'autres éléments conviendraient. Du sperme, par exemple. Et cela, elle pouvait l'obtenir sans rien lui dire.

Était-elle capable de ce genre de supercherie ? Cette dernière était-elle pire que sa cause ? Son empressement à

282

berner Brian aurait sans doute dû lui inspirer de la honte, mais avait-il souffert de sa première tromperie ? Il menait exactement la vie qu'il souhaitait. Si elle faisait procéder en secret à l'examen ADN et qu'elle obtenait la confirmation qu'il était bien le père de Savannah, il ne saurait même pas qu'une autre hypothèse s'était présentée. Dans le cas contraire, il se sentirait avant tout mortifié. Tout le reste, y compris la manière dont elle avait procédé pour obtenir l'échantillon, passerait au second plan. En définitive, elle n'avait donc aucune raison de le mettre au courant tant que cet aveu ne se révélerait pas vraiment nécessaire.

Cela ne signifiait néanmoins pas que l'obtention de cet échantillon allait se transformer en partie de plaisir. Son cœur y serait encore moins que jamais.

Meg laissa ses affaires sur la véranda pour rentrer d'un pas boitillant dans la maison, afin de vérifier si Savannah s'était endormie. Aucun rai de lumière ne filtrait par l'embrasure de la porte de sa chambre, mais elle entendit des accords de guitare. Elle hésita à tourner la poignée. Devait-elle laisser le champ libre à sa fille pour qu'elle s'arrange seule de sa mésaventure ? Il leur restait si peu de temps qu'elle ne voulait pas courir le risque de se l'aliéner, de creuser un fossé entre elles. Elle n'eut pas le loisir de prendre sa décision. Une mélodie métallique retentit : le portable de Savannah. Meg pressa l'oreille sur la fissure séparant le cadre du montant.

— 'soir. Non, pardon d'avoir dramatisé. Je sais que tu ne voulais pas... Oui, je pense que c'était un peu trop... j'étais juste fatiguée. Ouais ? Bien sûr que je t'aime aussi.

Meg écarquilla les yeux. Qui ? Qui Savannah aimait-elle ?

— Non, garde-le. Je veux t'aider... punie... fête d'anniversaire samedi prochain...

La suite était inaudible. Savannah avait dû raccrocher, aller dans sa salle de bains ou entrer dans le dressing. Meg demeura abasourdie. Savannah avait un petit ami. Sérieux. Et elle n'avait absolument rien deviné. Comment pouvait-elle être si éloignée de la vie affective de sa fille ? Cette constatation la rendit malade.

Savannah avait un petit ami, et il était pour quelque chose dans ce qui était arrivé. Savannah l'aimait toujours. Ils avaient dû se disputer. Que signifiait « un peu trop » ? Avait-elle bu ?

L'ivresse pouvait expliquer ses yeux rougis, son air coupable. Dieu merci, l'incident était moins grave qu'elle ne l'avait craint. Dieu merci, Savannah était rentrée saine et sauve à la maison.

Meg s'éloigna, décidée à attendre un moment plus approprié pour l'interroger. Demain, peut-être, ou d'ici à quelques jours. Cela ne servirait à rien de le faire alors qu'elles étaient toutes les deux si lasses et si sombres. Elles devraient également aborder le problème de la contraception, comme Meg avait eu l'intention de le faire la semaine précédente.

Inouï, Savannah était amoureuse.

De retour sur la véranda, Meg reprit son journal.

Je veux te raconter une histoire d'amour que j'ai vécue adolescente. Je croyais avoir déjà été amoureuse : en cinquième, d'un petit Cubain qui s'appelait Rico, puis d'un autre garçon à mourir de rire, Neil, en quatrième. Je suis sortie avec quelques autres, mais ça ne collait jamais tout à fait. Et puis, juste avant mon seizième anniversaire, j'ai subitement vu ce qui me crevait les yeux depuis toujours. Mon véritable amour était mon meilleur ami, mon ami le plus proche : Carson McKay.

À l'époque, je ne respirais que pour lui. Je n'imaginais pas vivre sans son rire, son affection. L'avenir serait une suite de journées parfaites où nous ne nous quitterions jamais. Il ne pensait pas alors se lancer dans une carrière musicale, et de mon côté je ne voyais pas l'utilité ne serait-ce que de songer à une carrière médicale. Mais peu importait. Nous pensions nous associer à nos parents pour exploiter leurs fermes. Pas un instant je ne doutais que notre vision de l'avenir se concrétiserait.

Cette nouvelle te bouleverse ? Dans ma mémoire, ce souvenir ressemble à un merveilleux fantasme, à un rêve très lointain, alors que tu as sans doute l'impression qu'une petite bombe vient de t'exploser au visage. Comment ai-je pu aimer Carson si passionnément et ne jamais t'en parler ? Pourquoi t'ai-je fait écouter sa musique dès ta plus tendre enfance ? Tu te demandes peut-être si papa est au courant. Rassure-toi, la réponse est oui. Rassure-toi aussi, quand je l'ai épousé, j'ai laissé mon passé derrière moi. Mais il rejaillit aujourd'hui avec une telle violence que je ne peux pas l'étouffer.

Ne commets pas cette erreur : certaines vérités ne supportent pas d'être enfouies à jamais. Je me demande si la SLA n'est pas une sorte de punition cosmique.

Elle avait eu tort, sur toute la ligne.

Elle referma le journal sur son stylo. Ses yeux larmoyaient, sa main n'avait plus la force de poursuivre. Son désir, sa volonté de résister au sommeil – elle n'avait pas le temps de dormir alors que les heures s'égrenaient comme le sang s'écoule d'une blessure – étaient vains. Elle s'emmitoufla dans son chandail, s'allongea dans la chaise longue et ferma les yeux.

47

Carson gara sa voiture de location devant l'allée de ses parents. Assis dans le noir, il contempla la silhouette pâle de la grange. Le moteur refroidissait en cliquetant. Il se retrouvait enfin devant son refuge. Ne lui restait plus qu'à décider de ce qu'il ferait, le lendemain, les jours suivants : théoriquement, le nécessaire. Et le vendredi, il embarquerait pour Saint-Martin. Théoriquement, cette... cette chose, avec Meg, n'affecterait en rien l'organisation de son mariage. Il verrait sans doute Meg une fois, et lui offrirait... quoi ? Un soutien ? Que pouvait-il lui offrir ? Elle n'avait nul besoin de son argent, et il ne pouvait lui ôter sa maladie. Il ne transportait aucune cure miraculeuse dans une mallette noire, et il n'était pas très doué pour la prière. Il voulait simplement lui faire savoir qu'il était toujours là, qu'elle comptait toujours pour lui. Tenter de la convaincre de ne pas essayer de tout régler seule.

Mais il ne devait pas oublier qu'elle avait un mari pour la réconforter, lui venir en aide. Des beaux-parents, un père, des sœurs, une fille. Il se passa les mains dans les cheveux. Que fichait-il ici ?

À l'intérieur de la grange, l'air était plus frais qu'il ne s'y était attendu. Quelqu'un y était entré et avait mis le climatiseur en marche. Il n'alluma pas pour monter dans le loft. Mieux valait rester dans le noir, qui émoussait les arêtes tranchantes de la vérité, les fondait dans l'ombre. Dans l'obscurité, il pouvait imaginer, comme il l'avait fait la veille du mariage de Meg, que tout espoir n'était pas perdu. Qu'une partie d'elle lui appartenait encore et qu'elle serait sienne à jamais.

Il avait dû attendre d'avoir dix-sept ans, et que Meg en ait presque seize, pour l'amener à se rendre à l'évidence. Hormis leurs petits jeux d'enfants sans conséquence, leur relation se cantonnait à l'amitié. Meilleurs amis, incroyablement proches, mais pas petits amis. Puis, par sa volonté à lui, tout avait changé.

Un an durant, il l'avait regardée s'intéresser à un garçon, s'en désintéresser, jeter son dévolu sur un autre. À deux ou trois reprises, elle avait même prétendu être amoureuse. Les yeux pleins d'étoiles, elle lui confiait ses sentiments pour d'autres, la tête inclinée comme si elle entendait le tintement de la clochette dont se servait sa mère pour la rappeler à la maison – mais c'était autre chose qu'elle cherchait à entendre. Peut-être une approbation de l'univers. De son côté, Carson avait déjà entendu le doux chuchotement de la vérité bruire entre les feuilles luisantes des arbres fruitiers. S'il se montrait patient, elle finirait par avoir la même révélation que lui : ils étaient destinés à ne faire qu'un.

Et ce jour était arrivé.

Le joli mois de mai. Assis sur la véranda de Meg qui servait aussi de poulailler, ils dégustaient des sorbets. Meg portait un tee-shirt à rayures et un short en tissu-éponge au ras des fesses. Sa queue-de-cheval d'un or cuivré retombait dans son dos comme une corde. Il rêvait de sentir la douceur de ses cheveux contre sa peau. Ses doigts le titillaient de couper l'élastique qui les retenait. Il s'imaginait allongé sur le dos, Meg sur lui, le visage caressé par cette cascade soyeuse. Il aurait voulu qu'elle éprouve la même envie que lui.

Julianne, alors âgée de sept ans, avait mis en marche l'arrosage pour pouvoir jouer dans l'eau avec Beth. Meg observait ses sœurs, qui chassaient les poulets dans l'herbe humide.

« Regarde-moi ça ! Julianne est trop grande pour ce maillot de bain depuis un an. »

Le bas très échancré révélait les fesses de sa cadette, et les bretelles, tout étirées, découvraient ses clavicules et ses omoplates osseuses.

« Je peux régler ce problème, avait-il dit. Tiens-moi ça. »

Il avait tendu sa glace à Meg – une boule au raisin largement entamée – et avait sorti le couteau à un dollar que Spencer lui avait offert pour son treizième anniversaire. Sans se soucier du jet d'eau, il s'était approché de Julianne.

La fillette avait écarquillé les yeux à la vue du couteau.

« Ne bouge pas », lui avait-il ordonné.

En quelques coups saccadés, il avait vite fait d'entailler le milieu du tissu rose trop serré, et de fabriquer un maillot deux pièces aux bords effilochés dont le bas tenait à peine sur les hanches étroites.

« Voilà. Tu devrais être plus à l'aise. »

Julianne avait contemplé son ventre nu, avant d'adresser un sourire radieux à Carson.

« Regarde, Beth, j'ai un bikini ! » avait-elle hurlé.

Carson avait rejoint Meg. De l'eau dégoulinait de ses cheveux, de son nez et de sa mâchoire. Elle l'observait, la tête de guingois.

Il avait repris sa glace, remarquant qu'elle avait laissé des gouttes mauves s'écouler sur sa main et avait souri.

« C'est astucieux, ce que tu as fait. Elle est aux anges. Je m'apprêtais à lui demander de se déshabiller. J'aime bien tes idées.

— J'aime bien la façon dont tes yeux changent de couleur en fonction de tes vêtements. »

Elle avait esquissé un sourire timide.

« C'est vrai ? Moi, j'aime bien la manière dont les tiens deviennent vert foncé quand tu me regardes comme maintenant. »

Sur une impulsion, il l'avait embrassée. Sa bouche moelleuse et un peu collante gardait un goût de glace à l'orange. Leur premier vrai baiser. Elle avait rouvert les yeux quand il s'était arrêté, et fait oui de la tête.

Si seulement rien n'avait changé…

Installé dans la causeuse, Carson étendit ses jambes devant lui et resta aux aguets. Le bruit d'ouverture et de fermeture de la porte, les deux craquements significatifs des marches. Il attendit dans cette position jusqu'au moment où les premiers rayons du soleil pointèrent au-dessus du seuil de la fenêtre. Enfin, il enfouit le visage dans ses mains et fondit en larmes.

Des coups frappés à la porte l'extirpèrent en sursaut d'un rêve dans lequel Meg et lui creusaient au bord de l'étang, à la recherche d'un trésor de pirates, comme ils l'avaient fait trente ans auparavant. Il lui avait fourré une pelle dans la main – « Vas-y, creuse ! » – et elle avait éclaté de rire. « Bêta, il n'y a pas de trésor ici. » Ses longs cheveux défaits lançaient des éclats de cuivre filé. L'air ravi, elle avait ôté sa robe bain de soleil bleue dont la bordure de dentelle déchirée lui pendait dans le dos, et avait couru se jeter à l'eau en riant aux éclats. Il l'avait regardée nager et avait voulu la suivre, mais quelqu'un l'appelait, le retenait. C'est là qu'il s'était réveillé, déçu de constater que la voix était celle de sa mère qui l'interpellait de l'extérieur de la grange.

— Réveille-toi, Carson. Je t'ai préparé des œufs aux saucisses.

— J'arrive !

Il se déplia du siège de la causeuse où il avait dû piquer du nez environ une heure plus tôt, s'étira, et son épaule craqua.

Shep, le corniaud, l'accompagna d'un pas trottinant à la maison. Ses parents étaient assis à leurs places habituelles à la table carrée, sa mère à la droite de son père. Ils avaient apporté beaucoup d'aménagements à la ferme au fil des ans – plan de travail, sol, et même agrandissement du bâtiment de deux étages auquel ils avaient ajouté une petite aile –, mais la table demeurait celle à laquelle il avait pris ses repas durant toute son enfance, la quatrième place étant souvent occupée par Meg.

Depuis quelque temps, c'était devenu celle de Val. Shep l'accapara, bondissant sur la chaise et attendant poliment les petites gâteries éventuelles. Quel changement ! Jamais son père ne l'aurait toléré autrefois. Ce matin, il fut le premier à lui tendre un morceau de saucisse, d'un geste qui apprit à Carson que cette habitude ne datait pas de la veille. Ses parents s'étaient adoucis avec l'âge, et le spectacle de leur couple uni, comblé – plus comblé, en fait, que lorsqu'il était gosse –, lui faisait plaisir et le réconfortait. En septembre, ils fêteraient leur quarante-troisième anniversaire de mariage. Il les admirait autant qu'il les enviait. Même si Val et lui se mariaient d'ici à une semaine, ils n'auraient guère de chance d'atteindre quarante-trois années d'harmonie conjugale. Aucun des hommes de sa famille ne faisait long feu : ils étaient tous morts avant de devenir octogénaires. Cela dit, évidemment, la valeur d'une vie ne se mesurait pas à l'aune du nombre d'années vécues mais à leur qualité, à ce qu'on laissait derrière soi.

— Alors, tu as quelque chose sur le feu ? lui demanda son père.

— Quoi ? En plus du mariage et de la lune de miel ? s'écria sa mère.

— Je parle de sa musique. Tu repars quand en tournée ?

Carson enfonça une mouillette dans le jaune d'œuf et mordit dedans.

— Gene s'en occupe. Mon label envisage de sortir un *best of* de mes chansons préférées à la fin de l'année. Sans doute des enregistrements live. Si ça se concrétise, je devrai assurer la promotion.

— Tu composes quelque chose de neuf ? Pour Val ? demanda son père.

— Ne l'embête pas, le gronda sa mère.

— Qu'est-ce que j'ai dit ?

— Non, répondit Carson d'un ton catégorique.

Manifestement, ses parents avaient discuté de l'état de Meg, à l'origine de son retour inattendu.

— J'ai eu pas mal de pain sur la planche, ajouta-t-il. Je suis sûr que cela ne vous a pas échappé.

— Bien sûr que non, déclara sa mère.

Elle tendit un toast entier à Shep, qui l'emporta dans son écuelle, posée près de la porte.

— Dis-nous juste si on peut t'aider à régler certains détails cette semaine. Je me suis déjà occupée des fleurs, et papa va chercher les smokings mercredi.

— Alors, dit son père. C'est quoi, ton programme pour aujourd'hui ?

Carson se leva et apporta son assiette à Shep. Il avait l'appétit coupé.

— Je n'en sais rien, papa. Je prends les choses comme elles viennent.

Pour commencer, il devait décider de ce qu'il allait dire à Val. Elle l'appela en fin de matinée, alors qu'il avait regagné la grange après s'être longuement promené à pied dans la plantation. Fidèle à lui-même, son père entretenait parfaitement sa terre : champs fraîchement fauchés, arbres taillés, étangs débarrassés des alligators. Shep l'aidait dans cette dernière tâche, tout comme un groupe d'étudiants bénévoles qui venaient à intervalles réguliers ratisser le terrain et éloigner les animaux dangereux. Le développement de l'État et la difficulté d'accéder à l'eau rendaient les alligators audacieux. On en avait trouvé dans des piscines. Récemment, ils avaient attaqué des hommes, saison des amours oblige. Comme pour lui et Val, en principe.

— Alors, mon amour, lança-t-elle, tout se passe bien ? Tu as tout emballé ?

Carson s'assit dans l'escalier.

— Pas tout à fait. Mais... Ça devrait être bientôt terminé. Et toi, comment ç'a été, hier, après ton coup de fil ?

— J'ai essayé de te rappeler. Tu n'as pas eu mon message ? On est allés à cette espèce de luau[1]. Ça ne te surprendra pas : Wade a gagné le concours de limbo[2].

Wade, dont le corps souple et musclé avait tout d'un modèle pour anatomistes. Lui et Val auraient pu être jumeaux.

— Vous avez l'air de bien vous amuser.

— Mais tu me manques. Est-ce que je te verrai avant vendredi soir ?

Ils n'avaient rien décidé de précis pour la fin de la semaine. Tout était fonction de son déménagement.

Carson ôta ses socquettes.

— Non... en fait, j'ai décidé de retourner à Ocala.

— À Ocala ? Pourquoi ?

— À cause d'une amie. Meg Pow... enfin, Hamilton. Tu te souviens d'elle ?

---

1. Fête hawaïenne. (N.d.T.)
2. Danse des Caraïbes. (N.d.T.)

— Celle qu'on a vue au concert et chez le tailleur, c'est bien ça ? l'interrogea Val d'un ton précautionneux.

Il essaya de prendre des gants.

— Oui. Je... je viens de découvrir qu'elle... (Il dut s'éclaircir la gorge.)... qu'elle a la maladie de Lou Gehrig.

Cette nouvelle ne suffisait pas à expliquer pourquoi il avait modifié ses plans de fond en comble.

— C'est affreux, répondit Val. Mais en quoi ça te concerne ? Je ne voudrais pas paraître insensible, mais... tu fais quoi ? Tu lui rends visite à l'hôpital ?

Il se frotta le menton. Une seule raison justifiait qu'il ait tout laissé tomber pour sauter dans le premier avion. Il ne voulait néanmoins pas davantage la lui avouer que lui mentir.

— Non, soupira-t-il, ce n'est pas ça.

— C'est quoi, alors ?

— Eh bien... pour tout te dire, Meg était ma meilleure amie d'enfance.

— Mais tu m'as dit que tu ne l'avais pas vue depuis à peu près vingt ans ?

— C'est vrai. Nous ne sommes plus proches. Mais avant, tu sais...

Il se leva et se mit à marcher de long en large entre la cuisine et le living.

— On devait se marier, se lança-t-il. Mais la date n'était pas fixée, on n'avait pas tout organisé, je ne lui avais pas offert de bague de fiançailles...

Il espérait que ces précisions amoindriraient l'impact de cette nouvelle.

— Et que s'est-il passé ?

— Ça n'a pas marché.

— C'est clair.

Carson s'arrêta à côté de la table et s'y appuya d'une main.

— Oui, c'est clair. Elle en a trouvé un autre. Mais quand j'ai appris qu'elle était... mourante, je me suis senti obligé de venir la voir. D'où ma présence ici.

— Très bien, lâcha Val. Très bien. D'où ta présence là-bas. (Elle devait être en train de rassembler les pièces du puzzle.) Quel choc pour elle ! ajouta-t-elle. C'est vraiment sympa de ta part de lui rendre visite.

— Je ne sais pas.

291

Carson avait eu envie de lui avouer la profondeur de son chagrin, de son sentiment d'impuissance. De se décharger sur elle de son fardeau, de savoir qu'elle se ferait une joie de le soulager. Mais leur relation était d'une tout autre nature. Val n'était qu'une boule d'énergie, qui n'avait mené que des luttes physiques. « La jeune fille et les vagues. » Pour elle, une mauvaise journée se résumait à une mer calme, à une concurrente plus forte qu'elle, et aux conseils lancinants de sa mère concernant sa coiffure de mariée. C'était cette personnalité pleine de fraîcheur, sans sophistication, qui l'avait tant séduit. Mais assis là, le portable appuyé contre l'oreille, Carson savait aussi que pour cela même, il ne pouvait lui demander de s'engager avec lui.

— Val ?

— Oui.

— Comment réagirais-tu si je te disais que je veux rester à Ocala ou dans les parages ?

— Quoi ? Toute la semaine ?

— Non. Tout le temps. Vivre ici.

Elle éclata de rire.

— Sois sérieux, Carson. C'est à l'intérieur des terres. Qu'est-ce qui t'y inciterait ? Cette Meg ? Enfin, je me trompe ? Si j'ai bien compris, elle est sur le point de mourir.

Le ventre de Carson se noua.

— Non, non, pas à cause de Meg. Mes parents...

— Ils pourraient venir vivre à Malibu.

— J'ai... simplement besoin d'être à la maison.

Les mots ne prirent tout leur sens qu'à l'instant où il les prononça. Un jour, il avait fui ce lieu et aujourd'hui il y revenait, toutes affaires cessantes, priant qu'il ne fût pas trop tard pour récupérer... quoi ? Pas Meg, bien évidemment. Il ne pouvait pas l'avoir. Mais son histoire. *Leur* histoire. C'était déjà quelque chose.

— Que se passe-t-il, Carson ?

Val était en droit d'être agacée.

Il sortit la chaîne en or de sa poche et la disposa, bien en cercle, sur la table.

— Je te dois des excuses, dit-il, effleurant du doigt le cercle délicat. J'aurais dû te parler de Meg. J'aurais dû te dire que notre histoire ne s'était jamais vraiment terminée.

292

48

Meg décida de se procurer son échantillon d'ADN le mardi soir.

Après avoir vidé son bureau en début de journée, elle fit un détour par la campagne pour revoir la ferme de son enfance et de celle de Carson. Le passé. Tant qu'elle était encore capable de monter dans sa voiture et de prendre le volant. Alors qu'elle passait devant l'allée des McKay, elle croisa une limousine bleue dont le clignotant indiquait qu'elle allait tourner. Elle fut stupéfaite de reconnaître Carson au volant. Pourquoi était-il revenu ? Elle poursuivit sa route pour aller chercher Savannah, mais cette rencontre la hanta toute la journée. Et la proximité de Carson lui donna le courage de chercher à obtenir les réponses dont elle avait besoin.

Brian s'installa près d'elle dans le lit. Elle avait mis une chemise de nuit de satin, pas trop suggestive mais différente de celle de tous les jours, en coton jaune moelleux. Comme de coutume, Brian avait enfilé son caleçon à carreaux noué par un cordon. Quand l'envie lui prenait de faire l'amour, il se couchait tout nu. Une manière de gagner du temps.

Il se glissa sous les draps et se hissa sur un coude.

— Alors, tu as tout réglé au cabinet, aujourd'hui ?

Sa voix tendue démentait la désinvolture de sa question.

— Oui. Tout trié et mis en boîte. Je laisse les meubles. Est-ce que je t'ai dit que Manisha a déjà deux candidates prêtes à s'associer avec elle ? Tout va donc bien se passer.

— Tant mieux, approuva-t-il avec un peu trop d'empressement.

Ce sujet la gênait aussi aux entournures, ne serait-ce que parce que Brian avait tant de mal à l'aborder. Discuter de la fin de sa carrière ne semblait pas *a priori* le moyen idéal de déboucher sur des épanchements sentimentaux – ou en tout cas sexuels –, mais elle se dit qu'elle le soulagerait peut-être si elle lui montrait qu'elle maîtrisait la situation, qu'elle ne représenterait pas un fardeau pour lui.

— La SLA rend les gens complètement dépendants, mais sache que tu n'auras rien à faire pour moi. Tu n'auras probablement même pas à me voir dans cet état.

Elle était toujours aussi déterminée à choisir sa sortie, même si elle ne savait pas encore quand ni comment.

Il se laissa retomber sur son oreiller.

— Meg, je ne peux pas parler de ça.

— Comment, tu ne « peux » pas ? Nous *devons* en parler, « ça » ne s'en ira pas avant moi.

Il parut choqué.

— Comment peux-tu faire une chose pareille ?

— Quoi ? En parler de manière décontractée ? Je ne sais pas. Je ne peux pas faire autrement. Nous devons en parler ensemble. Je sais bien que c'est dingue, mais tôt ou tard, on doit affronter ce genre de situation dans la vie. Nous avons juste pensé que ce serait plus tard.

— Les hommes sont censés mourir avant leur femme, dit-il d'une voix tendue. Je ne... ce n'est pas juste.

Il se tourna face aux doubles portes de la penderie – un espace plus vaste que la chambre qu'elle avait partagée avec Kara –, équipée d'étagères et de tiroirs de toutes sortes sur mesure. La viderait-il dès qu'elle serait partie ? Elle pouvait s'en occuper elle-même à l'avance, garder certaines affaires pour ses sœurs et pour Savannah. Et pour Carson, dont le tee-shirt John Deere était soigneusement plié sous une pile de pyjamas de soie.

Elle lui effleura l'épaule.

— Ne t'inquiète pas. Je ferai tout pour te faciliter cette épreuve.

— Ne dis pas d'idioties. Comment veux-tu que ce soit « facile » ?

Il se décida à la regarder. Ses yeux luisaient de larmes.

Elle lui tendit les bras.

— Viens ici, dit-elle.

Leur union fut d'une simplicité identique. Beaucoup plus aisée qu'elle ne l'avait imaginée, et plus sincère aussi. Meg ne songea pas à Carson, en dehors de l'instant où elle se redit qu'elle éprouvait des sentiments d'un tout autre ordre à l'égard de Brian. Protecteurs. Chaleureux. En aucun cas passionnés. Sans doute avait-elle fait des efforts, au début de

294

leur mariage, pour se montrer une partenaire enthousiaste. Son corps se languissait des étreintes voluptueuses de Carson. Brian n'éveillait pas les fantasmes érotiques. Il n'était pas exigeant et se satisfaisait vite. En cela, cette fois-là ressembla aux autres, à cette différence près qu'elle savait – et lui aussi, peut-être – que ce serait la dernière.

Quand Brian se fut endormi, elle s'assit sur le rebord de la baignoire de marbre et prépara à l'aide d'un tampon et d'une spatule l'échantillon d'ADN destiné au laboratoire. Elle éprouvait un soulagement surprenant à s'être donnée à Brian non par ruse, mais comme une amie sincère qui prenait congé de lui. Le test ADN lui apparaissait aussi comme un acte juste, une étape en direction de la vérité. Enfin.

Le lendemain après-midi, Meg coinça l'échantillon dans son sac, puis demanda à sa fille de les conduire à la clinique où Savannah subirait son check-up de routine. De là, elles se rendirent au laboratoire.

— Pourquoi dois-je faire une prise de sang ? demanda Savannah. Et pourquoi un nouveau check-up ? Je viens juste d'en faire un. Je ne suis pas malade.

— Des tests pour détecter la drogue, répondit Meg.

Savannah sursauta comme si elle avait reçu un coup de couteau.

— Quoi ? Mais c'est incroyable ! Je ne suis pas...

— Non ? Tant mieux. Fais attention à ne pas te laisser aller.

Elle sourit sous cape. Une fois de temps en temps, secouer un peu son enfant ne faisait pas de mal.

— Au fait, à propos de vendredi soir...

Ce tête à tête avec Savannah, dans l'impossibilité de descendre de la voiture, représentait sa première occasion de la semaine d'aborder le sujet. Elles commencèrent par échanger des arguments « il ne s'est rien passé » et des « bien sûr que si ». Puis Meg déclara :

— Ma puce, je ne suis pas aussi aveugle que tu l'imagines. Je ne te pose pas cette question pour te gronder, mais parce que je suis inquiète. Si tu arrêtes de me prendre pour une idiote, je te traiterai comme la jeune adulte que tu essaies d'être. Au fait, prends à gauche.

— Très bien, déclara Savannah après le virage. J'ai un copain et on s'est disputés.

Enfin. Elles avançaient. Meg feignit l'étonnement.

— Un copain ? Je le connais ?

— Non.

— Il fréquente quel lycée ?

— Écoute, maman, j'ai envie de t'en parler, mais tu vas être furieuse. Papa et toi, vous êtes tellement conservateurs. Vous accordez une telle importance à ce qui est bien : la bonne école, le bon quartier, les bons parents...

Meg sourcilla. Elle, *conservatrice* ?

— Tu te trompes. Tout cela m'indiffère, du moment que ce garçon est quelqu'un de bien, humainement parlant. Il pourrait être mauve et venir de Saturne...

— Rien ne peut vivre sur Saturne, répliqua Savannah.

Cette réaction lui redonna tout de suite neuf ans aux yeux de Meg. Si seulement...

Elle chassa cette pensée.

— Tu me comprends parfaitement.

— En tout cas, papa est comme ça. Donc, même si tu acceptes mon copain sans problème, ça ne sera jamais le cas de papa et... je ne sais pas. J'aurais fini par vous le dire un jour, de toute manière.

Ce jour risquait d'arriver trop tard.

— Bien, lança Meg. Cette nouvelle me fait plaisir. J'aimerais... Non... je *veux* que tu saches que, comme toi, je ne me résume pas aux apparences. Je ne suis pas uniquement médecin, maman et épouse. Bien sûr, ce sont mes occupations à plein temps depuis longtemps, mais je suis un être humain aussi complexe que toi, que tout le monde. Tu peux te confier à moi.

Savannah haussa les épaules.

— On arrive.

Meg désigna le bâtiment de son bras gauche. Elle réservait le droit, retenu aujourd'hui par une attelle, aux tâches importantes. Sa faiblesse était constante et la crainte de voir le pire l'accabler très vite avait poussé Meg à donner dans son journal le plus de détails possibles sur son enfance, le haras Powell, l'échec de la pépinière d'orchidées, et même sur la cour que s'étaient faite ses parents. Elle avait également noté

296

les numéros de téléphone, les adresses et les dates de naissance de Beth, Kara et Julianne, ainsi que des détails sur leurs maris et leurs enfants. Beth trouverait-elle un jour chaussure à son pied ? Elle avait beau répéter qu'elle était ravie de rester célibataire à trente ans, Meg doutait de sa sincérité. La veille, Beth l'avait appelée pour lui dire qu'elle rentrait à Ocala d'ici à six semaines pour s'occuper de leur père et l'aider dans toute la mesure du possible. Songeant à Penny, la sœur de Lana, Meg se jura que même si cette dernière avait beaucoup changé les couches de sa cadette, trente ans plus tôt, elle ne lui permettrait pour rien au monde de lui rendre la pareille. Dans tous les cas, elle ferait sa sortie avant d'en être réduite à ce cauchemar.

Elles se garèrent dans le parking du laboratoire. On allait extraire du bras de Savannah la réponse à une question vieille de seize ans. Que révélerait le test ? Pour l'instant, Savannah se demandait sans doute si elle allait ou non lui dévoiler ses propres secrets ; mais savoir quel lycée fréquentait son copain n'était qu'un détail anodin, comparé à l'éventuelle révélation qu'elles auraient à partager. Meg aurait aimé pouvoir dire à sa fille que son inquiétude n'avait rien de grave par rapport à ses secrets, pour l'encourager à se confier ?

Savannah descendit de voiture en demandant :

— À quoi ça sert, alors ? Tu n'as pas besoin de faire vérifier si j'ai pris de la drogue, maman, je te le jure.

Savannah avait peut-être quelque chose à cacher, mais Meg savait aussi que sa fille détestait les aiguilles. À l'âge de neuf ans, elle s'était déchiré le genou en faisant du skate-board avec son ami Jonathan, et Meg avait dû conjuguer ses efforts à ceux de deux infirmières des urgences pour permettre au médecin de procéder à une anesthésie locale. L'année précédente, Savannah était sortie de la salle de consultation en larmes, après son rappel antitétanique.

— Contrôle de routine, l'assura Meg. Anémie, santé de tes cellules sanguines, fonctionnement de certaines glandes. Contente-toi de détourner les yeux. Ce sera terminé avant même que tu t'en aperçoives.

Savannah lui ouvrit la portière.

— Il s'appelle Kyle.

Meg la retint par le bas de son tee-shirt.

— Une seconde... Pourquoi vous êtes-vous disputés ?
Savannah s'immobilisa.

— Une bêtise. Bon, on s'en débarrasse ?

Meg décida de laisser tomber pour le moment. Elle remarqua néanmoins que Savannah marchait les pieds en dedans. Sa posture n'avait guère changé depuis la nuit du vendredi, en dépit de la mise au point téléphonique qu'elle avait surprise. La crainte de l'aiguille, peut-être, mais qui n'expliquait sûrement pas tout. La « bêtise » qui avait poussé sa fille et ce Kyle à se chamailler continuait de peser sur Savannah.

Elles remplirent les formulaires. On appela presque tout de suite Savannah, et Meg s'attarda un instant, le temps de déposer son échantillon.

Assise en face de Savannah, elle regarda les trois éprouvettes se remplir l'une après l'autre de sang foncé. Les deux premières serviraient aux tests qu'elle avait décrits à Savannah, la troisième étant destinée à apporter une réponse beaucoup plus cruciale. Meg vit en imagination les épais brins d'ADN se contorsionner dans le flacon, pressés de démontrer que les dernières heures qu'elle avait passées en compagnie de Carson avaient abouti à la merveilleuse création assise devant elle. Pourquoi refuser d'admettre qu'elle souhaitait cela même s'il s'agissait d'un désir égoïste, qui ne tenait aucun compte des sentiments de Savannah, de la sensation de confusion, de colère, de souffrance, de perte que celle-ci ne manquerait pas d'éprouver ? Savannah idolâtrait Carson, mais elle ne le considérait pas comme un homme, et encore moins comme un père. Son père, c'était Brian, pour le meilleur et pour le pire. De facto. Aucun test ADN ne réduirait à néant les seize années durant lesquelles ils avaient cohabité.

Ce désir effectivement égoïste s'enracinait dans l'amour que Meg éprouvait encore pour Carson et qu'elle espérait pouvoir révéler à sa fille, partager avec elle d'une façon ou d'une autre.

Pourtant, l'éventualité de blesser Savannah lui inspirait un malaise, lui donnait envie de la protéger. S'il se révélait que Carson était bien son père, Meg n'était pas obligée d'en parler à quiconque.

Mais ses tergiversations avaient peut-être une autre cause que Meg, tout comme sa fille, assise les yeux fermés, craignait sans doute d'affronter bien qu'elle n'eût rien de terrible. Connaître son vrai père constituerait peut-être un atout pour Savannah.

Meg s'interrogea sur son attitude paradoxale. Elle était capable de scruter sans crainte les abîmes de la mortalité, mais tremblait à la perspective de blesser Savannah. Elle se rassura : toutes les décisions qu'elle avait prises les jours précédents avaient pour seul objectif le bien de sa fille.

La technicienne rangea les trois éprouvettes et pressa une compresse sur le bras de Savannah.

— C'est terminé, annonça-t-elle. Vous pouvez y aller.

49

Assis dans sa voiture garée derrière une haie de gardénias en fleur, Carson attendait de voir Meg et Savannah ressortir du laboratoire médical. Il se faisait l'impression d'un délinquant en planque. Dans son cœur, il espérait que leur visite au labo, comme à la clinique juste avant, signifiait que Meg suivait un traitement, qu'elle avait parlé à sa famille de sa maladie et qu'ils l'avaient convaincue de tenter le tout pour le tout. Enfin, il l'espérait, dans la mesure où les effets du traitement n'étaient pas pires que ceux de la maladie, car il ne pouvait supporter l'idée qu'elle souffre.

Il la traquait chaque jour depuis son arrivée, comme si connaître ses déplacements lui donnerait le courage de l'aborder, et éventuellement l'occasion. Depuis sa conversation avec Val le samedi, ses sentiments jouaient au yo-yo. Bien que blessée, Val était disposée à le soutenir, le temps qu'il résolve « cette chose avec Meg » – selon l'expression qu'il avait employée. Mais il se sentait dans l'obligation de tenir son engagement envers sa fiancée ; il ne trouvait aucune raison logique d'y échapper. Puis il penchait complètement à l'opposé, vers la part sombre de son être, toujours captive de Meg, et dont il était convaincu qu'elle le demeurerait à jamais.

L'honneur lui commandait d'épouser Val comme il lui dictait de ne pas le faire.

Il circulait donc dans Ocala à bord d'une voiture de location poussive, qu'il n'avait même pas l'énergie d'échanger, en se répétant qu'il allait voir Meg, restituer le véhicule et regagner Seattle pour terminer son déménagement. Mais on était déjà mercredi après-midi, et sa décision n'avait pas évolué d'un iota depuis son arrivée, le vendredi soir.

Une chose était sûre : la veille, elle ne le cherchait pas. Elle s'était contentée de... le regarder. Comme il la regardait à présent sortir du bâtiment gris avec Savannah. Le bras en écharpe, elle boitait. Elle se dirigeait vers un 4 × 4 flambant neuf. Quel chemin parcouru, depuis l'époque où elle devait partager le camion Ford délabré de ses parents ! Aujourd'hui, elle arriverait au bout, la destination ultime de tout être humain, que chacun ignore délibérément – la mort ne concerne que les autres, c'est bien connu.

Sur une impulsion, Carson descendit de la voiture et agita le bras.

— Meg ! appela-t-il, assez fort pour se faire entendre de l'autre côté du parking.

Mère et fille se retournèrent à l'unisson. Il agita de nouveau le bras et s'approcha d'elles au petit trot.

— Salut, j'avais bien cru vous reconnaître.

Savannah semblait beaucoup plus déconcertée de le voir que Meg.

— Salut, répondit-elle. Est-ce qu'un docteur diabolique vous oblige aussi à donner votre sang ?

Elle déplia son bras pour lui montrer la compresse au creux de son coude. Il se sentit démoralisé. Cette visite médicale n'était donc pas pour Meg.

— Non, répondit-il. Je... j'ai juste dû m'arrêter pour... (Aucun prétexte ne lui vint à l'esprit.) En fait, voilà longtemps que je n'ai pas traversé ce côté de la ville. J'étais sur le point d'entrer là... (Il désigna le distributeur d'essence, à l'autre bout du parking.)... pour demander mon chemin.

À l'expression de Meg, il comprit qu'elle ne le croyait pas une seconde. Contrairement à Savannah, qui lui répondit :

— Vous allez où ? Je me débrouille bien en ville, parce que je conduis depuis un certain temps. Enfin, avec mon permis blanc. Je n'aurai le définitif que samedi.

— Lundi, la corrigea Meg, à l'ouverture du centre d'examens. Mais Carson n'a pas besoin que tu lui fournisses tous les détails.

Elle paraissait amusée. Au moins, elle n'avait pas encore perdu son sens de l'humour.

— Savannah est soulagée d'avoir survécu à sa prise de sang, précisa-t-elle à Carson.

Il contempla la jeune fille et la trouva ravissante, le portrait craché de sa mère.

— Je comprends, dit-il. Les médecins sont effectivement diaboliques. Tu as de la chance d'être encore en vie.

Il se rendit malheureusement compte trop tard de l'insensibilité de sa remarque.

Meg renchérit avec humour :

— C'est vrai, la plupart du temps, ils vident la victime de son sang.

Ils éclatèrent de rire tous les trois, mais restèrent ensuite à court de mots. Carson, à la recherche d'un sujet de conversation, repensa à la réflexion de Savannah sur son permis.

— Si je comprends bien, tu auras seize ans vendredi.

— Oui. On donne une fête à la maison.

À l'entendre, cette célébration ne la réjouissait pas. Il se demanda pourquoi.

— Au fait, ajouta-t-elle, si vous voulez venir, vous serez le bienvenu.

De toute évidence, il devait la remercier et décliner son invitation, alors qu'il avait terriblement envie de l'accepter. Il voulait faire partie de la vie de Meg, passer quelques heures en sa compagnie, se trouver, tout simplement, au même endroit qu'elle. Mais il voyait mal Brian Hamilton sauter de joie, s'il venait à l'anniversaire. Il l'entendait déjà lancer : *Dis donc, Preston, mon vieux, permets-moi de te présenter l'ancien fiancé de Meg. Il a été l'invité de « Punk'd », sur MTV, en janvier dernier...* Évidemment, Hamilton n'avait pas eu le temps de regarder MTV dans leur jeunesse, trop occupé qu'il était à lire le *Wall Street Journal.* Il ne connaissait sans doute

« Punk'd » que parce qu'il zappait pendant les pubs diffusées sur Golf Channel.

Les différences sociales et culturelles entre Hamilton et lui n'étaient cependant rien, au regard de leurs situations respectives vis-à-vis de Meg. Les hommes n'oubliaient pas ce genre de choses. En temps normal, Carson n'aurait même pas envisagé de se retrouver dans le même lieu qu'Hamilton, il aurait été trop tenté de le trucider. Mais, en temps ordinaire, Meg n'aurait pas été atteinte d'une maladie incurable.

— Ton invitation me touche, dit-il, mais je ne vais pas pouvoir l'accepter. D'autres engagements.

— Je comprends, pas de problème, dit Savannah, sans vraiment parvenir à cacher sa déception.

— Carson se marie samedi, expliqua Meg.

— Vous vous mariez le jour de mon anniversaire ? Mais c'est génial !

— Comme ça, tu n'auras pas d'excuse si tu oublies de m'envoyer des cartes pour mes anniversaires de mariage, plaisanta-t-il, mais le cœur n'y était pas.

Un sourire éclaira le regard de Savannah.

— Je n'y manquerai pas.

Les yeux de Meg étaient deux flaques pensives d'une profondeur insondable.

— On te reverra peut-être quand même avant ton départ, dit-elle.

Une invitation. Il la perçut plus qu'il ne l'entendit.

— Bien sûr, je ne pars pas avant vendredi.

Dans moins de quarante-huit heures, mais Carson consacrerait avec bonheur toutes ces heures restantes à Meg. Val lui en tiendrait-elle rigueur ? Jamais il ne lui en parlerait. De plus, cette évasion était impossible : Meg devait s'occuper de sa fille, organiser une réception. Au mieux, elle lui accorderait une ou deux heures platoniques.

Il les prendrait bien volontiers.

— Nous allons acheter des vêtements pour son anniversaire, dit Meg. Mais une seconde... Savannah, s'il te plaît, passe-moi mon carnet. Il est dans mon sac.

Savannah le lui tendit.

— Voici un plan pour que tu retrouves la route principale à partir d'ici.

Elle mit une minute, peinant à écrire avec sa main en écharpe, puis elle arracha la page et la lui donna.

Sur le plan grossièrement dessiné, elle avait écrit un numéro de téléphone et « vingt-deux heures », à la place d'un nom de rue qu'il connaissait parfaitement.

— Formidable, tu me sauves du ridicule, dit-il.

Il lut dans ses yeux un soulagement sans doute identique au sien, et qui le fit flageoler.

— Vous connaissez le sens de l'orientation des hommes, ajouta-t-il. J'aurais tourné en rond toute la soirée.

Ils prirent congé. Quand il fut de nouveau installé à bord de sa petite voiture de location, il sauvegarda le numéro de téléphone sur son portable, et commença à compter les minutes le séparant du moment où il pourrait l'utiliser.

50

Le téléphone de Meg sonna une minute avant vingt-deux heures. Elle était seule dans le petit salon, où les ombres s'étiraient sur le parquet ciré, tenant, sans le lire, un article intitulé « Comment et pourquoi vivre avec la SLA ? ». Elle l'avait déjà lu et relu. En conclusion, la seule attitude avisée consistait à suivre le conseil qu'elle avait donné à quelques-unes de ses rares patientes confrontées à la réalité de leur propre maladie incurable : s'assurer qu'on savait ce que l'on faisait quand on choisissait soit de la subir, soit d'y échapper.

Le nom de Carson, sur l'écran d'accueil, la transporta de joie.

— Carson, je suis ravie que tu m'appelles. Pardon pour le subterfuge de tout à l'heure.

— Je t'en prie...

— Tu dois me prendre pour une dingue.

— Pas plus dingue qu'un type qui prétend s'être égaré dans une ville où il a grandi et où il revient régulièrement.

Elle avait donc eu raison de penser que son apparition devant le laboratoire n'était pas fortuite. Mais elle n'était cependant pas assez stupide pour imaginer qu'il était motivé par un autre sentiment que l'inquiétude que lui inspirait une ancienne amie très chère. Avec un peu d'espoir, il n'agissait pas uniquement par pitié.

— Où es-tu ? demanda-t-elle.

— Chez mes parents. En général, je dors dans la grande maison, mais j'ai récupéré la grange pour la semaine, précisa-t-il, d'une voix attendrie par les souvenirs. Tu es chez toi ?

— Dans le petit salon.

Elle l'imagina dans la grange, entouré de tous les éléments qui constituaient leurs rêves de jeunesse : les placards bleus, les lianes au pochoir dont elle avait décoré les vitres du rez-de-chaussée, les petits tapis de tissu multicolores cousus par Beth et Julianne, un été, sur les instructions de Kara. Les trois filles souhaitaient être partie prenante de l'avenir amoureux de leur sœur aînée. Meg aurait aimé retrouver cet innocent passé.

— Tu peux parler ? lui demanda-t-il.

— Je suis seule.

Savannah était au téléphone dans sa chambre. Brian passait la nuit à Jacksonville. Elle l'attendait le lendemain soir.

— Je me demandais si tu aurais envie... enfin... si ça te plairait de passer me voir, ajouta-t-elle.

Il laissa échapper un petit rire ironique.

— Pour refaire votre connaissance, à Brian et toi ?

— Non, Carson, bien sûr que non. Brian est en voyage. Et Savannah ne se rendra même pas compte que tu es ici : elle ne sort jamais de sa chambre à cette heure. Mais si tu préfères ne pas...

— J'arrive. Oh, si tu peux m'indiquer le chemin.

En l'attendant, Meg relut une fois de plus l'article. L'auteur, on pouvait lui en rendre hommage, n'enrobait pas la réalité de la SLA dans une couche de guimauve, et n'usait pas de la religion comme antidote contre le suicide. Dans la colonne « Pourquoi ? » figuraient : « Événements familiaux et faits marquants », « Occasion de faire avancer la recherche ». Nulle part n'était indiqué : « Parce qu'un remède est en vue. » Le plus optimiste des avis médicaux lui-même ne se permettrait pas de le suggérer. En gros, la brochure rappelait au patient qu'il pouvait souhaiter vivre certaines expériences en attendant sa fin. « N'oubliez pas, disait-elle, que vous êtes en droit de faire tout ce dont vous vous sentez capable. »

Exactement ce qu'elle faisait en invitant Carson. Quel soulagement de constater qu'il voulait la voir, qu'en définitive il ne la détestait pas. Heureusement, il ne lui avait pas demandé ce qu'elle attendait de cette rencontre : elle n'aurait pas su quoi lui répondre. Elle ne disposait que de son instinct, pour la guider dans un linceul de brouillard.

Elle alla vérifier ce que faisait Savannah. La porte de sa chambre était close, mais la jeune fille fredonnait doucement en s'accompagnant à la guitare. Meg lui offrirait une intégrale des CD de Joni Mitchell pour son anniversaire. La voiture était sans nul doute un splendide cadeau, mais qui n'avait rien de personnel. Brian n'avait même pas laissé Savannah choisir la couleur. Il avait tenu au blanc, parce qu'il se distinguait mieux que toutes les autres teintes. Meg ne pouvait reprocher à son mari de vouloir procurer le maximum de sécurité à Savannah sur la route. Elle regrettait simplement son incapacité à manifester un intérêt identique pour les activités qu'elle affectionnait. Quand l'avait-il vue jouer au softball pour la dernière fois ? Quand l'avait-il écoutée chanter ?

Mais elle pouvait tout aussi bien se renvoyer cette dernière question.

Grâce à Dieu, Beth serait bientôt de retour à Ocala. Savannah aurait quelqu'un de beaucoup plus disponible que Meg pour s'occuper d'elle dans les deux années à venir, peut-être plus, si c'était possible. Meg était bien placée pour savoir combien il était important qu'une jeune fille se sente guidée.

De l'entrée, plongée dans le noir, elle pouvait apercevoir la rue. Des phares apparurent bientôt. Une voiture sombre approcha au ralenti. Meg sortit dans l'allée, la gorge subitement serrée. Maintenant que Carson était là, elle ne savait plus que faire ou que dire. Elle l'avait invité sur une impulsion. Comment allait-elle maîtriser la situation ?

Il était trop tard pour se dérober. Meg prit conscience de sa tenue : un pantalon de soie mélangée dont la teinte évoquait celle d'un canyon au crépuscule et un chemisier de soie blanche brodé. Des vêtements qu'elle aurait autrefois associés aux « salopes friquées ». Au moins, elle avait enlevé ses chaussures. Être pieds nus la rapprochait un peu de la jeune fille qu'elle était naguère. De plus, cela rendait sa démarche plus stable.

Elle ne pouvait pas dissimuler son attelle. Bien que Carson l'eût déjà vue, elle la fit glisser près d'un buisson de camélias.

Carson descendit du véhicule. Elle le vit balayer des yeux la façade de la maison subtilement éclairée, scruter les lanternes et les gouttières de cuivre, le toit de tuiles, l'allée dallée de carreaux de céramique. Elle s'attendait à une remarque ironique sur la vie de grand luxe qu'elle menait désormais, sur sa réussite éclatante. Elle avait une réponse toute prête quant à celle qu'il menait lui-même. Mais au lieu de dire quoi que ce soit, il s'avança vers elle, posa les mains sur ses épaules et l'attira dans ses bras.

Elle ferma les yeux et pressa la joue contre son torse, si solide, si chaud sous sa chemise, retrouvant tout naturellement son odeur, sa taille svelte à laquelle s'accrocher. Il resserra son étreinte et enfouit le visage dans ses cheveux en lui chuchotant des paroles de réconfort. Les battements de son cœur cognaient si fort dans son oreille qu'elle ne comprenait pas ce qu'il lui disait, mais elle s'en moquait.

Lentement, il la relâcha et ils se détachèrent l'un de l'autre.

— Je me sens mieux, déclara-t-il.

— Moi aussi.

Elle fut obligée de se racler la gorge, tant sa voix était éraillée.

— Entre. On va boire quelque chose.

Dans le petit salon, ils s'installèrent à chaque bout du canapé de velours, un verre d'alcool à la main, accessoire utile pour compenser leur maladresse. Ni l'un ni l'autre n'aurait jamais imaginé se retrouver un jour dans une pièce pareille, entouré de fauteuils tendus de soie damassée et de fenêtres habillées par quatre épaisseurs de voilages, avec six liqueurs différentes dans des carafes de cristal ancien. Leur refuge avait consisté en une maison aux rideaux de cotonnade et aux meubles d'occasion, plutôt qu'anciens. En une pièce au plancher de pin brut où les chats de la ferme venaient se lover autour de leurs chevilles et dont les moustiquaires laissaient flotter à l'intérieur le parfum des fleurs d'oranger ; un endroit garni de placards bleus et de tapis en patchwork. Meg se sentait désorientée, dans son salon impersonnel, comme si elle s'était trompée à un embranchement, quelque part aux environs de 1978, et qu'elle avait poursuivi sur la même route, sans voir les panneaux « Danger » qui la jalonnaient.

— Ces carafes appartenaient à la grand-mère de Brian, dit-elle pour entretenir la conversation.

Elle souleva le verre de cristal taillé dans sa main gauche.

— Et eux aussi. J'ai essayé de les offrir à maman, mais elle les a refusés. « Trop chichiteux pour notre maison », voilà ce qu'elle m'a dit. Ils sont trop chichiteux pour moi aussi, mais comment ne pas utiliser de si beaux objets ? Je vais en faire cadeau à Beth.

— Elle vient te rendre visite ?

— Elle se réinstalle ici. Pour s'occuper de papa... et de moi, même si j'espère ne pas avoir besoin de beaucoup d'aide.

Gêné, Carson détourna le regard et avala une rasade.

— Ce rhum est bon, fit-il remarquer.

Elle allait le laisser esquiver le sujet, pour le moment.

— Je l'ai acheté à Saint-Barth, mais je suis sûre que tu en trouveras aussi à Saint-Martin, si tu cherches bien. Le rhum coule comme de l'eau dans les îles.

— C'est vrai. J'en ai avalé ma dose lors de notre récent séjour. Même si j'essaie désormais de rester dans les limites du raisonnable.

Elle songea à l'article qui avait évoqué ses écarts, à la tentative de sa mère pour mettre le sujet sur le tapis.

— Tu m'en vois ravie.

Leur maladresse se dissipait peu à peu. Carson semblait se détendre, même s'il se grattait le menton, comme chez le tailleur. Quel bonheur de savoir qu'elle ne l'avait pas perdu complètement, que même dans cet endroit irréel il était à sa portée, ne serait-ce qu'un court moment.

— Je suis vraiment content que Beth revienne, dit-il. J'ignore comment te poser cette question, mais je me suis renseigné sur cette histoire de SLA après ton appel de la semaine dernière, et j'ai vu que certains malades s'en sortaient plutôt bien pendant longtemps.

— « Certains », répéta-t-elle.

Dieu merci, il abordait le sujet, au lieu de le laisser planer dans la pièce comme un gigantesque fantôme.

— Tu sembles assez en forme, avança-t-il.

— Je fonctionne. Ma main et mon bras droits sont les plus atteints. Le côté gauche s'affaiblit, mais ça peut aller. Je peux encore m'habiller, conduire, manger, boire. (Elle avala une rasade.) Je fais mon possible pour laisser un journal à Savannah. Mon père m'a offert des carnets de ma mère. Tu ne peux pas imaginer ce qu'ils représentent pour moi.

Elle s'abstint de lui dire qu'elle avait noté un début de problème d'élocution – un mot embrouillé ou avalé à l'occasion – suffisant pour indiquer que son état empirait. Meg s'accommoderait de sa maladie, parviendrait peut-être à l'oublier l'espace de quelques minutes bénies, mais elle avait désormais la certitude qu'elle ne ferait pas partie des victimes « privilégiées » de la SLA.

— Meg, si tu savais comme ça me bouleverse, dit Carson d'une voix brisée. J'ai l'impression que ce n'est pas réel. Ni juste. C'est *injuste*.

Elle soupira.

— Qu'est-ce qui est juste ? Personne ne nous a jamais garanti la « justice ». Pour ma part, je suis heureuse d'avoir eu ma fille – *ou notre fille*, songea-t-elle. Et ma carrière. Et la plantation, et les étangs… Et toi, conclut-elle tendrement. Tu sais que je ferais tout autrement si je pouvais recommencer, mais comme c'est impossible…

— Je suis content que tu me permettes de passer un petit moment près de toi. J'espère… enfin, ça m'aiderait beaucoup si tu m'autorisais à te voir de temps à autre. Tu veux bien ?

Elle ne répondit pas tout de suite ; elle savait ce qu'il prévoyait : pendant la longue période où elle resterait légèrement handicapée, il pourrait venir lui rendre visite – avec Val ? Comment lui dire le contraire, alors qu'il la regardait avec des yeux débordants d'espoir ? Bien évidemment, elle voulait le voir, mais il devait d'abord comprendre sa position.

— Carson, commença-t-elle, tu dois savoir une chose : je ne suis pas du genre à subir toutes les abominations de la SLA, dans le simple but de respirer jusqu'à la dernière goulée. Je ne suis pas prête à rester de mon plein gré paralysée et captive de mon enveloppe charnelle. Mes sensations

308

nerveuses ne disparaîtront pas. Je garderai les idées claires. Je sentirai, je verrai, j'entendrai tout, mais je serai totalement incapable de répondre. Je ne peux pas supporter ça, Carson, je ne peux pas devenir cette... chose.

Il porta une main à ses lèvres.

— Oui, oui, je peux comprendre... Mais il doit bien exister des traitements que tu pourrais essayer.

— En dehors de la gestion des symptômes, rien ne semble fonctionner du tout, dans les cas entièrement déclarés comme le mien.

— Et les remèdes expérimentaux ? D'autres pays ?

Elle secoua la tête.

— C'est difficile à croire, non ? La médecine a fait de tels progrès qu'on s'attend au moins à avoir une chance de se battre. Mais en réalité, les médecins sont impuissants dans plus de domaines qu'on ne l'imagine.

Carson expira bruyamment.

— Mon Dieu ! Qu'est-ce que tu vas faire ?

Elle haussa les épaules et tourna son verre de manière à capter les minuscules bandes arc-en-ciel que diffusait la lumière sur son pantalon.

— Je n'ai pas encore pris ma décision. Mais n'oublie pas que je suis médecin. Je peux mettre la main sur tous les produits dont j'ai besoin. Si je choisis cette voie.

— Quelles autres...

— Possibilités ? Méthodes ? Rien de violent, c'est certain. Ni arme à feu ni lame de rasoir. Rien de salissant. Le sang ne m'attire pas particulièrement, malgré mon métier.

Il rit, en dépit du caractère lugubre du sujet.

— Je te comprends. Je ne suis pas fou de l'avion, et pourtant je passe la moitié de mon temps dans le ciel. L'un explique sans doute l'autre.

— Mais tu as eu l'occasion de voir une grande partie du monde, non ? De mon côté, je suis contente des voyages que j'ai faits. Ils n'étaient pas tous pour le plaisir, cependant je suis allée en Europe, au Mexique et au Canada. Tu connais Banff ? C'est absolument sublime.

— Non. J'ai toujours voulu y aller. Ce n'est pas très loin de Seattle. Mais je vais toujours ailleurs.

Il vida son verre et se leva pour le remplir.

— Tu en veux aussi ?

— Non merci.

Elle craignait de bafouiller après plus d'un verre. Et elle ne voulait pas s'assoupir pendant qu'il était là. Partager le même espace que lui, se familiariser de nouveau avec ses gestes, sa voix profonde de ténor, affinée par des années de scène, lui procurait un immense bonheur. Elle désirait savourer sa présence par tous ses sens, avec toute l'acuité possible.

Carson observa ses mains fixement et se mit à triturer un cal, sur l'un de ses doigts. Elle comprit qu'il réfléchissait à sa question suivante, évidente mais difficile. Elle attendit patiemment, le laissant prendre le temps nécessaire. Pourtant, elle savait à l'avance que sa réponse lui déplairait.

— Quand ? se décida-t-il à demander. Enfin, comment sauras-tu que tu es... prête ?

— Je n'en suis pas sûre. Quand j'aurai l'impression d'avoir fait le nécessaire, j'imagine. Je n'ai même pas encore avoué toute la vérité à Savannah. Elle pense que je souffre uniquement d'une maladie handicapante. Je l'ai poussée à le croire. Je ne peux pas lui infliger un tel fardeau juste avant son anniversaire.

— Mon Dieu, Meg, je ne comprends pas comment tu tiens le coup. À ta place, je serais bon pour l'asile.

Quelques semaines auparavant encore, une grande partie de ses actes, de son mode de vie, de ses pensées même ne relevaient que de l'habitude. Il lui était plus facile de vivre par routine que consciemment ; elle craignait trop les conséquences d'une autoanalyse en profondeur. Cependant, même ceux qui cherchaient à éviter de regarder en face les erreurs de leur passé allaient parfois trop loin. Leur détermination absolue à se tailler un autre chemin pouvait les mener à une impasse.

D'une manière très inattendue, la SLA qui s'était abattue sur Meg semblait se transformer en une sorte de sauf-conduit qui lui permettait d'abandonner sa routine et d'agir selon ses désirs. Elle reconnaissait à présent que c'était cette attitude que son père essayait d'encourager, la réponse qu'avaient attendue ses sœurs quand elles lui avaient demandé ce qu'elle allait *faire*. Toutes imaginaient que, sentant sa fin si proche, elle se tournerait davantage vers elle-même, trouvaient sage et opportun de la voir faire preuve d'un peu d'égoïsme.

Par le passé, elle aurait qualifié ce comportement d'irresponsable ; ce soir, elle le comprenait.

— Brian te soutient sans doute, ajouta Carson sans en paraître très convaincu.

— Il est déboussolé. Cette maladie n'entre pas dans ses calculs. Mais je ne peux pas faire preuve de trop de dureté à son égard. Il est né avec une cuillère en argent dans la bouche. Tous ses plans ont toujours fonctionné, sauf que cette fois, il n'existe pas de stratégie gagnante.

— J'ai du mal à le plaindre. Il t'a piégée, Meg... autrefois, je veux dire.

Elle acquiesça de la tête.

— Il avait absolument besoin d'un avantage par rapport à toi. Sinon, pourquoi l'aurais-je choisi ? Je ne dis pas que je l'approuve ou que je suis heureuse, mais je comprends. Il a utilisé les outils dont il disposait.

— Dommage qu'il ne s'en soit pas servi sur quelqu'un d'autre.

Ils observèrent un long silence.

— L'Afrique, lança tout à coup Carson. Tu es allée en Afrique ?

Elle esquissa un sourire. Elle le revoyait se balançant sur leur pneu, si longtemps auparavant.

— Non, mais je n'ai pas oublié ta promesse. Rassure-toi : je ne t'obligerai pas à la tenir. Et toi, tu es allé en Thaïlande ?

— Il y a quelques années. Ma dernière tournée mondiale passait par Bangkok.

— C'est vrai. Je l'avais oublié. Tu l'as mentionné dans ton spectacle d'Orlando.

— Mais ça n'était pas... ça ne s'est pas passé selon mes désirs.

— Les crevettes à la citronnelle ne t'ont pas plu ?

Il plongea les yeux dans les siens.

— Tu n'étais pas avec moi.

Il n'avait jamais lâché prise, comme elle.

— Je suis tellement navrée, Carson, chuchota-t-elle.

Ils se retrouvèrent comme enveloppés dans cet instant hors du temps, puis Carson se leva et enfonça la main dans la poche de son jean.

— Je t'ai apporté quelque chose...

Il lui tendit sa chaîne en or.

— Oh ! fit-elle, la respiration coupée par l'émotion.

Il s'assit près d'elle pour agrafer le bijou autour de son cou et le lisser sur sa clavicule, comme la première fois.

— Voilà, commenta-t-il. C'est très joli comme ça.

Sans se soucier de tacher la soie de mascara, Meg s'essuya les yeux avec le bord de son chemisier. Au même instant, un bruit se fit entendre dans le couloir. Savannah, en long tee-shirt, pénétra dans la pièce.

— Dis, maman...

Elle s'immobilisa net, stupéfaite de découvrir Carson.

— Ma puce, j'ai oublié de te dire que Carson allait passer.

Tandis qu'il s'écartait un peu de Meg, Savannah tira sur son tee-shirt pour cacher ses cuisses.

— Bonsoir, Carson. Maman, je voulais juste te demander si Rachel peut rester ici après ma fête. Sa mère est d'accord.

— Bien sûr. Aucun problème.

Savannah paraissait toujours aussi abasourdie.

— Qu'est-ce que vous faites ?

— Eh bien, Carson a dû...

— J'ai retrouvé un objet qui appartenait à ta mère et j'ai préféré le lui rapporter avant de le perdre de nouveau.

Il se leva, comme pour lui montrer qu'il ne se passait rien d'indécent.

— C'est vraiment sympa de votre part. Tu avais perdu quoi ?

— Ce collier, répondit Meg en effleurant le bijou.

— Ça fait longtemps que je l'ai retrouvé, dit Carson, mais j'ai mis du temps à le lui rendre. Il lui va bien, non ?

— Oui. Elle ne porte jamais de colliers. Trop stricte pour ça.

Quoique surprise de constater que Savannah prêtait attention à ce genre de détail, Meg se contenta de hausser les épaules, mais le sourire de tristesse qui incurvait les lèvres de Carson lui révéla que, de son côté, il avait tout compris : c'était délibérément qu'elle ne portait rien autour du cou.

— Il se fait tard, tu dois te coucher, dit-elle, alors que Savannah manifestait son mécontentement d'un froncement de sourcils. D'ailleurs, tu n'es pas vraiment en tenue pour recevoir.

— Difficile de prétendre le contraire, reconnut Savannah.

Elle leur souhaita bonne nuit et s'esquiva. Meg alla dans le couloir écouter si la porte de sa chambre se refermait bien.

Carson s'était rassis sur le bord du canapé.

— Un peu gênant, non ?

— Oui... mais il n'y a pas de quoi s'inquiéter. Savannah connaîtra d'ici peu ma vraie histoire. Elle saura que j'ai eu une vie avant Brian, et que tu y tenais une place importante.

Elle s'assit près de lui, hanche contre hanche. Quelle sensation merveilleuse de pouvoir faire exactement ce qu'elle avait envie de faire !

Elle effleura le collier.

— Merci de me l'avoir apporté.

— Meg ?

— Hum...

— Je... j'ai réfléchi à ce que tu m'as dit. Au fait que tu ne vas pas attendre, enfin, tu sais, que tu ne veux pas devenir complètement... et je veux...

Il enfonça les mains dans ses cheveux encore plus en bataille que d'habitude.

— Je veux... je vais retarder mon mariage.

— Non, Carson ! s'alarma-t-elle. Tu ne dois pas changer tes projets. Je refuse d'être responsable de leur modification. Il ne s'agit pas... il ne s'agit pas de ça.

— Tu ne fais rien, Meg. C'est moi qui agis. Ce n'est pas uniquement à cause de toi. J'ai quelques doutes depuis un moment.

— Elle t'adore.

— Je sais. Mais elle mérite mieux. Quelqu'un qui lui rende ses sentiments à cent pour cent. J'ai essayé, je le jure, mais je n'ai pas réussi à dépasser les soixante-quinze pour cent.

— Mais... tu te maries *samedi*. Tu ne peux pas annuler maintenant ! Tu as peur, c'est tout.

— Qui voudrait d'un froussard dans son lit ? Non, je vais mettre mon mariage en stand-by. (Il se leva et arpenta la pièce.) Non, non, je l'annule. Complètement. Je ne vais pas la bercer de fausses espérances.

Il paraissait très sûr de sa décision, et en quelque sorte... soulagé. Meg craignait que son choix, dicté par l'émotion, ne fût une grave erreur, indépendamment de la joie qu'il lui procurait. Mais pour la réjouir, il la réjouissait, au point de lui donner le vertige.

— Carson, tu sais très bien que je n'ai aucun avenir. Tu es navré pour moi, mais ça va passer. Quand je serai partie, il te restera presque une vie entière. Ne... ne gâche pas ton bonheur.

Il se rassit, mains sur les genoux et tête baissée.

— Je ne peux pas être heureux quand je ne me donne pas complètement. Tu ne comprends pas, Meg ? C'est toi que je veux. Cinq minutes, cinq heures, cinq jours. Peu importe. Je les prendrai et je serai heureux. Je t'en prie. Laisse-moi faire.

Sa proposition ressemblait à l'apparition d'une oasis absente des cartes. Meg se perdit dans ses yeux si bons, si familiers – si semblables à ceux de Savannah – et son sourire s'élargit tellement qu'il éclata de rire.

— D'accord, dit-elle.

51

Deux cents ballons multicolores semblaient prêts à faire décoller la tente sous laquelle une vingtaine d'adolescents dégustaient des pizzas. Au poivron, bien sûr, mais également d'autres dont Savannah ignorait le nom, à l'avocat, à l'ail, au pistou, au maïs et à la coriandre. À côté venaient les salades : campagnarde, aux pommes de terre à la chair jaune ou rosée ; italienne, aux olives, champignons, piments et fromage frais ; farandole de légumes verts, mandarines et fraises. Une glacière débordait de friandises et cinq grands baquets en acier galvanisé proposaient toutes les boissons favorites des adolescents. Le gâteau d'anniversaire au chocolat de trois étages, recouvert d'un glaçage aux allures de cape en dentelle, trônait au milieu de ce festin, telle une jeune fille trop habillée en peine de cavalier.

Dans le jardin, non loin de la tente, était garée la nouvelle Honda blanche rutilante de Savannah, symbole même de la démesure. Des ballons étaient accrochés à ses rétroviseurs et un énorme nœud rouge surmontait son capot. L'adolescente, en conversation avec un groupe d'amies, trouvait ce nœud vulgaire et regrettait que la voiture ne fût pas vert citron ou d'une couleur plus vive, mais elle ne pouvait pas dire qu'elle n'était pas contente d'en disposer enfin. Désormais, elle allait pouvoir plus ou moins instaurer ses propres règles. Caitlin, arrivée avec un minuscule chiot marron dont le museau pointait de son sac en bandoulière, avait vraiment admiré la voiture et dit qu'au volant de sa Mini elle avait l'impression d'être un clown. Elle avait l'intention de la changer contre une BMW X3.

Savannah observait les invités, des amis de son père et leurs enfants pour la plupart. Malgré cette fête donnée en son honneur, le buffet, les cadeaux et toute l'attention qu'elle recevait, elle aurait préféré être ailleurs. Ainsi donc, même Caitlin, qui semblait tout avoir, n'était pas aussi satisfaite de sa vie qu'elle aurait dû l'être. À quoi cela tenait-il ? Pour quelle raison ces excès ne suffisaient-ils pas ? Ce phénomène désarmait Savannah, non seulement concernant Caitlin, mais la concernant elle-même. Son mode de vie – sans doute plus agréable que celui de la plupart des gens – ne l'empêchait pas, le jour béni de ses seize ans, de se sentir déconnectée de cet événement.

Tous ces gosses habillés de vêtements de marque étaient assurés d'une réussite au moins égale à celle de leurs parents, si ces derniers ne les rejetaient pas, comme l'avaient fait ceux de Kyle. On leur offrait tout sur un plateau d'argent. On aurait dit qu'ils ne se faisaient jamais prendre en infraction des règles ou de la loi, et elle était comme eux. Mais elle essayait au moins d'aider les autres – à commencer par Kyle et la population de lamantins – et elle avait l'intention de prendre sa vie en main dès qu'elle le pourrait. Les vingt-quatre mois à venir seraient sans doute les plus lents de son existence.

Rachel, vêtue d'une jupe paysanne et d'un haut à volants achetés au pays de Galles, lui apporta un soda, interrompant ses ruminations.

— Tiens, héroïne de la fête. Il t'a appelée ?

Toute la journée, Savannah avait à la fois attendu et redouté le coup de fil de Kyle. Malgré leur réconciliation, le souvenir du vendredi précédent lui laissait un arrière-goût dérangeant. Elle avait posé nue pour lui, fait Dieu sait quoi d'autre – elle était trop gênée et effrayée pour lui poser la question –, et il détenait les photos de ses débordements. Depuis trois jours, il ne lui avait pas davantage téléphoné qu'il n'avait chatté avec elle, mais même avant, elle ne tenait pas vraiment à avoir de ses nouvelles. Leur relation lui inspirait moins de certitudes. La drogue, le sexe – elle ne voulait ni de l'un ni de l'autre, en tout cas pas de cette façon, mais elle ne savait comment refuser sans le vexer. Paradoxalement, il lui manquait et elle avait hâte de le revoir ; elle souffrait de ne pas avoir eu de coup de fil ce jour-là.

— Non, répondit-elle à Rachel, mais son portable ne marche plus et...

— Jonathan m'a interrogée sur toi. Il voulait savoir si tu sortais avec quelqu'un en ce moment. Je lui ai répondu de te poser la question lui-même.

Jonathan parlait à un groupe de cinq copains, de l'autre côté des tables. Ils formaient une espèce de bande un peu coincée, comme s'ils ne savaient pas comment se mêler aux filles, qu'ils connaissaient pourtant, pour certaines, depuis toujours. Savannah remarqua subitement à quel point son ami d'enfance avait mûri et grandi. Il était beaucoup plus musclé que quelques mois plus tôt. Ses cheveux blond pâle et raides, exception faite d'une légère ondulation autour du visage, lui plaisaient. Avait-il réellement envie de sortir avec elle ? De coucher avec elle ? Cette hypothèse la titilla un peu, tout en lui inspirant sur-le-champ une forme de culpabilité. Elle aimait Kyle. Il n'était pas entièrement responsable de ce qui s'était produit : ils étaient défoncés et elle s'était soumise de son plein gré.

— Jonathan est vraiment mignon, observa Miriam, qui se tenait à côté d'elles. En plus, vous êtes bien assortis.

Cette observation fit sourire Savannah. Son amie disait vrai ; ils portaient tous les deux des hauts verts et des bas kaki : short pour lui, jupe pour elle.

— Le destin, commenta Lydia Patel. Ma mère dirait que c'est un signe.

— Elle a déjà un petit ami, fit remarquer Rachel.

— Que personne n'a jamais vu, leur rappela Miriam.

— Que se passe-t-il, Savannah ? demanda Lydia. Pourquoi n'est-il pas ici ?

Elle ne pouvait leur parler ni de l'âge véritable de Kyle, ni de la réaction... négative qu'il provoquerait chez son père, ni de ses sentiments ambivalents sur sa propre conduite inhabituelle et sur la manière dont il l'encourageait. Que pensait-il d'elle ? S'inquiétait-il de son comportement à lui ?

— Il devait travailler jusqu'à l'heure de fermeture, déclara-t-elle à ses amies.

Un prétexte plausible. Il lui avait raconté que son directeur, au dépôt central, lui faisait faire des heures supplémentaires en compensation de toutes celles qu'il avait manquées pendant son séjour à Miami.

— Il n'a pas pu se libérer pour ton anniversaire ? rétorqua Caitlin. Excuse-moi, mais à ta place, je laisserais tomber un gars qui est incapable de s'organiser à l'avance. Il t'a fait un cadeau, au moins ?

— Pas encore, répondit Savannah. Mais il va le faire.

En tout cas, elle y comptait. Il ne lui en avait rien dit, mais elle espérait que c'était simplement pour lui réserver la surprise.

— À propos de cadeaux...

Rachel la tira par le bras vers la table où l'attendait une pile multicolore de sacs et de boîtes aux emballages luxueux.

— Si tu en ouvrais quelques-uns ? J'ai cru comprendre que nous étions invités à une fête d'anniversaire.

Les jeunes, rassemblés autour de la table, la regardaient déballer des boucles d'oreilles en cristal colorées, quatre sacs Vera Bradley de tailles et couleurs différentes, des accessoires iPod pour sa voiture et des billets pour *Le Roi Lion* à Broadway – de la part de Rachel, qui savait qu'elle adorait le film –, quand elle eut droit à la plus grande surprise de la réception, annoncée par Jonathan :

— Hé, regardez ! C'est Carson McKay !

Tous se tournèrent de concert vers le portique, derrière la piscine. Il s'agissait bien de Carson, en short et chemise hawaïenne, l'air un peu emprunté en dépit de son célèbre et chaleureux sourire.

Meg, au milieu de ses grands-parents et de quelques autres adultes, le salua d'un geste du bras.

— Je suis contente que tu aies pu te libérer, dit-elle, pour bien montrer qu'elle se doutait de sa visite.

Qu'était-il advenu de son mariage ? Et de Val ?

Savannah s'abstint de l'interroger, au cas où il n'aurait pas envie de divulguer sa réponse publiquement. Elle l'avait trouvé dans le salon avec sa mère le mercredi soir, et voilà qu'il réapparaissait, le jour même où il aurait dû célébrer son mariage. Peu importait cependant ce qui se tramait : il était là. Incroyable ! Un privilège inouï !

Carson déposa une enveloppe blanche sur la table et l'embrassa brièvement sur la joue, geste qui fit pâlir de jalousie toutes les femmes présentes.

— Joyeux anniversaire, dit-il. Pardon d'être en retard.

— Vous plaisantez ? C'est génial que vous soyez venu.

Sa mère procéda aux présentations.

— Comme le savent déjà certains d'entre vous et comme l'a fait remarquer Jonathan, voici Carson McKay. Carson et moi sommes amis depuis l'école primaire. Ses plans pour le week-end ayant été modifiés, j'ai pensé qu'il aimerait peut-être passer ici.

Carson s'inclina légèrement, puis il recula parmi les adultes, afin de regarder Savannah terminer d'ouvrir ses cadeaux. Elle garda son enveloppe pour la fin. Celle-ci contenait une carte dont le recto représentait une prairie d'herbes ondulantes parsemées de fleurs sauvages sous un ciel d'azur ouvert à l'infini. Elle lut tout bas le poème que Carson avait copié au verso :

Pour faire une prairie, il faut un trèfle et une abeille,
Un trèfle, et une abeille,
Et une rêverie.
La rêverie suffira,
Si les abeilles sont rares.
Emily Dickinson, 1896

Elle y réfléchit un instant avant de se dire : *Comme c'est vrai !* Sous le poème, Carson avait écrit :

Tous mes vœux pour tes seize ans. Je t'invite à partager une jam session avec le groupe et moi (date à définir). À toi de choisir les chansons.
Affectueusement,
Carson.

Elle lut à haute voix cette partie, sans être capable de dissimuler son enthousiasme.

— Wouah ! Merci beaucoup. J'aimerais vraiment, mais vous devez me promettre de ne pas tenir compte de ma nullité.

Le reste de la soirée se déroula dans un flou plus heureux. L'ensemble de l'activité se concentra sur Carson. Sollicité de toutes parts, il répondit aux questions, dédicaça des serviettes de table, des assiettes, des chemises, tout ce qu'on lui présentait. Il joua *Joyeux Anniversaire* sur la guitare de Savannah pendant que le traiteur allumait les bougies du gâteau. Vers la fin de la fête, il parvint même à la convaincre de chanter un court duo avec lui près de la piscine. Seules la mine ouvertement renfrognée de son père et quelques pensées attristées dues au silence de Kyle ternirent – très légèrement – sa soirée.

Après avoir pris congé de ses invités et s'être affalée sur le sofa de la salle de jeux avec Rachel, elle revint en pensée à Kyle, telle l'abeille du poème au trèfle. Pour quelle raison ne l'avait-il même pas appelée ?

Comme sollicité par son inquiétude, son téléphone sonna, marquant le début de ce qui allait devenir l'une des nuits les plus troublantes de sa vie.

— C'est lui, dit-elle à Rachel.

— Alors, réponds.

Elle alla se placer auprès de l'étagère, dos tourné à son amie.

— Allô ?

— Salut, comment tu vas ?

Elle prit un ton détaché :

— Bien.

Avait-il oublié quel jour on était ?

— Je voulais t'appeler plus tôt, mais j'étais en pleine organisation. Une espèce de surprise pour ton anniversaire. (Il
fredonna le début de *Joyeux Anniversaire*.) Je viens juste de
fignoler les derniers détails.

— Oh, ce n'est pas grave. J'ai déjà eu une surprise formidable : Carson McKay est venu à ma fête.

— Ce mec essaie de marcher sur mes plates-bandes. Ça
m'énerve.

— C'est l'ami de ma mère.

— Je parie que ta mère est sexy.

— *Quoi ?*

— La future femme de McKay est sexy, non ? Et toi, tu es
sexy aussi. J'en conclus que chaque poule de sa vie doit l'être.
Sa mère comprise, tu paries combien ?

Elle baissa la voix pour lui demander :

— Tu es défoncé ?

— Par la vie, ma belle, par la vie. Parce que, enre-
gistre-moi ça : j'ai une proposition à te faire pour ton anniversaire. Est-ce que j'arriverais à prononcer « proposition » si
j'étais défoncé ? Non. Bref, voici ma surprise : je te propose
de te mettre en ménage avec moi.

— En ménage ? Qu'est-ce que tu veux dire ?

Il ne pouvait pas penser au *mariage*.

— Je veux dire que t'emballes tes affaires et qu'on fiche le
camp. On dégotte un endroit où on sera ensemble vingt-
quatre heures sur vingt-quatre, sept jours sur sept.

— Wouah !

Bizarre, mais elle était soulagée de ne pas l'avoir entendu
prononcer le mot « mariage ». Elle n'était pas prête pour cela.
Était-elle prête pour son autre proposition ?

D'un doigt levé, elle indiqua à Rachel qu'elle allait revenir.
Elle parlerait plus au calme dans sa chambre.

— Je ne sais pas, dit-elle. Est-ce que c'est légal ? J'ai seize
ans, pas dix-huit, tu t'en souviens ?

— Bien sûr, poupée. Écoute-moi bien : que ce soit légal
ou non, ça compte pour du beurre. J'ai un plan qui nous
permettra de faire tout ce qu'on voudra. Je t'aime trop,
Savannah. Ça m'a tué que tu sois, comme qui dirait, furieuse
contre moi. Je ne peux pas supporter d'avoir à attendre deux

ans pour t'avoir toute à moi. Tu ne veux pas qu'on soit ensemble à plein temps ?

Savannah sentit son cœur gonfler. Elle alla se réfugier dans sa salle de bains dont elle referma la porte.

— Bien sûr que si. Tu me suggères de fuguer ?

— Ça y est : elle pige enfin ! Ouais, c'est ça, fugue avec moi.

Jamais elle n'avait envisagé une chose pareille : partir tout de suite avec Kyle. Mais pourquoi pas ? Son papy Spencer avait bien quitté sa famille à l'âge de quinze ans pour aller travailler comme palefrenier dans le grand haras d'un cousin à Ocala. Dans certains pays, des filles de son âge étaient depuis longtemps mariées et mères de famille. Elle imagina la vie avec Kyle, leur liberté : ils pourraient faire ce qu'ils voudraient, quand ils le voudraient. Sans avoir sur le dos des pères critiques ou des mères préoccupées. Sans couvre-feu contraignant. Sans attentes parentales d'une tonne.

Il s'agissait néanmoins d'une décision monumentale, d'autant qu'elle avait ses propres projets.

— Je ne sais pas. Où est-ce que je finirai le lycée ?

— Tu passeras le bac en candidate libre.

— Ça ne me permettra pas d'entrer à la fac.

— Peut-être pas à Princeton, mais les établissements d'État prennent n'importe qui. Tu te fiches de cet élitisme de merde, non ?

— Si… mais laisse-moi réfléchir.

— C'est tout réfléchi. Je t'aime. Tu dis que tu m'aimes.

— Oui !

— Très bien. Dans ce cas, c'est tout décidé. Tu fais tes bagages et tu t'amènes. Au fait, tu as toujours ton compte épargne ? Tu vas devoir retirer tout ton fric, parce que, comme tu es mineure, il faudra qu'on fasse un saut à l'étranger un certain temps.

— Une seconde ! Quitter le pays ? Comment va-t-on faire ?

— Nous… enfin… j'ai tout prévu, ma belle. Je t'expliquerai ça en détail quand on se verra. Parce que, avec les portables, on ne sait jamais qui peut écouter.

Savannah se regarda dans le miroir, persuadée de faire plus que ses seize ans. De toute façon, elle se sentait résolument en âge de vivre seule. C'était Kyle qui lui inspirait des doutes. S'il acceptait de laisser tomber la drogue, peut-être... mais comment allait-elle l'en convaincre, alors qu'elle avait été incapable d'y résister elle-même ?

— Tu peux attendre une seconde ? lui demanda-t-elle.

— OK.

Elle appuya sur la touche « Silence » et déposa le téléphone sur la tablette de la salle de bains. Le miroir lui renvoyait l'image d'une jeune fille au visage très soucieux. *D'accord, c'est dingue, mais si je refuse et qu'il me largue ?* Elle retrouverait son quotidien monotone et agaçant.

Kyle était drôle et audacieux. Et, hormis cette nuit dérangeante, il lui donnait l'impression qu'elle était intelligente, jolie, douée et digne de considération.

Sa mère lui avait toujours tenu ce discours, mais dans la bouche de Kyle ces compliments avaient une autre saveur. Ils sonnaient plus juste. Sa mère se devait de lui dire ce genre de choses, pour la simple raison qu'elle était sa mère.

Malgré tout, Savannah n'était pas persuadée de pouvoir lier sans danger son destin à celui de Kyle.

Jamais elle n'avait vu ses yeux si sombres dans une glace. Des yeux graves d'étrangère. *Je ne suis pas sûre de pouvoir dire oui, j'ai besoin de plus de temps.* Le temps de voir s'il change. De voir s'il est capable d'emprunter la bonne voie et de s'y tenir. Elle se sentirait alors peut-être moins angoissée de quitter son foyer pour se lancer dans la vraie vie.

Il ne lui restait plus qu'à persuader Kyle de revenir dans le droit chemin.

Elle se détourna du miroir, reprit le téléphone et rebrancha le son.

— C'est moi.

— Tout est réglé ? Tu me rejoins et on se prépare. Ton père t'a bien offert ta voiture ?

— Oui. Elle est sympa.

Comme l'étaient ses parents de lui avoir aussi fait don de la liberté, pour la récompenser d'être presque toujours responsable et bien élevée.

— Mais écoute..., poursuivit-elle.

Il l'interrompit :

— Génial. Viens dès que tu peux. Je t'indiquerai le chemin. C'est dans la banlieue de Summerfield, à deux pas de la 301.

Elle avait peut-être intérêt à lui faire part directement de ses soucis. Elle constaterait de la sorte s'ils avaient une chance de mener son projet à bien. Pour le reste, elle verrait dans ses yeux s'il était prêt à abandonner ses excès.

— Tu ne veux pas venir me chercher ? Je n'aurai mon permis définitif que lundi.

— Et alors, où est le problème ? se moqua-t-il.

— Je... Peu importe. Bon, d'accord.

Elle conduisait aussi bien aujourd'hui qu'elle conduirait lundi. Quelle différence, donc, du moment qu'elle était prudente ? Elle pourrait éventuellement revenir sans même que ses parents s'aperçoivent de son absence. Pendant qu'elle notait les explications de Kyle, elle sentit une veine palpiter au creux de son cou.

— Je te retrouve là-bas le plus vite possible.

Rachel parlait toujours au téléphone dans la salle de jeux, allongée à l'envers sur le canapé, la tête dans le vide.

— Une minute, dit-elle à son correspondant.

Elle interrogea Savannah d'un regard impatient.

— Il veut me voir ce soir, lui annonça cette dernière. Pour m'offrir mon cadeau. En privé.

— Je te rappelle plus tard, déclara Rachel au téléphone.

Après avoir raccroché, elle se remit à l'endroit.

— Qu'est-ce que c'est romantique ! Il t'a dit de quoi il s'agit ?

— Non, ça gâcherait la surprise, tu ne trouves pas ?

— Je te parie que c'est de la lingerie. Ou un bijou. J'adorerais qu'un garçon m'offre un bijou.

Savannah se sentit un peu rassurée par le sourire d'envie de Rachel, même si son amie était complètement à côté de la plaque.

— En tout cas, j'ai besoin de ton aide.

— Tu veux que je fasse quoi ?

— Il faudrait que tu restes dans ma chambre. Ferme bien la porte et, si quelqu'un me demande, réponds que je suis dans la salle de bains. Mais personne ne viendra. Une fois que j'ai souhaité bonne nuit à mes parents, ils me fichent une paix royale. Je serai de retour avant demain matin.

— Pigé, dit Rachel. Mais sois très prudente. Ne dépasse pas la limite de vitesse, ce genre de trucs.

Savannah la serra dans ses bras.

— Tu es vraiment ma meilleure amie.

Rachel afficha une mine faussement renfrognée.

— Je te déteste. Tu as trop de chance ! Promets-moi de me présenter à un de ses frères.

— Promis. Il faut que j'y aille.

Comme elle se dépêchait de sortir, les voix de ses parents lui parvinrent de leur chambre. Une dispute. Âpre. Elle n'essaya pas de deviner ce qu'ils disaient et se refusa à imaginer leur réaction lorsqu'ils découvriraient sa disparition le lendemain.

Au volant, dans la nuit, elle se concentra sur l'attitude qu'elle allait adopter. Pas question de fumer de l'herbe ou de prendre des pilules. L'enjeu était si important qu'elle était persuadée de ne pas se laisser aller.

Le plus formidable serait d'avoir une relation sexuelle – non, de faire l'amour – l'esprit uniquement embrumé par le désir et la passion. Elle ne pouvait imaginer plus merveilleux cadeau d'anniversaire. Si le colocataire de Kyle était absent. Dans le cas inverse, ils auraient peut-être ailleurs où aller. Mais pas question de se droguer, de prendre la moindre substance susceptible d'altérer cette expérience ou de lui donner la sensation d'être... dévergondée.

Rien n'était perdu entre eux. Kyle était de toute évidence toujours aussi amoureux d'elle. Elle avait juste besoin de le remettre sur la voie. Après, tout serait paradisiaque.

Cependant, s'il refusait de laisser tomber la drogue et le reste... De toute façon, il y serait obligé : il l'aimait, il voulait son bonheur, donc il comprendrait. En tout cas, elle l'espérait de tout son cœur. Il était adorable, plein de bonne volonté. Quand il se rendrait compte à quel point elle y tenait, il abandonnerait la came. C'était le genre de choses qu'on faisait par amour.

52

Meg ferma la porte de la chambre pour empêcher Rachel et Savannah d'entendre leurs voix qui ne cessaient de grimper.

— Je suis désolée, dit-elle à Brian, mais je ne vois pas en quoi j'ai eu tort d'inviter Carson. Savannah était plus qu'enchantée. Tu t'en es aperçu.

— Et moi, Meg ? Je n'étais pas enchanté du tout. Tu ne m'avais même pas prévenu !

— Parce que je connaissais ta réaction à l'avance.

— Ça te plairait que j'invite une de mes ex-maîtresses à la fête d'anniversaire de notre fille ? Comment aurais-tu réagi si Lisa Hathaway s'était pointée et que tu avais dû lui faire des politesses et prétendre que ça ne t'emmerdait pas ?

— Ça n'a rien à voir, répliqua Meg. Tu ne peux pas comparer une présentatrice d'infos sur une chaîne locale à une star internationale qu'idolâtre Savannah.

Comme elle avait du mal à prononcer les mots, elle ralentit son débit :

— En outre, pour autant que je le sache, toi et Lisa n'avez aucune espèce de liaison en ce moment.

— C'est exactement ce que je dis ! Depuis quand as-tu une relation avec ce McKay ? Bon sang, Meg, tu ne me racontes pas tout !

Elle se tourna vers la fenêtre. La piscine était encore éclairée. Il ne savait effectivement pas la moitié des choses. Non seulement elle s'était abstenue de le prévenir que Carson passerait peut-être aujourd'hui, mais elle ne lui avait pas dit qu'elle l'avait vu le mercredi, ni qu'elle l'avait appelé. Pas davantage qu'elle ne lui avait fait part de sa rencontre avec Carson, James et Val chez le tailleur. Elle ne lui avait pas non plus parlé de sa visite chez Lana Mathews, ni du journal de sa mère, ni de celui qu'elle tenait pour Savannah.

Malgré le lit, la chambre, la maison qu'elle partageait avec lui depuis la moitié de sa vie ou presque, elle n'avait aucun désir de lui révéler son jardin secret. Elle se rendait compte à présent que c'était le cas depuis toujours et que cela expliquait, en partie au moins, l'intimité toute relative de leur vie de famille. Si Brian avait exigé davantage d'elle, jamais elle n'aurait été capable de l'épouser, de vivre si longtemps avec lui dans une vague harmonie. La bizarrerie de la vie faisait qu'au moment même où elle s'éloignait, il voulait l'obliger à se rapprocher. Pouvait-il éprouver un sentiment de jalousie, de concurrence, même en la sachant mourante ? Penser qu'il tenait autant à elle la flattait. Mais en même temps, elle en éprouvait de la tristesse, puisque ce n'était pas vers lui qu'elle avait choisi de se tourner et qu'elle ne l'aurait de toute façon pas fait, même si Carson n'était pas réapparu dans sa vie.

— Tu veux savoir ce qu'il se passe, Brian ? dit-elle calmement. Pour commencer, je dois absolument trouver un moyen d'en finir avec ma vie avant d'être totalement paralysée.

— Qu'est-ce que tu racontes ? Tu vas... tu parles de te suicider ?

— Comme ça, personne ne me verra souffrir et je n'aurai pas à souffrir moi-même.

— Mais... la SLA n'est pas une maladie douloureuse. Je l'ai lu dans la brochure que tu m'as passée.

— Elle n'est pas douloureuse, mais cela ne signifie pas que ses victimes n'en souffrent pas. (Elle songea à Lana.) Elles souffrent de dépendance, de paralysie, de déchéance... Quand tes membres cessent de fonctionner, que tu ne peux plus ni parler, ni mâcher, ni avaler, c'est une mort d'une lenteur atroce qui t'attend. J'appelle cela souffrir. Et peux-tu imaginer que Savannah me voie constamment dans un état pareil ?

Il ne parvint pas à dissimuler sa nervosité.

— Tu ne peux pas simplement... Enfin, d'accord, je vois... mais comment suis-je censé... Voyons, Meg ! Réfléchis aux stigmates. Et ton assurance vie ne sera pas versée.

Elle s'obligea à ne pas réagir. Il était bouleversé et se rattrapait à des fétus de paille. Brian ne manquerait de toute façon jamais d'argent, et elle avait assuré confortablement l'avenir de Savannah, son avocat s'y était employé. Si les tests ADN prouvaient qu'il n'était pas le père de Savannah et que cette dernière perdait ses fonds fiduciaires, elle pourrait quand même terminer ses études secondaires et effectuer ses études supérieures sans aucun souci matériel.

— Tu sais parfaitement que l'argent ne présente aucun problème, répondit-elle sans perdre son calme. Quant aux stigmates, ils ne peuvent être pires que ceux provoqués par la vision d'une mère allongée sur un lit d'hôpital, entièrement dépendante, couches comprises.

— Tu parles de *suicide*, Meg. (Il la regardait avec des yeux exorbités, comme si elle avait perdu l'esprit.) Et si tu t'imagines que je vais t'aider, tu peux te sortir ça de la tête.

Elle n'avait attendu aucune aide de sa part ; son refus ne serait-ce que d'envisager de la soutenir si elle le lui demandait ne l'en attrista pas moins.

— Une deuxième chose que tu dois savoir, poursuivit-elle donc, c'est que Carson veut faire partie de ma vie par tous les moyens possibles, jusqu'à mon dernier souffle. Et que je le désire aussi.

Il s'assit sur le bord du lit et se frotta le front.

— Bon Dieu ! Tu as autre chose à me déverser dessus, pendant que tu y es ?

— Pardon d'être si abrupte, mais il n'y a aucune raison de perdre du temps et de l'énergie en tournant autour du pot. J'ai l'intention de vivre mes derniers jours avec honnêteté, et j'espère que tu pourras le respecter.

— Honnêteté ? Ne pourrais-tu pas plutôt utiliser le terme de « responsabilité » ? Si tu pensais à Savannah, au lieu de penser à toi ?

Cette fois, elle prit la mouche.

— Et si *toi*, tu dressais la liste de ce que tu as fait pour elle en seize ans, puis une liste de ce que *moi*, j'ai fait ? Mais tu en es totalement incapable, parce que tu n'as pas la moindre idée de ce que j'ai dû aller puiser en moi pour parvenir à gérer sa vie, la tienne et la mienne pendant tout ce temps. Je t'interdis de me dire que je ne pense pas à Savannah. Je n'ai jamais cessé de mettre ses besoins dans la balance par rapport aux miens, y compris maintenant.

— C'est toi qui as voulu un enfant, Meg. Tu l'as faite toute seule.

— Effectivement.

Ils se foudroyèrent du regard, mais Brian détourna le sien.

— Je ne veux pas en arriver là.

— Dans ce cas, arrête. Savannah sait déjà que Carson et moi sommes de vieux amis. Si tu te conduis en adulte, ça facilitera grandement les choses.

— Quoi, je suis censé l'accueillir chez moi, lui laisser mon épouse et mon lit ? (Il fit un geste du bras, comme s'il offrait sa couche à Carson.) Qu'est-ce que je fais ? Je vais dormir dans une chambre d'ami jusqu'à ce que tu t'entailles les poignets où que tu prennes une overdose ?

— Aie un peu foi en moi, Brian. Je te demande simplement d'être compréhensif. J'ai fait tout mon possible à tes côtés, tu le sais parfaitement. Mais les choses ont changé.

Brian partit au bar du club, sous prétexte de prendre le champ nécessaire pour réfléchir. Meg s'en moquait. Il ne lui restait plus aucune énergie à consacrer aux émotions de son mari. Elle avait déjà assez de mal à maîtriser les siennes.

Elle emporta un verre de lait et quelques cookies aux pépites de chocolat dans le petit salon. Entre deux bouchées de biscuit trempé, elle reprit son journal :

14 mai 2006

Ton seizième anniversaire aujourd'hui. La fête s'est mieux déroulée que je ne le craignais, puisque Carson est venu. Accepte sa proposition de jouer avec son groupe. Tu as un potentiel énorme, une voix ravissante, un sens inné de la musique.

J'espère qu'après mon départ j'aurai la possibilité de savoir comment tu t'en sors, que ce qui vient après cette vie me permettra de jeter de temps en temps un coup d'œil à la tienne. Je te verrai peut-être un jour interpréter tes propres chansons sur scène. Peut-être même que tu auras l'occasion de présenter une cérémonie au cours de laquelle Carson recevra un prix pour l'ensemble de sa carrière. Ou alors la musique ne restera pour toi qu'un loisir, ce qui sera formidable aussi. Fais tout ton possible pour être ce que — et qui — tu désires le plus être. Ne laisse ni ton père, ni tes amis, ni aucun compagnon te détourner de ta vérité intérieure. Rien n'est pire que de passer sa vie en revue et de souhaiter avoir tout fait autrement, de regretter de n'avoir ni résisté aux pressions ni été fidèle à soi-même. Comme le dit le proverbe, je suis ici pour te dire de ne pas commettre les mêmes erreurs que moi.

En tout cas, toi, ma merveilleuse fille, tu es bien la seule chose de mon passé que je ne changerais pour rien au monde.

Aujourd'hui, je t'observais, entourée d'autres adolescents. Vous aviez tous l'air tellement adultes. Je me suis souvenue d'un matin, un week-end où tu devais avoir dans les huit ans. Jonathan avait passé la nuit ici. Vous titubiez d'épuisement, parce que vous aviez réussi une « expérience » : ne pas dormir de la nuit. Moi aussi, j'étais lessivée, car je n'avais pas voulu m'assoupir pendant que vous restiez éveillés. Jonathan ne savait pas encore nager et je craignais que vous décidiez de faire un petit plongeon dans la piscine à trois heures du matin. Mais je voulais aussi être témoin de l'enchantement que vous procurait l'acte tellement excitant et « adulte » de supprimer l'heure du coucher. Quand le soleil s'est levé, j'ai fait des gaufres et nous les avons mangées tous les trois avec les doigts, tu te souviens ? Sans assiettes... nous avons versé du sirop dessus et nous nous sommes assis par terre. Nous rattrapions les gouttes qui coulaient sur nos genoux.

Jonathan a dit : « J'ai hâte de dire à maman qu'on n'a suivi aucune des règles !

— De toute façon, as-tu demandé, qui fabrique les règles ? »

Et Jonathan a répondu : « Dieu, pas vrai ? »

Et moi, j'ai dit : « Certaines sont juste destinées à faciliter la vie des parents, mais d'autres ne sont rien que de vieilles habitudes que les gens ont trop peur de changer. »

Voici donc mon conseil : suis les règles qui te permettent de vivre la meilleure vie possible, Savannah, et jette toutes les autres aux orties.

Meg mit le stylo dans sa bouche et se frotta la main. Elle réfléchissait à la suite quand le téléphone sonna sur le bureau. Elle se leva en titubant légèrement et se hâta d'aller décrocher.

— Allô ?

Des parasites, des bruissements, une respiration lourde. Elle était sur le point de raccrocher quand elle entendit :

— Maman ?

Elle s'appuya au bureau pour ne pas perdre l'équilibre.

— Savannah, ma puce, c'est toi ?

Pour quelle raison Savannah lui téléphonait-elle ?

— Maman, je...

D'autres parasites. Savannah parlait vite, si bien que Meg ne put saisir que les mots *Kyle, voiture* et *me chercher*. Ainsi que *Summerfield, s'il te plaît, dépêche-toi.*

Le petit ami. Une autre dispute ? Elle ne sut pas si Savannah l'entendit répondre :

— J'arrive.

53

Accroupie dans les broussailles plongées dans l'obscurité, Savannah sentit une bestiole ramper dans son cou. Elle n'osait plus bouger, sinon Kyle et son abominable copain allaient l'entendre, la dénicher, la ramener de force dans leur immonde taudis – ou se contenter de la violer (la tuer ?) sur place, en plein bois. Elle haletait péniblement, tout en priant pour que sa mère arrive vite.

Elle aurait peut-être dû appeler le 911. Mais dans sa panique, elle avait perdu son portable. Il était trop tard. Sa mère allait peut-être joindre la police, quoique... La liaison était si mauvaise qu'elle ne savait pas du tout si elle l'avait entendue, et encore moins si elle avait compris qu'elle avait besoin d'aide sur-le-champ. Elle se sentait vraiment idiote. Idiote de ne pas avoir appelé les flics, idiote d'être venue ici, idiote d'avoir cru en Kyle...

Tout avait pourtant plutôt bien commencé. En dépit du fait que la maison n'était qu'une porcherie minuscule dans laquelle régnait une odeur nauséabonde, elle avait été heureuse de le retrouver, de sentir ses bras l'enlacer, d'entendre sa voix lui chuchoter à l'oreille « Heureux, heureux anniversaire ». Elle avait accepté le coca qu'il lui proposait et essayé de ne pas se pincer le nez à la vue des plans de travail incrustés de résidus de nourriture et de la poubelle débordant de déchets.

Il lui avait indiqué le canapé élimé, vieil or sale, de la pièce miteuse. Un antique poste de radio crachait de la musique rock nulle. Il avait un peu baissé le son.

— Tu as faim ? lui avait-il demandé, après lui avoir fait contourner des piles branlantes de dépliants publicitaires et de magazines. Mon pote, Aaron, va nous rapporter de la pizza.

Elle avait essuyé les miettes maculant le canapé avant de s'asseoir.

— Non, ça va. Il y avait de la pizza pour mon anniversaire. Et des tas de gâteaux.

— Ah ouais, évidemment.

Kyle s'installa près d'elle et s'inclina en arrière pour poser les pieds sur une vieille caisse de lait.

— Alors, ça y est ! T'as fêté ton super un-six ! Te voilà en âge légal d'avoir une vie sexuelle.

Elle sourit.

— Comme si ça comptait.

— Et en plus, nous voilà libres.

Elle sirota une gorgée de coca et acquiesça, hésitant à se lancer directement dans la discussion qu'elle avait préparée pendant le trajet. Mieux valait attendre le bon moment. Il allait peut-être lui suggérer de se défoncer. Ce serait l'occasion idéale de lui dire sa pensée : ils devaient tous les deux laisser tomber la drogue.

— Alors, comment ça va marcher ? s'entendit-elle demander. Notre sortie du pays et tout ça ?

Kyle se redressa, impatient d'expliquer.

— Un plan génial. Aaron et moi, on a tout organisé.

— Aaron t'a aidé ? s'alarma-t-elle.

— Je peux même dire que c'est la clé de voûte du projet. Il a toutes les connections. C'est mon fournisseur, tu sais bien.

Son *fournisseur* ? De drogue. À laquelle ils devaient consacrer tout leur argent, vu l'état de la maison. Le sien aussi ?

Cette ouverture était aussi bonne qu'une autre.

— Je veux justement te parler de ça, de cette histoire de drogue, dit-elle.

— Aaron est super, continua Kyle comme s'il ne l'avait pas entendue. Il a les contacts. Il se procure les trucs : fausses cartes d'identité, passeports, billets. Au fait, tu as retiré l'argent ?

— Non, pas encore. Je...

— On s'est dit qu'on ferait d'abord halte au Mexique, parce que c'est facile de passer la frontière. En plus, Aaron connaît un type là-bas.

Savannah venait d'ouvrir la bouche pour répliquer qu'elle ne voyait aucun intérêt à voyager avec un trafiquant de drogue quand Aaron arriva, trois boîtes de pizza en équilibre sur sa main retournée.

Il avait des cheveux blonds crasseux et un teint si pâle qu'il semblait presque translucide. Les yeux cachés derrière d'énormes lunettes noires. Il lui jeta un coup d'œil au passage et alla déposer les boîtes sur la pile de prospectus.

— Mais c'est ma poule à six pixels favorite !

— Six..., commença-t-elle.

Puis le jour se fit dans son esprit. Il faisait référence aux photos d'elle que Kyle avait prises durant leur nuit à l'hôtel. Son ventre se serra.

— Tu ne les lui as pas montrées ? chuchota-t-elle.

Kyle se contenta de hausser les épaules.

— Il était là.

Elle faillit vomir le coca qu'elle venait d'avaler. Comment pouvait-il aborder un sujet si intime avec une telle désinvolture ?

— Alors, la voiture est prête ? lança Aaron de la cuisine.

— Euh... non. Je n'ai pas encore eu le temps de m'en occuper, mon vieux, répondit Kyle.

Aaron alluma un joint.

— On en parlera pendant qu'on bouffe, dit-il.

Kyle se leva brusquement.

— J'ai la dalle.

Il laissa Savannah, complètement mortifiée, sur le canapé.

Kyle partagea le joint d'Aaron et mit une part de pizza à la saucisse sur une assiette en carton. Elle le regarda faire, envahie par une sensation de panique qui lestait sa poitrine comme du plomb. Elle devait sortir d'ici, rentrer chez elle pour réfléchir. Kyle n'était pas du tout le garçon qu'elle avait imaginé. Pas du tout. Peu à peu enveloppée par les volutes de marijuana qui dérivaient dans sa direction, elle entendit cette vérité ricocher dans sa tête.

Elle se leva, gênée par sa jupe courte, ses jambes et ses bras nus, les pointes de ses seins visibles sous son débardeur.

— Je dois y aller. Mes parents...

Ils relevèrent brutalement la tête.

— Mais qu'est-ce qu'il lui prend ? Tu m'as dit qu'elle était partante, fit Aaron.

— Elle l'est. Pas vrai, ma belle ?

— En fait...

Aaron plissa les yeux et se leva d'un bond pour s'emparer de son sac.

— Hé !

Elle voulut le lui arracher, mais Kyle s'interposa.

— Hé toi-même ! lança Aaron avec un sourire ironique, en empochant les clés de sa voiture. J'ai un acquéreur pour la Honda – jolie somme, t'inquiète. On peut plus revenir sur le deal.

Kyle repoussa les cheveux de Savannah de son visage.

— Voyons, ma belle. On n'a même pas besoin d'une voiture. Laisse Aaron s'en occuper. Il sait ce qu'il fait.

La crainte qui la torturait depuis la mention du nom d'Aaron se transforma en affolement à la vue du regard de Kyle. Elle en avait à présent la certitude : il n'était pas de son côté. À la seconde, elle comprit qu'elle devait entrer dans leur jeu si elle voulait espérer récupérer ses clés et s'enfuir. Elle parvint à esquisser un vague sourire qui cachait mal sa fébrilité.

— D'accord, soupira-t-elle.

Aaron dégagea une chaise du pied.

— Assieds-toi, Six Pix.

Kyle prit place auprès d'elle.

— Bon, dit Aaron, si on discutait du *plat de résistance** de notre plan, une idée que je viens juste d'avoir ? Géniale, Six, tu peux me croire. Tu vas adorer.

Savannah sourit, comme si elle était déjà d'accord.

— Tu ne pourrais pas m'appeler Savannah ?

Aaron prit un air hilare.

— Voici ce qu'on va faire quand on arrivera au Mexique.

Il leur expliqua en détail un plan destiné à extorquer de l'argent à ses parents. Il leur proposerait de détruire les photos d'elle, en échange d'un joli petit magot.

— Je dirais au moins deux cent mille, vu la fortune de ton paternel.

Savannah se leva.

— Une minute ! Tu plaisantes, non ?

Du regard, elle embrassa la pièce minuscule, à peine plus vaste que sa salle de bains, comme si une caméra pouvait y être cachée.

— Vous ne parlez pas sérieusement ?

Ses parents devaient absolument ignorer ce qu'elle avait fait, et particulièrement les photos.

— Ils n'ont pas besoin de cet argent, déclara Aaron.

— Comment peux-tu le savoir ?

Aaron la visa avec la pointe de sa tranche de pizza.

— Je sais *tout*. Valeurs de leurs biens immobiliers. Intérêts de l'entreprise. C'est sur le net, Six.

— Tu as des fonds fiduciaires, ma belle, dit Kyle, par conséquent, le fric coule à flots. De toute façon, on ne se fera pas attraper. Est-ce que t'es cap de trouver un meilleur moyen d'obtenir le liquide dont on a besoin ?

— Je ne sais pas. En travaillant, peut-être ?

Il s'étrangla de rire.

— Pour sept dollars de l'heure, c'est ça ? Regarde où ça m'a mené jusqu'ici.

Elle essaya de cacher son désespoir.

— Voyons, Kyle, on peut y parvenir d'une autre façon. Je ne marche pas.

— Pitié, ne fais pas ta coincée, dit-il sans animosité.

— Je n'arrive pas à croire que tu ferais du chantage à mes parents, que tu veuilles te servir de moi.

— Ouais, on pige, ricana Aaron. Seize ans, mec, trop jeune, je te l'avais dis. Figure-toi, Six, qu'on a pas besoin de ton approbation. On a téléchargé les photos. Il nous reste plus qu'à appeler papa.

Savannah surprit le regard que Kyle jetait à Aaron et en comprit tout de suite la signification : Laisse-moi faire.

334

— Allons, te stresse pas, ma belle. C'est juste une idée. Laisse tomber pour le moment, mec, déclara-t-il ensuite à Aaron d'un air faussement fâché.

Savannah répondit par un sourire de gratitude, pour lui faire croire qu'elle était tombée dans le panneau. Il lui avait accordé un sursis, mais pour combien de temps ?

Elle repoussa sa chaise.

— Je dois aller aux toilettes.

En fait, elle avait besoin d'être seule une minute, le temps de rassembler ses idées et d'imaginer un plan. D'une part, elle devait forcer Aaron à lui rendre ses clés ; de l'autre, dissuader Kyle de se lancer dans ce chantage.

— Je reviens manger un morceau avec vous, ajouta-t-elle, pour leur donner l'impression qu'elle se détendait.

Ni l'un ni l'autre ne s'interposèrent quand elle ramassa son sac, dans l'espoir de sauver au moins son liquide et sa carte de crédit.

— La porte est au bout du couloir, lui indiqua Kyle, avant de se plonger avec Aaron dans une discussion sur la date de départ et la compagnie aérienne qu'ils emprunteraient.

Le couloir menant à la salle de bains était court et étroit. Un rai de lumière attira son regard alors qu'elle passait devant une chambre plongée dans le noir. Elle s'immobilisa, jeta un coup d'œil vers la cuisine et pénétra dans la pièce dont elle contourna le lit. Dans un coin, sur une table de jeu pliante, était posé l'ordinateur portable de Kyle, auquel était branché un appareil photo.

Sur l'écran défilait un diaporama des photos d'elle qui lui donnèrent envie de vomir. Révoltantes. Nauséabondes. Kyle, Aaron, voilà comment ils la voyaient.

Il lui fallut moins d'une minute pour prendre sa décision.

Après s'être faufilée par la fenêtre, l'appareil photo de Kyle et le portable coincés dans son sac, elle se retrouva dans les bois, accroupie et tremblante.

La voix d'Aaron lui parvint de quelque part derrière elle, sur sa droite.

— Cette petite salope sournoise ! Je t'avais bien dit d'en choisir une plus âgée.

— Elle a prétendu avoir vingt ans.

335

— Et après ça, elle t'a dit quinze, mais ça t'a pas empêché de te la retaper ! Sers-toi de tes méninges, putain ! (Ils se rapprochaient.) Quand je pense qu'on a même pas de foutue lampe torche !

Savannah en remercia le ciel.

— Tu auras droit à une bonne leçon quand je te mettrai la main dessus, fillette, cria Aaron. Tu vas gueuler, je te le promets ! Tu pourras pas mettre un pied devant l'autre pendant une semaine.

— Du calme, mec, tu vas lui faire perdre les pédales.

Kyle, de nouveau.

Trop tard.

Tremblant de tout son corps, Savannah s'accrocha au sol trempé pour garder son équilibre et ne pas faire de bruit. Depuis combien de temps avait-elle appelé sa mère ? Combien de temps s'écoulerait-il avant que quelqu'un vienne à son secours ? Et si Aaron la découvrait le premier ? Un sanglot remonta dans sa gorge. Elle serra la mâchoire pour l'étouffer.

L'insecte – une araignée ? – rampa de son cou dans son dos, et elle fondit en larmes.

54

Meg essaya de rappeler Savannah à deux reprises, sans obtenir aucune réponse. Son inquiétude grandit. Elle alla chercher son sac en boitillant dans la cuisine. D'un seul coup, elle se rappela que Rachel était censée passer la nuit chez eux. Elle l'appela à tue-tête, au cas où elle serait toujours là.

Rachel apparut dans le couloir, son portable collé à l'oreille.

— Oui ?

— Tu parles à Savannah ?

— Euh… non… elle est dans la salle de bains.

Meg en perdit son latin.

— Tu en es sûre ? Elle vient de m'appeler pour me demander d'aller la chercher. Mais la liaison a été coupée et je n'arrive plus à la joindre.

Rachel raccrocha.

— Mon Dieu ! Elle a bousillé sa voiture ?

— Bousillé sa... ? Donc, elle n'est pas dans la salle de bains ?

Rachel hocha négativement la tête.

— Est-ce qu'elle va bien ? demanda-t-elle. Je lui ai dit d'être prudente.

Meg la fit entrer dans la cuisine.

— Raconte-moi.

Rachel lui apprit alors à quelle heure Kyle avait appelé, ainsi que le peu qu'elle savait de lui, au travers des confidences de Savannah.

— Elle l'a rencontré en ligne et...

— Une seconde ! En ligne ? Tu veux dire sur Internet ?

— Oui, grâce à son blog.

— Elle a un blog ?

Rachel lui adressa un drôle de regard.

— On en a toutes un. Je peux vous montrer.

— Non, enfin, merci. Je le regarderai plus tard.

Elles avaient toutes un blog ? Et quoi d'autre encore ? Un diaphragme ? Une maladie vénérienne ? Comment avait-elle fait pour ne pas s'apercevoir de cet élément en apparence essentiel de la vie de sa fille ? Pour quelle raison Savannah ne lui en avait-elle pas parlé ou ne le lui avait-elle pas montré ? Quels autres secrets avait-elle ?

— Quoi d'autre ? demanda-t-elle à Rachel.

— Eh bien... elle dit qu'il a dix-neuf ans et je crois qu'il vit près de Summerfield.

Les choses se précisaient.

— Bon. Très bien. Mais où ? *Où*, près de Summerfield ?

On aurait dit que Rachel était sur le point de fondre en larmes.

— Si elle est blessée... Mon Dieu, je suis vraiment désolée ! Je n'aurais jamais dû être d'accord avec son plan. Je ne lui ai pas demandé où il habitait parce qu'elle devait rentrer cette nuit. Elle n'est pas blessée ? Je n'aurais jamais pensé...

Meg pressa une main contre sa bouche. Là résidait le problème : aucun d'entre eux n'imaginait jamais que les choses risquaient de ne pas évoluer selon leurs prévisions. Ils étaient tous trop intelligents, trop chanceux, trop méritants, trop bien intentionnés.

En vérité, ils étaient tous trop naïfs.

— J'ignore si Savannah va bien, dit-elle à Rachel.

Du fait d'avoir été formulée, cette constatation prit plus d'acuité. Meg avait envie de courir jusqu'à Summerfield... comme si elle en était capable.

Elle composa de nouveau le numéro de Savannah. Le téléphone sonna plusieurs fois et passa en mode messagerie. Meg laissa un petit mot pour lui dire qu'elle arrivait, d'une voix volontairement calme et assurée. Puis elle essaya de joindre Brian, qui ne répondit pas non plus. Par mesquinerie, probablement. Elle lui laissa un message pour l'avertir que Savannah avait des ennuis et qu'il devait la rappeler sur-le-champ.

Sous les yeux affolés de Rachel, Meg appela la police, même si elle soupçonnait, à juste titre, que la situation lui apparaîtrait moins urgente qu'à elle. Son interlocuteur lui répondit qu'ils « allaient envoyer une patrouille autour de Summerfield » et la rappeler s'ils découvraient quelque chose.

— Vous inquiétez pas, madame, les ados, ça disjoncte de temps en temps. Dans la plupart des cas, ça finit bien.

La plupart des cas.

— Demande à ta sœur de venir te chercher, dit-elle à Rachel. Je dois y aller.

Meg avait l'intention d'emprunter la 301 et, comme la police, de chercher la voiture de Savannah. Avec un peu de chance, elle parviendrait à joindre sa fille sur son portable quand elle s'approcherait d'elle, ou Savannah arriverait à la contacter, et elle saurait alors exactement où la trouver. Un plan qui n'avait rien d'extraordinaire, mais qui valait mieux que d'attendre en se tournant les pouces.

Elle parvint à démarrer le Lexus et à le sortir dans la rue. Le levier de vitesse, le clignotant, le volant mirent à l'épreuve son bras affaibli. Le temps de parcourir un pâté de maisons, elle sentit sa jambe droite la lâcher. À cinq rues de chez elle, un lapin détala brusquement au milieu de la route. Meg donna un coup de volant et essaya de freiner, mais ses réflexes étaient trop lents, son pied trop faible. Elle sentit le choc écœurant et comprit avec épouvante que le pauvre animal qu'elle venait de heurter aurait pu être un enfant. Cette image lui donna des sueurs froides. Elle se gara sur le bas-côté.

Malgré sa détermination à retrouver Savannah, elle n'avait aucun moyen d'atteindre Summerfield en toute sécurité.

Refoulant sa frustration, elle recomposa le numéro de sa fille. Puis celui de Brian, à qui elle laissa un autre message. Et de nouveau Savannah. Toujours aucune réponse.

Le front pressé contre le volant, elle contempla son bras inutile à la lueur de l'éclairage du tableau de bord. Un désarroi et une colère féroce l'envahirent. Sa fille avait besoin d'elle et elle était coincée, à moitié paralysée, dans un 4×4 qui avait coûté plus cher que la première maison de ses parents. Ridicule !

— Fichue maladie, hurla-t-elle avant de fondre en larmes. Bon sang !

Pourtant, elle n'avait pas une minute à perdre. Sa fille, son bébé, l'attendait quelque part. *Je vous en prie, mon Dieu, dites-moi qu'elle est saine et sauve...* Elle s'essuya les yeux et le nez, puis, sachant qu'elle pouvait compter sur lui, elle appela Carson.

Quelques minutes plus tard, de retour chez elle où elle attendait qu'il passe la chercher, elle pensa subitement à la manière de localiser Savannah : la Honda était équipée d'un transmetteur GPS. Non seulement Savannah pouvait trouver son chemin pour se rendre n'importe où, mais il était également possible de repérer sa voiture. Brian leur avait tout expliqué en mars, quand il avait commandé la Honda. À l'époque, Meg ne l'avait écouté que d'une oreille égrener la liste des caractéristiques du véhicule, considérant le GPS comme un de ses gadgets débiles de plus. Elle bénissait à présent sa prévoyance. Elle alla chercher dans son bureau le récepteur qu'il s'était également procuré. L'instrument qui allait lui permettre de se rapprocher de sa fille, auprès de laquelle elle aurait toujours dû se trouver.

Il ne fallut qu'un quart d'heure à Carson pour arriver, l'aider à monter dans le Lexus et à boucler sa ceinture de sécurité, tout en l'écoutant lui indiquer le chemin. Elle lui fut reconnaissante de ne pas la questionner, de ne pas émettre d'hypothèses sur le comportement de Savannah ni l'accuser d'être une mère négligente, alors qu'elle en avait l'impression accablante. Le laxisme qu'elle manifestait à l'égard des activités de Savannah lui paraissait à présent criminel. Un seul détail lui remontait le moral : Carson les rapprochait à vive allure du lieu où se trouvait la Honda.

Quand ils eurent quitté la 301, ils se retrouvèrent plongés dans les ténèbres. Les routes étaient mal signalisées. À chaque croisement erroné ou raté, le ventre de Meg se nouait davantage et elle se sentait étouffer un peu plus. Chaque minute écoulée ajoutait une brique à la chape de culpabilité qui la plombait déjà, à propos de Savannah et de tout le reste.

Subitement, elle fut tentée de se décharger d'une partie de ce fardeau en confiant à Carson que Savannah était peut-être de lui.

Tandis que le 4 × 4 progressait en cahotant sur la chaussée mal entretenue, elle prépara sa confession dans sa tête : *Carson, tu te souviens du matin de mon mariage ? Il y a une chose que tu devrais savoir...* Son cœur plein d'espoir cognait lourdement. Pourtant, elle ne pouvait pas le lui avouer maintenant, pas comme cela. Peut-être jamais. Ce serait se contenter de transférer ce poids sur lui, et elle s'y refusait.

Ils finirent par trouver leur chemin et s'arrêtèrent à une vingtaine de mètres de la Honda de Savannah qui se dessinait, silhouette fantomatique, dans l'obscurité de cette rue minable. La voiture, dont les roues débordaient du macadam craquelé, était garée devant une boîte aux lettres sans porte ni drapeau.

Meg contempla la minuscule masure qui se dressait au fond d'un terrain en friche, sans comprendre pourquoi sa fille, dans l'hypothèse où elle était parvenue jusqu'ici, l'avait presque immédiatement suppliée de venir la chercher.

— Elle n'est peut-être pas là, dit-elle. On lui a peut-être volé sa voiture.

— Possible, acquiesça Carson. Mais si ce Kyle vit dans un bouge pareil...

— Oui, il ne peut pas s'agir d'une coïncidence. Elle est sûrement ici.

Et elle devait avoir un problème.

Dans l'allée sablonnée, envahie par les mauvaises herbes, était garée une Pontiac à la suspension arrière défoncée. Meg comprit pourquoi Savannah avait refusé de lui dire quel lycée fréquentait Kyle, refusé de lui parler d'un garçon issu d'un milieu si pauvre. Un instant, elle fut gênée de la distance qu'elle avait parcourue depuis ses débuts défavorisés dans la vie. Si grande que Savannah n'avait pas osé lui fournir la moindre précision sur Kyle.

Brian l'avait cependant étonnée, à l'époque où ils sortaient ensemble : il n'avait pas tenu compte de la pauvreté de sa famille, il l'avait choisie alors qu'il aurait pu s'arrêter sur une fille socialement beaucoup plus proche de lui. Des années après, elle lui avait demandé pourquoi, alors qu'ils rentraient, plus qu'éméchés, d'une réception chez des gens de son monde, arrosée par des bouteilles de vin à plus de cent dollars. Il avait souri.

« Tu présentais un immense potentiel », lui avait-il répondu.

Comme si elle était un fonds d'investissement. Même à cette époque, elle n'avait pas été persuadée qu'elle devait le prendre comme un compliment.

Savannah considérait peut-être Kyle de la même façon, comme une occasion prometteuse qui fructifierait mieux sous son aile. Peut-être était-elle la fille de Brian, de A à Z.

Carson éteignit le moteur.

— Laisse-moi y aller le premier.

— Attends : je vais encore essayer de la joindre.

Tout en appelant Savannah, elle scruta la maison. On ne distinguait qu'un fin rai de lumière à travers un interstice entre les rideaux de la pièce principale.

— Toujours rien.

— Ça fait combien de temps qu'elle t'a appelée ?

— Presque une heure, dit-elle, la gorge serrée. Essayons la maison.

— Meg...

— Je ne vais pas me contenter de rester assise ici.

Carson sur ses talons, elle clopina dans les herbes folles jusqu'à la porte d'entrée. Retenant son souffle, elle frappa.

Un bruit de pas, suivi par la lumière éblouissante d'une ampoule nue sur la véranda. Un jeune homme en short kaki effiloché et tee-shirt maculé de taches de crasse leur ouvrit.

— Ouais ?

— Je cherche Savannah.

— Je vois pas de qui vous parlez.

Il voulut refermer la porte.

— Attendez ! hurla-t-elle, tout en essayant de voir à l'intérieur. Vous êtes bien Kyle ?

Il était très beau mais, de toute évidence, pas lycéen.

Il marqua une hésitation, mais son visage le trahit.

— Peut-être.

Meg repoussa la sangle de son attelle qui tirait sur son cou.

— Pas de petits jeux, d'accord ? J'ai retrouvé sa voiture grâce au GPS. La police va arriver.

Allait arriver ou arriverait, à la suite d'un autre petit coup de fil si nécessaire. En tout cas, elle l'espérait, souhaitant ne pas avoir besoin de rappeler.

— Où est-elle ?

Kyle soupira et ouvrit la porte.

— Et si vous entriez ? Vous allez vous faire bouffer par les moustiques.

Meg jeta un coup d'œil à Carson qui haussa les épaules, comme pour dire : *Quel choix avons-nous ?*

À l'intérieur, l'odeur rance, âcre, mélange de vieille graisse, de lait suri et d'autre chose – une espèce de fumée douceâtre – de la marijuana ? – l'indisposa. Elle regarda d'abord en direction de la porte de la cuisine plongée dans l'ombre puis, à droite, d'un sofa vieil or pouilleux. Le sol grisâtre, en éclats de formica des années soixante, était souillé, poisseux d'immondices qui formaient une espèce de motif baroque rappelant des amibes moisies. Meg préféra ne pas se demander ce qui tachait le sol.

Sa patience arrivait à bout.

— Où est ma fille ?

Kyle se gratta la joue.

— Si seulement je le savais.

Carson donna alors une petite tape sur l'épaule de Meg, qui se retourna. Il lui montra la Honda. D'ici, ils voyaient bien ce qu'ils n'avaient pas remarqué en gagnant la maison :

les phares étaient explosés et le pare-chocs avant et le capot bosselés, comme si quelqu'un avait donné des coups de batte de base-ball dedans. Elle ouvrit la bouche, mais aucun mot n'en sortit, juste un petit cri d'animal.

Carson s'avança vers Kyle et le saisit par le bras.

— Maintenant, tu parles !

55

— « Métallique Savannah », chuchota Savannah.

Elle avait la gorge serrée, mais son plexus se décoinçait, à présent qu'elle apercevait le 4×4 de sa mère à travers les arbres, garé à une centaine de mètres.

Elle avait rampé plus profondément dans les bois, en direction du nord-est, elle en était presque sûre, pour s'éloigner du fracas provoqué par Aaron qui s'acharnait sur sa voiture. Une chouette qui prenait elle aussi la fuite l'avait frôlée d'un battement d'ailes. Les hurlements d'Aaron – « C'est trop risqué » – *crac !* – « de la vendre maintenant » – *crac !* –, « alors j'espère que la petite salope » – *crac, crac !* – « va être satisfaite » – perçaient l'air frais de la nuit. Quand les coups s'arrêtèrent, elle se figea complètement. Une minute plus tard, elle entendit le grondement de la Camaro d'Aaron qui s'éloignait en trombe, et elle comprit que le pire était passé.

Ses jambes, sérieusement écorchées par les ronces, lui brûlaient, et elle préférait ne pas penser à son apparence. De la boue séchée était incrustée sous ses ongles et laissait des traînées durcies sur ses joues, aux endroits où elle avait essuyé ses larmes. Mais elle était pratiquement indemne, soulagée d'être en vie, prête à avouer sa stupidité et à rentrer à la maison.

Le simple fait de penser à la maison fit monter à ses yeux un nouveau flot de larmes.

Avant de rentrer, elle avait néanmoins plusieurs choses cruciales à accomplir. Elle fit passer le sac en bandoulière par-dessus sa tête et en extirpa le PC qu'elle laissa tomber par terre. Puis elle fouilla le fond du sac à la recherche du stylo lumineux auquel était attaché son couteau suisse miniature.

Malgré la faible lumière, elle parvint à dévisser lentement le couvercle qui protégeait le disque dur. La chose faite, elle sortit le disque, en dévissa le couvercle, les yeux plissés pour arriver à distinguer les fentes minuscules, et le détacha. Existait-il une meilleure solution que de faire disparaître les données qui risquaient si facilement de compromettre son avenir ? Elle saisit d'abord le couteau et l'enfonça dans le panneau vert, racla à de nombreuses reprises la lame contre les circuits de cuivre minuscules puis l'inséra sous le bord de la plaque, qu'elle souleva jusqu'à en faire craquer un angle. Un petit disque rond – la vraie mémoire ? – en sortit sans problème. Elle creusa un trou étroit mais profond dans la terre pour l'y enfouir. Personne ne le retrouverait ici, et si quelqu'un tombait dessus par hasard, il serait rouillé et impossible à identifier. Rien qu'un débris métallique. Elle s'occupa de la même façon de la plaque verte qu'elle détacha brutalement de son casier et alla enterrer une trentaine de mètres plus loin.

L'appareil photo, à présent : trois minutes lui suffirent pour effacer tous les clichés, enlever la carte mémoire et la mettre en pièces. Elle lança l'appareil d'un côté et jeta ensuite la carcasse du portable dans la direction opposée.

Affaire réglée. Personne ne saurait jamais.

Elle se dirigea vers la maison, s'armant pour ce qui l'attendait. Des parents furibonds, sans aucun doute. Et si Kyle était encore là ? Qu'allait-il leur raconter ? Il ne manquait ni de bagout ni de charme.

— Salaud, dit-elle.

Avait-elle jamais été autre chose pour lui qu'un corps et un tiroir-caisse ?

Personne n'attendait dans le Lexus. Elle poursuivit son chemin. Elle s'en sortirait peut-être en invoquant une simple dispute à propos de la... consommation de drogue. Elle pouvait raconter que Kyle et son copain avaient voulu l'obliger à se joindre à eux, et qu'elle avait refusé. Ils étaient défoncés : ils avaient perdu leur sang-froid et elle avait pris peur. Oui, cet argument se tenait. Quelle que soit la version fournie par Kyle à ses parents, ce serait elle qu'ils croiraient, pas un cinglé qui avait menti à leur fille.

Elle se sentit capable d'exécuter ce scénario, jusqu'au moment où la porte s'ouvrit sur le visage contrit de Kyle.

— Savannah ! s'écrièrent à l'unisson sa mère, Kyle et Carson – *Carson*, pas son père. Savannah fondit en larmes.

— Tu n'es qu'un sale menteur ! hurla-t-elle à Kyle comme si elle n'avait entendu personne d'autre, ce qui était presque le cas. Tu t'es juste servi de moi. Comment as-tu pu me faire une chose pareille ?

— Attends, ma belle...

Sa mère se leva du sofa.

— Dieu du ciel, ma puce, regarde-toi ! Tu vas bien ?

Savannah jeta un coup d'œil à ses jambes qui n'étaient que contusions et égratignures sanglantes et crasseuses, comme ses bras.

— Ça va, dit-elle en s'essuyant le nez.

Elle désigna Kyle, assis en tailleur par terre près de la cuisine.

— Qu'est-ce qu'il vous a raconté ?

Sans attendre de réponse, elle s'avança vers lui.

— Je t'aimais, et tout ce qui t'intéressait, c'était mon argent... (et le sexe, bien sûr, mais elle ne pouvait pas le hurler à la ronde)... pour pouvoir prendre ton pied avec ton crétin de copain aux dépens d'une jeune fille riche !

Kyle se leva.

— Non, enfin, c'était vrai au début, mais...

— Va en enfer ! cria-t-elle, son visage sale sillonné de larmes. Mais rends-moi d'abord mes clés.

— Aaron les a emportées.

— Et tu l'as laissé faire !

Il dut sentir en elle une telle violence qu'il n'essaya même pas de discuter.

— Ma belle... ce fut tout ce qu'il répondit.

De la tristesse émanait de ses yeux aux pupilles dilatées.

— J'espère ne jamais te revoir.

Elle refoula un sanglot et lui tourna le dos. Une demi-douzaine de pas lui suffirent pour se réfugier dans les bras accueillants de sa mère.

Les questions tacites emplissaient le Lexus d'une tension palpable. À présent qu'elle s'était un peu calmée, Savannah se demandait ce que Kyle avait raconté à sa mère et à Carson. Elle était convaincue qu'ils voulaient d'abord savoir ce qu'elle faisait là. Au début toutefois, ils gardèrent le silence, comme si accroître la distance qui les séparait de la maison de Kyle suffisait pour régler le problème.

Si seulement cela était possible, songea-t-elle, la joue pressée contre la vitre froide. Si le simple fait d'être séparée de lui, de connaître la vérité sur sa personnalité et son comportement pouvait l'aider à se sentir moins souillée intérieurement ! Il ne l'avait pas désirée du tout, il avait cherché une poire pour subventionner son addiction et écarter les jambes sans poser de questions, et il l'avait trouvée. Où était donc passé son cerveau ? L'amour vous réduisait-il à ce genre de comportement inepte ? Comment pouvait-il être si facile de se tromper, de se faire berner ?

Même si Kyle avait un faible pour elle, cela n'avait manifestement pas suffi à l'inciter à se conduire décemment.

Il avait invité Aaron à l'hôtel la nuit de leur rencontre, il avait voulu prendre ces photos. D'accord, elle lui avait peut-être laissé croire au début qu'elle était une fille facile prête à faire des tas de choses – mais pas après leur dispute. Cela ne l'avait pas empêché de télécharger les photos sur son portable, de les utiliser en écran de fond et de laisser Aaron la surnommer « la poule à Six Pix ». Sur quoi il avait trouvé que faire chanter ses parents était une idée brillante, il avait entièrement adhéré à ce prétendu nouveau plan d'Aaron – elle commençait à douter de sa « nouveauté » –, sans songer un instant qu'il s'agissait d'un acte malhonnête qu'elle réprouverait peut-être.

Sa mère se tourna vers le siège arrière.

— Comment te sens-tu ?

Savannah haussa les épaules.

— Idiote.

— Il nous a dit que tu étais sortie comme une folle après t'être disputée avec son colocataire qui te demandait de lui prêter de l'argent. Mais ce n'est pas tout, j'en suis sûre.

— Est-ce qu'on est obligés d'en parler maintenant ? Je suis vraiment très fatiguée.

346

— Non, je comprends.

La gentillesse de sa mère lui donna de nouveau envie de pleurer. Elle détourna les yeux.

— Je vais dormir un peu...

Elle somnola pendant le reste du trajet, bercée par les voix de sa mère et de Carson, accompagnées du chuintement hypnotisant des roues sur la chaussée.

56

Savannah douchée et bordée dans son lit, Meg rejoignit Brian et Carson dans le petit salon.

— J'ai essayé de joindre Meg plusieurs fois, disait Brian, mais la liaison était trop mauvaise.

— C'est vrai, répondit Carson. Ils manquent d'antennes-relais par là.

Meg s'assit sur le canapé à côté de Carson, tandis que Brian prenait la bergère à oreilles.

— Si j'avais su, j'aurais quitté le club sur-le-champ, dit ce dernier.

À la manière dont il crispait et décrispait les mains, Meg comprit son agacement. Il lui en voulait de considérer Carson comme son héros.

— Savannah a pris un bain, dit-elle. J'ai mis des pansements sur ses plus vilaines coupures. Mais elle ne dit pas grand-chose.

— Nous allons devoir prendre une décision à son sujet, dit Brian.

De toute évidence, il entendait *après le départ de Carson*. Pauvre Savannah. Avant d'aller se coucher, elle avait affirmé ne rien avoir subi d'autre que ces égratignures visibles. Meg savait cependant que les sentiments de sa fille avaient été blessés, que Savannah se sentait trahie et qu'elle devait, à tout le moins, avoir le cœur brisé.

Carson saisit l'appel du pied inélégant de Brian.

— Je vais rentrer en taxi, dit-il.

Meg se leva en se soutenant au bras du canapé, ne voulant surtout pas montrer qu'elle avait sa jambe en caoutchouc.

— Prends ma voiture. Je m'arrangerai pour la récupérer.

Cette proposition incita Carson à jeter un regard à Brian. Pour sa part, Meg s'en dispensa. L'opinion de son mari l'indifférait totalement.

— Viens, je t'accompagne, ajouta-t-elle.

Dans l'allée, enveloppés par le chant des grillons qui faisaient un concours de bel canto avec les cigales dans les arbres, Carson l'attira vers lui. Nichée contre son torse, elle retrouva la place si douce et rassurante qui était sienne depuis toujours.

Il s'adossa à la voiture sans lâcher sa taille.

— Tu as été très impressionnante ce soir.

— Qu'est-ce que j'ai fait ?

— J'évoquerais plutôt ce que tu n'as pas fait : tu ne l'as ni grondée, ni forcée à tout raconter.

— J'en suis malade pour elle. Elle a besoin d'un peu de temps pour s'éclaircir les idées. À quoi bon la mettre sous pression ?

— Je suis d'accord, mais ça doit être très difficile de se retenir. Tu l'as admirablement fait.

— Merci... (Elle faillit s'étrangler et enfouit son visage contre l'épaule de Carson pour se calmer.) Elle n'a aucune expérience. Enfin, n'avait. Je n'ose même pas imaginer tout ce que mon aveuglement m'a empêchée de voir d'autre.

Ils restèrent longuement plongés dans leurs pensées. Les insectes, inconscients des mesquineries humaines, bourdonnaient autour d'eux. Meg se prit à les envier, regretta presque de ne pas en être un, d'avoir comme lui une vie balisée d'avance : chercher de la nourriture, s'accoupler, se reproduire, mourir. Pas de drame existentiel, pas de culpabilité... pas d'émotions. Quelle béatitude !

— Puis-je te revoir demain ? demanda Carson. Je dois aller lundi à Seattle pour régler l'histoire de mon appartement. Mais je peux revenir quelques jours en fin de semaine. Après, je dois absolument me rendre à Hawaii. Un grand concert pour le Memorial Day[1] que je ne peux rater sous aucun prétexte.

— Tu n'as pas à repasser ici entre les deux, dit-elle, se rappelant qu'il détestait l'avion.

De toute façon, Savannah occuperait toute son attention. Comment allait-elle réagir à sa mésaventure ?

— Ça fait beaucoup de déplacements. Je peux t'attendre un peu.

Il déposa un baiser sur son front.

— Cela n'a aucune importance. Ne sais-tu pas que tu le mérites ?

57

Dès son réveil, à onze heures trente le dimanche matin, Savannah se traîna de nouveau sous la douche et fit couler l'eau la plus brûlante possible. Elle aurait aimé pouvoir lessiver son cerveau comme son cœur, se débarrasser de toute trace de Kyle et de son ami infâme. Alors qu'elle se penchait pour frotter entre ses orteils, elle eut une vision réconfortante : un filet de sang mêlé d'eau coulait à l'intérieur de ses cuisses.

Après s'être récurée, elle éprouva un léger mieux, même si elle se sentait toujours comme un chien battu. Quelle triple idiote ! Si jamais quelqu'un, n'importe qui, découvrait qu'elle avait failli prendre la poudre d'escampette avec ces deux loosers, elle deviendrait une paria. La brillante Savannah, c'était vraiment le pompon !

Comment, alors qu'elle pouvait à peine se regarder dans le miroir embué, allait-elle affronter son père ? Sans compter qu'il ne savait pas encore qu'un punk l'avait probablement délestée de ses économies... Elle ne lui en voudrait pas de lui reprendre sa voiture. Si seulement elle pouvait rembobiner sa

1. Dernier lundi de mai, jour des morts au champ d'honneur. *(N.d.T.)*

349

vie entière ! Ou en tout cas les deux derniers mois. Effacer tous les événements qui étaient survenus depuis que, après avoir créé son blog, elle s'était mis en tête de trouver un petit ami plus mature que les garçons de sa connaissance.

Elle avait fait chou blanc. De penser à Kyle suffisait à lui donner la migraine et des nausées. Elle comprenait désormais pourquoi certaines filles s'adonnaient à la boisson, aux drogues ou songeaient au suicide lorsque celui qu'elles aimaient les trahissait ou les abandonnait. La tentation que représentaient ces sanctuaires, malgré leur caractère artificiel.

Elle fit ensuite tout le nécessaire pour supprimer Kyle de sa vie : elle l'effaça du répertoire de son portable et de sa liste de contacts MSN, fit passer tous les mails et messages qu'il était susceptible de lui envoyer dans la boîte « Indésirable ». Au passage, elle en trouva un de Rachel : *APL MOI !* et lui répondit par un bref *V bien. Tout est OK. Te voi biento.*

Elle trouva ses parents au bar de la cuisine – ensemble, un dimanche ! En son honneur, de toute évidence. Elle aurait donné sa main à couper qu'elle n'avait jamais vu son père avant dix-sept heures un dimanche. Ils allaient s'y mettre à deux pour la sermonner. Elle attendit, la tête basse.

— Ta douche t'a fait du bien ? lui demanda sa mère d'un ton un peu trop gai.

— Hum...

Elle alla chercher des céréales dans l'office, plus pour s'occuper que parce qu'elle avait faim.

— Papa et moi, on a parlé, et on s'est dit que ça nous ferait du bien, à toi et moi, de prendre des petites vacances.

Des vacances ? Savannah prit un bol et une cuillère, sortit le lait, sans encore oser croiser le regard de ses parents. La gentillesse de sa mère la sidérait. Sans doute s'agissait-il d'un prélude à des reproches, à une leçon, à une punition. Ces « vacances » correspondaient probablement à une tournée d'éventuels pensionnats.

Elle s'assit près d'elle et se versa des céréales.

— Où ?

— Je pensais à Hawaii. Nous n'y sommes jamais allés, et vu... mon état, je vais avoir plus de difficultés à voyager.

Savannah se décida enfin à regarder sa mère et fut stupéfaite par la sincérité et la bonté qui émanaient de ses yeux. Au lieu de la réprimander, ils lui offraient un voyage.

Elle se sentit vraiment nulle.

— C'est une idée formidable, bégaya-t-elle. On partirait quand ?

— D'ici à une semaine.

Leur générosité lui fit monter les larmes aux yeux.

— C'est... Enfin, ça me plairait.

Son père n'avait toujours pas pris la parole. Subitement, elle se demanda s'il était d'accord ou s'il se taisait parce qu'il désapprouvait. Elle n'osait pas le regarder, honteuse de penser qu'il était au courant pour Kyle. Honteuse et humiliée. Il devait la prendre pour une idiote, aussi décervelée qu'une bimbo. Personnellement, il ne se serait jamais placé dans une position qui le désavantageait.

— Ça va me faire manquer des cours, remarqua-t-elle, même si elle s'en moquait.

— Maman s'arrangera pour te les faire rattraper à votre retour, dit son père.

Elle constata avec soulagement qu'il gardait un visage neutre.

— Oui, ça doit être possible.

Elle mangea ses Frosted Flakes sans lever les yeux, sous le regard intense de ses parents. Que cherchaient-ils à savoir ?

— Ça vous gênerait d'arrêter de me fixer comme ça ? dit-elle après sa troisième bouchée.

Un tabouret racla le sol.

— Tu vas lui parler ? demanda son père.

— Oui. Vas-y. Nous irons à quatre heures.

— Que se passe-t-il à quatre heures ? demanda Savannah, tandis que son père sortait.

— Nous devons aller chercher ta voiture.

— Je ne peux pas rester ici ?

Sa mère sourcilla.

— Même si j'étais capable de conduire, la réponse serait non.

Elle allait au moins avoir droit à cela, de même qu'à la discussion qui suivit, celle, grosso modo, que projetait sa mère depuis plusieurs semaines.

351

Le côté pratique, pour commencer : Kyle et elle avaient-ils eu des relations sexuelles ? S'était-elle protégée ?

— Oui, dit Savannah, suivant du bout des doigts les taches argentées du plan de travail de granit. Et non...

— Combien de fois sans protection ?

— Trois, peut-être plus. (Elle avait perdu le fil.) Mais ces fois-là, il s'est toujours... tu sais... arrêté avant...

En tout cas, elle en était presque certaine.

Sa mère n'avait pas l'air de plaisanter.

— Est-ce que tu te rends compte qu'outre le risque d'être enceinte, tu peux avoir attrapé le virus du sida, une hépatite, une infection à chlamydia, un herpès, la syphilis, une blennorragie ?

— Pardon, pleura Savannah. Je le trouvais génial. Il me disait qu'il avait les mêmes goûts que moi. En tout cas, je ne suis pas enceinte.

— Tu as tes règles ? C'est déjà un soulagement. D'ici six mois, si les tests du virus HIV, de l'hépatite et de l'herpès se révèlent négatifs, tu pourras également rayer ces soucis de ta liste.

Savannah se sentit rétrécir à la perspective de cette attente angoissante.

— Donc... tous ces machins, je ne peux pas savoir tout de suite si je les ai attrapés ?

— J'aimerais bien te dire le contraire. La syphilis, l'infection à chlamydia et la blennorragie se déclarent vite, en quelques semaines. Demain, je te prescrirai les antibiotiques préventifs nécessaires. Pour le reste, seul le temps nous le dira.

Savannah baissa la tête.

— Mon Dieu ! Pardon. Pardon.

Meg lui effleura le bras.

— Oh, ma puce...

Elles parlèrent un peu de son blog. Sa mère lui annonça qu'elle devrait renoncer temporairement à son ordinateur.

— Le temps que nous trouvions un moyen de te protéger contre toi-même.

Elle s'y attendait aussi.

— J'ai une autre question à te poser. Tu m'écoutes ?

— Laquelle ?

— Ces choses que tu as faites... les relations sexuelles, le projet de fugue, tu étais d'accord pour tout ?

— Oui, chuchota-t-elle, assumant toute la responsabilité de ces actions dont sa mère n'aurait jamais dû avoir connaissance.

— Et pour le voir, tu m'as manifestement menti sur les endroits où tu te trouvais.

— Maman, je sais que j'ai eu tort, mais tu ne m'aurais jamais permis de sortir avec lui et... je l'aimais. Il me donnait l'impression d'être unique et... importante.

Au début, en tout cas.

Elle essuya les larmes brûlantes qui coulaient sur ses joues, tandis que sa mère portait une main à sa bouche.

— Très bien, dit enfin Meg. Je n'approuve pas ton comportement, mais je comprends. Je... je suis navrée que papa et moi t'ayons en quelque sorte laissée tomber. Tu es unique à nos yeux, tu comptes plus que tout au monde. Crois-moi, je suis désolée.

Savannah essuya de nouveau ses larmes.

— Ce n'est pas grave.

— Si. Je te promets de faire mieux.

— Moi aussi, chuchota-t-elle.

Sa mère l'étreignit tendrement et lui caressa les cheveux.

— D'accord.

De retour dans sa chambre, Savannah s'effondra sur son lit. Elles allaient peut-être remettre les pendules à l'heure à Hawaii. Elle parviendrait peut-être à s'expliquer, et à expliquer à sa mère pourquoi ce qu'elle imaginait avoir trouvé auprès de Kyle lui manquait déjà.

L'amour avait quelque chose de pervers, de compliqué, de trompeur. Comment y survivait-on ? Comment faisait-on pour savoir s'il était authentique ? Elle mit ses écouteurs afin de se plonger dans ses ballades préférées, comme si la musique pouvait tout expliquer, et elle n'émergea de sa chambre qu'au moment de monter en voiture.

Ce fut seulement beaucoup plus tard, lorsqu'elle vit sa mère placer un vase d'iris sur le manteau de la cheminée à côté d'une photo de sa mamy Anna, qu'elle se souvint que ce dimanche était celui de la fête des Mères.

Pendant que Savannah somnolait sur un matelas gonflable dans la piscine, le lundi après-midi, Meg feuilleta les carnets de sa mère. Elle gardait un œil sur sa fille, comme si cela lui suffisait pour la protéger, ainsi qu'autrefois. Ces derniers mois, elle ne voyait manifestement plus Savannah, même quand elle le croyait. La cécité ne faisait pas partie des symptômes de la SLA ; elle ne pouvait s'en prendre qu'à elle-même.

Un morceau de journal déchiré coincé entre les pages vierges du dernier carnet – dont l'espace blanc représentait le temps dont sa mère n'avait pas bénéficié – attira son attention.

Ocala Star-Banner, *lundi 12 septembre 2005*
Powell Anna Louise, 64 ans. Mme Anna Louise Powell, née Jansen, est décédée samedi dernier dans son sommeil, victime d'une crise cardiaque. Née le 27 juillet 1941 à Clemson, en Caroline du Sud, de William et Alice Jansen, feu Anna Powell était venue vivre dans le comté de Marion avec sa famille à l'âge de quinze ans. Elle avait épousé Spencer Powell, originaire de Pittsburgh, en 1963. M. et Mme Powell possédaient et dirigeaient le haras Powell depuis 1972. Membre du Comité des femmes du comté de Marion pour l'amélioration de la vie rurale, du club des fans de lecture, de l'Association des éleveurs de Floride centrale et bénévole dans plusieurs autres services de soutien aux personnes âgées de la région d'Ocala, Mme Powell était une femme très aimée et généreuse qui nous manquera beaucoup. Lui survivent son mari, Spencer, ses filles, le Dr Meghan Hamilton, d'Ocala, Kara Linford, de Sacramento, Elizabeth Powell, de Berkeley, et Julianne Portmann de Québec, au Canada, et leurs époux, ainsi que huit petits-enfants. Chapelle ardente ce soir à dix-neuf heures à l'entreprise de pompes funèbres Montecito. Cérémonie au cimetière mardi 13 septembre à onze heures, à Notre-Dame-de-la-Douce-Miséricorde.

Elle en avait bien entendu déjà lu un exemplaire, mais la présence d'une copie entre ces pages prouvait que son père connaissait la nature de ces carnets, qu'il les lui avait délibérément remis... pour lui permettre de mieux les connaître, sa mère et lui, à travers les propos dévoués mais francs de son épouse.

Il n'avait peut-être pas anticipé l'autre effet secondaire – cette lecture lui permettrait aussi de mieux se connaître – mais elle l'en remerciait tout autant.

Meg se sentit rassérénée par ces résultats. Elle croyait à présent que les bonnes intentions pouvaient déboucher sur des issues positives et que cela se produisait parfois. Le destin était autant capable de récompenser que de punir. Elle contempla de nouveau Savannah qui se laissait dériver sur l'eau bleue cristalline et songea : *Elle aussi a besoin de cette leçon.*

— Merci, papa, murmura-t-elle.

QUATRIÈME PARTIE

Le seul remède à l'amour, c'est d'aimer davantage.

Henry David THOREAU

59

Au cours de la semaine précédant leur départ pour Hawaii, Meg se créa des occasions de communiquer avec Savannah. Courses à l'épicerie, préparation de repas, nettoyages de placards... Pour la première fois depuis des années, elles se retrouvèrent en tête à tête, puisque Savannah n'allait pas en classe et qu'elle était interdite de téléphone et d'ordinateur.

Meg ne se focalisa pas sur le traumatisme subi par sa fille. Savannah, à la suggestion du psychologue consulté, en parla avec lui en l'absence de ses parents. Meg ne mit pas davantage sur le tapis le drame de sa SLA, dans la mesure où cette conversation aurait de toute façon bientôt lieu. Ses symptômes empiraient de jour en jour, et elle voyait bien que Savannah se rendait compte, sans comprendre pourquoi, qu'elle se déchargeait de plus en plus sur elle des tâches matérielles telles que conduire, découper, mesurer, agiter, presser les boutons des commandes à distance, des distributeurs automatiques et des téléphones. Savannah la surveillait de près, de la même manière que Meg gardait un œil sur son père. Un matin, alors qu'elles se préparaient à se rendre au marché, Meg demanda à sa fille – inversion de rôles d'une étrange intimité – de lui tirer les cheveux en arrière.

— Maman, ils ne peuvent vraiment rien faire pour ton bras et le reste ? lui demanda Savannah.

Le moment était parfaitement indiqué pour une confession, mais Meg ne parvint pas à faire passer les mots de son cerveau à ses lèvres.

Pour le reste, elles laissaient leurs conversations dériver : garçons, lycée, politique, économie, musique. Pendant qu'elles attendaient la première partie de leur vol pour Hawaii à l'aéroport, Savannah évoqua Carson :

— On va le voir là-bas, non ? En plus du concert, je veux dire.

— Oui, un peu. Mais il sera très occupé.

— Raconte-moi ce qu'il s'est passé entre lui et Val.

Savannah avait les pieds appuyés sur son bagage à main. Derrière le panneau vitré, des jets vrombissants se dirigeaient vers les pistes, au ravissement de deux garçonnets qui gardaient le nez collé contre le verre.

— En gros, ils se sont rendu compte qu'ils n'étaient pas assez bien assortis, répondit Meg. Il a pensé qu'elle méritait quelqu'un qui se montrerait plus attentionné à son égard.

— Mais pourquoi ne l'était-il pas ? Je la trouve formidable.

Meg lui fit une réponse qui aurait pu sortir de la bouche de sa propre mère.

— C'est vrai, mais tu sais, l'amour n'en fait qu'à sa tête. Nous ne pouvons ni le forcer ni le combattre. En tout cas, pas avec grand succès.

Elle était bien placée pour le savoir. Elle consulta sa montre.

— Nous allons bientôt embarquer. Aide-moi à sortir nos cartes d'embarquement, s'il te plaît.

— Tu aimes Carson ? demanda Savannah.

Meg resta littéralement scotchée sur place.

— Comment ? Pourquoi me poses-tu cette question ?

— Tu ne peux pas répondre à une question par une question. C'est de la triche.

— Je me demandais juste pourquoi tu... Bien sûr, la réponse est oui. Je l'ai toujours connu. Il faisait presque partie de ma famille et...

— Maman ! J'essaie d'être directe sur tout, avec toi. En outre, je ne suis plus un bébé. Je sais que papa et toi, vous n'êtes pas particulièrement amoureux. Tu peux tout me dire.

L'expression de sa fille, l'amour et la bienveillance authentique qui émanaient de son visage, révélèrent à Meg que cet instant était un cadeau tombé du ciel.

— D'accord, dit-elle. Mais avant de te confier ce que j'éprouve pour Carson, je vais te parler de ma jeunesse.

Sur ce, elle entama l'histoire qu'elle souhaitait raconter à Savannah depuis longtemps.

Le bonheur que leur procura Hawaii ne devait pratiquement rien à l'île elle-même, et tout au fait que mère et fille étaient coupées de leur vie précédente. Parce que tout, songeait Meg en regardant Savannah faire du surf sur Hauula Beach, pratiquement tout ce qui avait précédé cet instant précis était passé, terminé. Ne restaient plus que des bribes d'antan dont se moquaient bien le gonflement de la houle ou la caresse de la brise du Pacifique sur leurs peaux hâlées. Elles se retrouvèrent dans un no man's land intemporel dont elles vécurent à fond chaque instant, qu'il s'agisse du spectacle du coucher du soleil depuis le poste des gardes-côtes de Kaena Point, de l'observation d'une tranche de Saturne, depuis l'un des observatoires de Mauna Kea dont les astronomes en résidence furent enchantés d'offrir à Carson et à ses amies une visite du ciel nocturne, ou de la révélation par Meg à sa fille, un matin où elles étaient allongées sur la plage de sable dominée par Diamond Head, de sa maladie incurable.

Meg n'avait jamais affronté pareille épreuve. Elle ne pouvait même pas la comparer à sa rupture avec Carson, si longtemps auparavant.

Comme il n'existait aucun autre moyen d'aborder le sujet, elle y alla franchement, alors qu'elles observaient des oiseaux de mer raser le sable ourlé d'écume où venaient gentiment se briser des vaguelettes rosées :

— J'ai quelque chose à te confier, Savannah. Je t'ai menti à propos de mon bras et de ma jambe.

— Mais alors, qu'est-ce que tu as ?

Meg pinça les lèvres avant de se lancer :

— Un truc qu'on appelle SLA, ou maladie de Lou Gehrig.

Elle procéda à une description aussi claire que possible.

Savannah réagit par un mélange d'incrédulité et d'épouvante. Son visage se décomposa et elle porta une main à sa bouche.

— Non, maman... C'est impossible. Mon Dieu, mon Dieu ! J'ai été... mon Dieu... j'ai été une fille abominable.

Des torrents de larmes cascadaient sur ses joues. Meg sentit sa poitrine se comprimer dans un étau et fit tout pour ne pas

361

éclater aussi en sanglots. En vain. Elle enlaça tendrement Savannah et la berça contre elle.

— Non, non, dit-elle, la bouche pressée dans ses cheveux ondulés. Tu es la meilleure fille du monde.

Elles pleurèrent ensemble, jusqu'au moment où les larmes se tarirent de leurs yeux rougis et boursouflés. Ni l'une ni l'autre ne sachant comment poursuivre, elles se regardèrent et sourirent franchement de leur malchance, des chemins absurdes qu'empruntait la vie. Elles ne pouvaient rien faire d'autre.

Main dans la main, elles se promenèrent sur la plage. D'un seul coup, Savannah s'arrêta.

— Est-ce que ça va être horrible ? Est-ce que tu vas beaucoup souffrir ?

Meg la rassura : quand son heure viendrait, ce serait exactement l'opposé. Cette légère grâce leur apporta un maigre réconfort.

Meg savait que l'acceptation de Savannah n'était que temporaire, qu'il ne s'agissait que d'un cadeau offert par ce temps suspendu, dont elle appréciait néanmoins toute la mesure. La jeunesse détenait la faculté bénie d'oublier ou, à défaut, d'aller de l'avant. Savannah adopta la même attitude que sa mère : apprécier chaque minute des longues journées qu'elles passaient ensemble, sans trop se soucier de l'épée de Damoclès suspendue au-dessus de la tête de Meg.

Au cours de leurs conversations prolongées, Savannah avoua que sa dispute avec Kyle et son colocataire avait été provoquée par des photos obscènes et une tentative d'extorsion de fonds ; elle lui apprit l'usage qu'elle avait fait de sa carte de crédit et s'excusa de s'être laissée aller à des comportements qu'elle réprouvait totalement.

— Je mentais, je volais, je... trouvais des raisons à tout, en quelque sorte. Je suis vraiment désolée.

Meg lui accorda bien évidemment son pardon. Savannah n'avait-elle pas déjà reçu une punition suffisante ?

Elles s'adonnèrent au shopping, à la natation – Savannah en tout cas, car Meg demeurait désormais en sécurité sur le sable. Elles firent du bateau, dégustèrent des *poi*, des ananas et des poissons qui fusaient encore dans l'eau quelques minutes avant d'apparaître dans leurs assiettes. Parfois,

Carson se joignait à elles. Mais rarement. Il ne voulait pas s'immiscer dans leur bulle protectrice hors du temps. Meg viendrait à lui plus tard, après avoir déposé Savannah chez Beth, où la jeune fille passerait une semaine, à aider sa tante à préparer son déménagement et à visiter le campus de Berkeley.

Meg n'aurait jamais cru qu'une quinzaine de jours à Hawaii parviendraient à rattraper la moindre parcelle du temps qu'elle regrettait d'avoir perdu avec Savannah, mais elle se trompait. De la plage où elle regardait sa fille écouter les conseils d'une nouvelle amie, dans l'eau dorée par la magnifique lumière du crépuscule, elle se sentait comblée. La chaleur du soleil sur son dos, le parfum de l'huile de coco sur sa peau. Le monde, *son* monde en tout cas, était enfin en ordre. Ce qu'elle avait ou non fait avec sa fille, douze, dix, huit ans auparavant, deux mois plus tôt ou le mois précédent, ne venait en rien ternir la joie de l'instant présent. On pouvait sans cesse réinventer la vie. Le passé n'avait pas disparu, il n'était que remis à sa juste place, pour permettre de savourer le présent, dans tous les sens du terme.

Et l'avenir ? Son corps ne lui laissait pas oublier ce qui l'attendait, mais pour le moment, ce chemin était nébuleux, hors de propos. Elle n'avait pas besoin de le fouler pendant son séjour à Hawaii. Là résidait son plaisir.

60

Savannah dormait à l'étage dans la chambre d'ami de Beth. Meg était installée à la table de la cuisine, le cerveau en ébullition, telle une rivière après des pluies torrentielles.

Le temps s'était comme toujours montré implacable : les séjours idylliques à Hawaii ne pouvaient se poursuivre indéfiniment.

Elle avait retrouvé le présent : une nuit brumeuse, dans une villa de Panoramic Hill, à quelques minutes du campus de

Berkeley. Sa sœur versait du lait chaud dans deux tasses de grès brun.

Beth posa l'une d'elles devant Meg.

— D'accord, elle s'est trompée. Mais c'est une enfant formidable. Tu l'as magnifiquement éduquée et tu n'as pas à t'inquiéter pour elle.

— Tu as peut-être raison, il n'en demeure pas moins qu'une enfant, même formidable, ne peut pas tout maîtriser.

De même que personne ne pouvait contrôler de nombreux paramètres sur lesquels Meg ne souhaitait pas s'attarder. Elle avait demandé à Beth de ne pas aller se coucher, pour pouvoir bavarder avec elle de l'un des rares sujets maîtrisables.

Elle encercla la tasse des mains.

— Merci de revenir à Ocala. Papa t'attend avec impatience.

— Tu sais bien que pour moi, tu passes avant tout le reste.

Meg plongea les yeux dans ceux de sa sœur.

— Merci. Mais je m'inquiète avant tout du bien-être de Savannah. C'est de ça que je voulais te parler. J'ai l'intention de te désigner comme sa tutrice, dans mon testament, et je voulais m'assurer de ton accord.

Beth saisit ses mains et les serra de toutes ses forces.

— C'est un honneur pour moi.

— Pas seulement, dit Meg.

— Je sais. Mais elle a déjà seize ans. Il y a de fortes chances pour que toi et Brian la voyiez devenir majeure.

L'annonce de la décision qu'elle avait prise vint au bout de la langue de Meg. Elle la mordit pour la retenir.

— Comme je ne compte pas trop sur la chance, j'ai besoin de savoir une chose : prendras-tu soin de Savannah à ma place, quel que soit le moment ?

Une tristesse et une sincérité absolues s'inscrivirent dans les yeux ronds de Beth.

— Meg, je te donnerais mon âme si tu me le demandais. Je suis désolée que tu sois obligée de penser à tout ça. Sache que je respecte profondément la manière dont tu prévois tout à l'avance. Tu as toujours été la plus raisonnable d'entre nous.

— Pas toujours.

Elles ne disposaient pas du temps suffisant pour s'attarder sur ce que ne pouvaient empêcher du lait chaud et la promesse d'une sœur.

Le père de Meg vint l'accueillir dans le parking de la résidence. De magnifiques fleurs de la passion de la taille d'une main, annonciatrices de l'été, garnissaient le lampadaire derrière lui. Il s'approcha d'elle pour lui offrir son bras à sa descente du taxi.

— Bon voyage ? demanda-t-il.

Elle était rentrée la veille au soir de chez Beth.

— Superbe. Beth et Savannah t'embrassent.

— Beth arrive quand ?

— Jeudi prochain. Je vais te le noter.

Ils empruntèrent à pas lents le trottoir menant au bâtiment. Elle boitait de plus en plus nettement, mais au lieu de s'en agacer, elle prit le temps d'admirer les nouveaux pots de pétunias à rayures mauve et blanc qui ornaient la porte d'un locataire, ainsi qu'une autre jardinière débordante de fleurs rouges, blanches et bleues, sans doute en prévision des festivités du 4 juillet. Un autre résident avait disposé deux mangeoires à oiseaux coiffées d'un petit toit de cuivre qui luisait au soleil couchant. Même en ce lieu, dont tous les habitants vivaient en quelque sorte leur crépuscule, nombreux étaient ceux qui faisaient l'effort d'apprécier la nature, d'embellir leur cadre – de *vivre*, aussi longtemps qu'ils respiraient. Meg appréciait cette attitude. Elle espérait qu'elle se traduisait aussi par un comportement amical et bienveillant des uns envers les autres.

— Cette jambe commence à te poser un vrai problème, observa son père.

Comme tout le reste, en fait.

— Je vois un kinésithérapeute demain.

— Tu aurais dû le voir hier, plaisanta-t-il.

Petit coup de pinçon taquin. Il n'avait jamais su montrer ses sentiments, en tout cas lorsqu'il s'agissait d'affection.

Ils se rafraîchirent avec la nouvelle boisson favorite de son père, le mojito, cocktail de rhum, menthe et citron vert.

— Papa, je veux te remercier d'avoir remboursé Bruce et de m'avoir remis les carnets de maman.

Cette déclaration directe sembla quelque peu l'étonner et l'embarrasser.

— C'était normal.

— Tu l'as rendue heureuse. Et pas seulement parce que tu as fait ça, même si je suis sûre que ça lui fait plaisir, si elle te regarde. Toute sa vie, je veux dire. Tu as lu ses carnets ?

— Je les ai vaguement parcourus, marmonna-t-il.

— Dans ce cas, tu sais. Elle t'aimait, en dépit de tout. Et moi aussi, je t'aime.

D'un regard soutenu, elle lui fit comprendre le poids et la vérité de ses paroles.

— Aucun de nous ne pouvait deviner que ça tournerait si mal. Au début, les perspectives étaient vraiment positives. Bref... je t'en ai voulu longtemps, mais c'est terminé.

Son père étudiait son cocktail avec fascination.

— Tu as toujours été trop bonne avec moi, Meggie... comme ta mère. Je suis qu'un vieux schnoque. Elle t'attend, tu sais, ajouta-t-il.

— C'est possible, dit-elle en souriant. Oui, c'est même sans doute vrai.

Cette perspective lui plaisait, la rassurait.

— Oui, je l'ai vue, l'autre nuit, reprit son père. Tu ne vas pas me croire, mais je t'assure que c'est vrai. Je me suis réveillé vers quatre heures – cette fichue prostate, j'en arriverais à vouloir récupérer mes calculs pour ne plus avoir à pisser toutes les cinq minutes –, bref, je me suis réveillé et elle était assise sur le lit. Elle tenait ce doudou que tu traînais partout.

— Quel doudou ?

— Tu l'as oublié ? Ce bout de flanelle bleu et jaune imprimé de petites roses roses. Si je me souviens bien, ta tante Brenda te l'avait envoyé en cadeau pour ta naissance. Tu l'as traîné partout jusqu'à ce qu'il soit complètement effiloché. Mais quand je l'ai vue l'autre nuit, il était neuf, dit-il en se grattant la tête. Je lui ai demandé : « C'est celui de Meggie ? » et elle m'a répondu que oui. Alors j'ai dit : « Je parie que tu l'attends », et elle m'a dit oui aussi.

Meg ne gardait qu'un très vague souvenir de son doudou. Elle se rappelait davantage le contact moelleux de la flanelle contre son visage que le morceau de tissu lui-même. Quant à la vision de son père, elle n'allait pas en douter. Il paraissait

366

convaincu, et bien que son cerveau logique lui dît qu'elle ne relevait que d'un joli fantasme, voire d'un rêve, elle éprouvait du bonheur à se dire qu'il s'agissait peut-être d'une réalité. En fait, sa curiosité à l'endroit de ce qu'elle découvrirait, quand viendrait son heure, ne cessait de croître.

— Veux-tu que je lui transmette un message quand je la verrai ? demanda-t-elle.

— Pas la peine. Je la vois déjà assez souvent. (Il se leva et se posta derrière la chaise de Meg.) J'espère que toi aussi, tu me rendras visite de temps en temps, dit-il en l'embrassant sur le sommet du crâne, j'aime bien qu'on s'occupe de moi. Je reviens dans une minute.

Sur le chemin de la salle de bains, il s'arrêta pour se tourner vers elle.

— Au fait, elle arrive quand, Beth ?

Le journal, ouvert à la page des faire-part de décès, était posé sur le plan de cuisine. Meg en fut d'abord déconcertée. Quel genre de message macabre Brian souhaitait-il lui faire passer ? Puis elle comprit : SILVER SPRINGS : UNE MÈRE DE QUATRE ENFANTS SUCCOMBE À LA MALADIE DE LOU GEHRIG.

Le titre avait dû attirer le regard de Brian. La longue notice nécrologique, sans doute préparée avec amour par la famille de Lana, dressait la liste de tout ce qu'elle avait accompli au cours de sa trop brève existence. Jeannette et Girl Scout, membre du Club hispanique, gymnaste, bénévole à l'hôpital, maîtresse à l'école du dimanche, épouse, mère, veuve, victime courageuse d'une maladie trop peu connue. Brian s'était sans doute dit qu'elle serait intéressée, surtout par le passage mentionnant que Lana était « morte en paix, entourée de ses enfants, de sa sœur, de son père et de membres de sa famille ». Pas de suicide pour elle. Pas de stigmates.

Ce choix correspondait sans doute à Lana. À en croire Penny, Lana avait vécu et était morte selon son désir. Exactement comme Meg avait l'intention de le faire. Mieux valait tard que jamais.

Elle songea à Penny et aux filles de Lana, qui lui étaient si dévouées. Qu'adviendrait-il d'elles ? Elles devraient s'en tirer avec si peu alors qu'elle, Meg, roulait sur l'or. Elle décrocha le téléphone.

— Allô, Penny ? C'est Meg Hamilton.

— Oh, allô ! Je ne m'attendais pas à avoir de vos nouvelles. (*Jamais*, songea Meg). Vous avez lu le journal ?

— Oui. Je suis désolée de votre deuil.

— Oh, merci. Elle est morte vraiment en paix. C'est remonté aux poumons, puis fini, vous voyez.

Meg voyait.

— Comment vont les filles ?

— Nicole est très déprimée pour l'instant, mais ça va lui passer. Colleen a écrit un poème, elle l'a lu aux obsèques. Vous voulez qu'elle vous le récite ?

— Non merci. (Elle doutait de pouvoir le supporter.) Non, mais je me demandais : c'est vous qui gardez les filles ?

Penny soupira.

— Oui. Je suis cinglée, non ? Comment je vais pouvoir m'occuper d'elles, travailler et récupérer Lee, j'en ai pas la moindre idée. Si Dieu le veut, tout s'arrangera.

Si Dieu le veut.

— Cela me ferait plaisir de vous aider un peu, si vous me le permettez.

— Vous ! s'étonna Penny. C'est vraiment sympa, mais vous avez déjà des masses de problèmes de votre côté. Prenez soin de vous, c'est tout.

— Je ne peux plus conduire. Mon bras... bref, vous savez. Je vais donc vous céder ma voiture par écrit. Elle sera assez grande pour toutes les filles.

— Enfin, Meg...

— S'il vous plaît, laissez-moi faire ça pour elles. Ça... ça me tranquillisera.

— Dans ce cas, merci. C'est pas mon genre de refuser un cadeau, dit Penny. Et moi, comment je peux vous aider ?

— C'est déjà fait.

Brian rentra tôt du bureau. Il voulait voir Meg avant son départ chez Carson.

— Je pourrais te conduire, dit-il.

— Non, mais je te remercie.

Attendre le taxi, dans le hall, son sac de voyage posé à côté de la porte, était déjà assez pénible. Brian prit place près d'elle sur le canapé.

— Tu crois que je te hais, mais tu as tort.

— Non. Tu as le droit d'être... malheureux de cette situation. C'est normal. Je regrette que les choses n'aient pas mieux tourné pour toi.

Il inclina la tête et émit un petit rire contrit.

— Moi ? Moi, je m'en sortirai. C'est toi qui mérites qu'on te souhaite quelque chose.

— Mon vœu est déjà exaucé.

Il évoquait sa maladie, alors qu'elle essayait de lui faire comprendre la grande joie que lui avaient procurée les moments merveilleux passés en compagnie de Savannah, sa satisfaction de le voir capable de lui proposer de la conduire chez Carson. Elle voulait lui montrer combien elle se sentait reconnaissante de pouvoir combler une grande partie de ses désirs.

— Bon, dit-il. Préviens-moi quand tu seras prête à revenir.

Elle hocha la tête.

— Ça va être encore calme, cette semaine, ici.

— Tu ne remarqueras rien, tu seras absent la plupart du temps.

— Je le remarquerai.

Un klaxon, dehors. Meg saisit sa canne et s'y appuya pour se lever.

— Ce serait gentil de porter mon sac, s'il te plaît.

Il l'accompagna jusqu'en bas des marches.

Devant la portière du taxi, elle se pencha vers lui et déposa un baiser sur sa joue, empli de tendresse et de regrets. Si seulement elle l'avait mieux aimé. Si seulement il en avait aimé une autre.

61

Carson ouvrit la porte de la grange.

— Bienvenue à la maison, dit-il nerveusement.

Au lieu d'entrer sur-le-champ, Meg contempla la pièce principale depuis le seuil, appuyée sur sa canne. Cet objet avait fait son apparition depuis Hawaii. Carson se rendit compte qu'elle haïssait cette canne, mais son instabilité, quand elle faisait quelques pas sans elle, était encore pire.

— Rien n'a changé, observa-t-elle. Si seulement c'était pareil pour moi.

— Tu es encore plus belle, déclara-t-il sincèrement.

Hormis la canne et l'attelle – qui auraient tout à fait pu lui servir à se remettre d'un accident –, elle paraissait en forme. Il n'arrivait pas à croire qu'elle se mourait. C'était insensé.

— Plus belle que jamais, en fait.

Elle tendit la canne.

— Grâce à mes accessoires, sans doute.

Il la souleva dans ses bras.

— Faisons les choses dans les règles.

Il la porta dans la maison, comme il avait jadis imaginé le faire le jour de leur mariage. Si seulement de longues années de vie commune les avaient attendus... Mais quel être humain pouvait vraiment savoir ce que l'avenir lui réservait ? La veille, il avait lu dans le journal un triste fait divers : un soldat, tout jeune marié, avait été fauché par un camion en traversant l'A1A à Pompano Beach. Or, de toute évidence, c'était de son départ pour l'Irak que sa jeune épouse aurait dû se soucier, pas du fait qu'il traversait la route au pas de course pour acheter du jus de pamplemousse dans une épicerie. Comme l'avait dit Meg, la vie n'offrait aucune garantie à personne.

Il la déposa dans la cuisine.

— Je me suis permis d'anticiper tes désirs, dit-il.

Il ouvrit le frigo, débordant de tout ce qu'elle aimait dans sa jeunesse : soda à l'orange, jus d'ananas, lait au chocolat, biscuits Hostess Ho-Ho's, ainsi que de tout ce qu'il avait trouvé appétissant au magasin. Du vin, de la bière, des boissons gazeuses, du gâteau au citron, de la charcuterie et des salades. Il avait tout prévu pour vivre en autarcie pendant une semaine.

Elle scruta l'intérieur.

Je n'y vois pas tous mes désirs, dit-elle, avant de se tourner pour l'enlacer par la taille. Mais je prendrais bien un soda à l'orange.

— Et si on commençait par ça ?

370

Il l'embrassa. Comme le jour où il l'avait embrassée sur la véranda, tant d'années auparavant, ses lèvres avaient un goût à la fois familier et inconnu, mais jamais Carson n'avait connu de baiser plus doux ni plus désiré.

Ils passèrent la soirée dehors, à paresser dans des transats neufs. Le cyprès, vieux de presque cent vingt-cinq ans, formait un dais de fraîcheur intime d'où ils pouvaient observer le décollage et l'atterrissage des oiseaux qui allaient picorer dans les orangers, surchargés des derniers fruits de la saison. Les oranges étaient presque à maturité, aussi Carson avait-il eu du mal à convaincre son père de prendre une semaine de vacances – à Paris, que sa mère rêvait de visiter depuis toujours.

« Dites-vous que vous fêtez votre anniversaire de mariage à l'avance », leur avait-il déclaré.

Meg ne devait absolument pas avoir l'impression que ses parents les surveillaient pendant son séjour. Lorsqu'il les avait déposés à l'aéroport d'Orlando, sa mère lui avait dit en l'étreignant :

« Je suis fière de toi, tu sais.

— Oui, avait acquiescé son père. En général, les actes les plus justes sont les plus difficiles à accomplir. »

Cela n'était pourtant pas si compliqué de contempler Meg, allongée près de lui dans l'obscurité tombante, le corps alangui, doré par son séjour sous le soleil du Pacifique. Pas compliqué du tout de se dire que d'ici à quelques minutes, il la transporterait là-haut et lui prouverait à quel point elle demeurait désirable. Le plus compliqué, pour l'instant, consistait à attendre. Il se languissait de fusionner avec elle, avait hâte qu'ils ne fassent plus qu'un seul être, une seule pulsation, un seul amour. Il voulait, souhait insensé, la sauver grâce à son amour. Lui offrir l'intemporel, à défaut d'autre chose, et il comptait y parvenir en lui faisant l'amour.

— Tu te souviens de notre rencontre ? demanda Meg.

— Dans le bus scolaire. Premier jour de CP.

— De maternelle.

— Tu montrais à tout le monde une image de ta petite sœur.

Elle rit.

— Kara. J'en étais aussi fière que si je l'avais faite !

— Plus tard, j'ai demandé à papa et maman pourquoi nous n'avions pas encore rencontré ta famille, mais c'était juste nous, les enfants, qui n'avions pas fait connaissance.

— Tu te rends compte ? Ils n'avaient pas placé notre vie sociale en tête de leurs priorités !

— Mais j'ai rattrapé le temps perdu. Je crois bien que j'ai passé tous les étés chez toi après ça. C'était tellement plus amusant que de rester seul à la maison.

— Je ne représentais donc que ça pour toi ? Du bon temps ? Une diversion à l'ennui ?

— Absolument.

Il embrassa sa paume, l'intérieur de son poignet et se pencha ensuite pour lui mordiller le cou.

— À ton avis, je cherchais quoi ?

— Je pense que tu m'as empêchée d'apprécier tous les autres hommes, dit-elle tendrement.

Comme il l'adorait !

— J'avais tout manigancé.

Une nuée de perruches moines au plumage vert et gris rutilant vola vers eux et se posa dans les branches qui les surplombaient en jacassant gaiement. Meg les étudia. En apparence, tout au moins.

— À ton avis, que se passe-t-il après ça ?

Il lui adressa un regard concupiscent.

— Quelque chose qui va beaucoup te plaire, je crois.

— Tu es incorrigible ! Non, je veux dire après la vie. La vie telle que nous la connaissons, en tout cas.

— Personnellement, je crois en la réincarnation. J'aime à penser que les âmes sont retenues dans une espèce d'enclos et que lorsque l'heure sonne – reste à savoir comment elle est déterminée –, on renaît.

— Sous forme humaine ? Ou en n'importe quelle autre chose vivante ?

— Mystère. Je pense qu'il existe une espèce de structure électrique prédéterminée pour tout. Tu as étudié la chimie, non ?

Oui, sourit-elle. Assidûment.

— Bien. Imagine que nous ne sommes que des électrons, des protons, des neutrons et ainsi de suite – préformatés et interchangeables, sauf en cas d'éventuel accident cosmique.

372

Du genre tempête solaire pendant qu'on est dans l'enclos, susceptible de nous transformer en carpe ou, je ne sais pas, en ver de terre.

Elle rit.

— Pas très rassurant, tout ça.

— Et selon toi, qu'y a-t-il après ? demanda Carson.

— La paix. Si on a agi correctement durant sa vie. Sinon, je pense qu'on a des comptes à rendre. Pas en enfer. Je pencherais plutôt pour une espèce de purgatoire. Qui sait, les fantômes en sont peut-être la preuve. Ils servent d'avertissement à ceux qui les voient.

— Tu as déjà vu un fantôme ?

— Non. Mais je n'ai jamais vu non plus d'ondes radio ni de signaux satellites, et ils ne relèvent pas pour autant de la fiction.

Sa remarque était fondée.

— Nous avons peut-être raison tous les deux.

— Qui sait ?

Au-dessus des orangers, Carson repéra la première étoile qui s'allumait dans le ciel obscurci. Il la lui désigna.

— Fais un vœu.

— D'accord. Tu en as fait un ?

— Oui, mais je ne peux pas te le révéler, sinon il ne se réalisera pas.

— Je comprends.

— Mais je peux te montrer.

— J'aimerais bien.

62

Il avait pensé à tout : des draps frais, des chandelles, et même un disque de Miles Davis. D'accord, cette mise en scène faisait un peu cliché, mais il espérait que Meg ne le lui reprocherait pas.

Elle ne le lui reprocha pas.

Tout comme ne la gêna pas la liane sinueuse tatouée de son avant-bras gauche à son épaule, qui redescendait dans son dos jusqu'à sa taille. Ni les coussinets calleux de ses doigts qui couraient sur sa peau, ni le baiser qu'il déposa dans son cou après avoir soulevé ses cheveux, ni ses mains, ses hanches pressantes. Leur union fut identique à ce qu'elle avait toujours été, et en même temps totalement différente : beaucoup plus profonde, à certains égards. Ils n'étaient plus des enfants dévorés par l'impatience de la découverte. Ils connaissaient désormais leurs corps, leurs préférences, les frontières de leur plaisir passé, qu'ils n'eurent aucun mal à dépasser. Meg s'abandonna à chaque instant de leurs retrouvailles, tant spirituelles que charnelles.

Ils firent l'amour avec art. Carson se pressa en elle comme si sa vie, *leurs* vies à tous deux, en dépendait. Comme s'il pouvait leur assurer l'éternité.

Peut-être y était-il d'ailleurs parvenu. Allongée ensuite à ses côtés, baignée par la lueur projetée par la flamme déclinante des bougies et par celle de la lune qui pénétrait par la fenêtre, Meg songea qu'elle allait bientôt le découvrir. La réponse qu'elle cherchait, le *comment*, se révéla à elle dans l'état de langueur heureuse qui l'envahit après leur union. D'elle-même, sans y avoir été invitée, comme si elle n'avait eu besoin que de cette situation pour apparaître. Elle y réfléchit, absorbée dans la contemplation de la lune qui s'élevait et disparaissait au-dessus des branches du cyprès, et elle décida aussi du moment. Puis elle dormit.

Suivirent des journées idylliques à l'image des étés de leur enfance, des années précédant sa prise de conscience de la pauvreté extrême de sa famille, avant la naissance de Beth, avant le joug de responsabilités auquel une fillette de son âge n'aurait jamais dû être attelée. Quand ils ne faisaient pas l'amour, ils partageaient leur temps entre la lecture, la conversation, les repas et les siestes. Ils se rendirent à leur arbre, auquel était toujours suspendue leur balançoire, et tentèrent d'évoquer tous les souvenirs des moments qu'ils avaient passés là.

— Tu te souviens du jour où la corde a craqué quand Julianne se balançait ? Elle est tombée et elle s'est cassée le poignet.

— Tu te souviens du jour où on a attrapé le serpent corail bébé et où tu l'as apporté à l'école pour faire ton fanfaron ?

— Tu te souviens de la couverture de cheval à rayures ? demanda Carson.

Sur ce, il sortit ladite couverture de derrière l'arbre, l'étendit sur le sol et lui fit l'amour à l'ombre.

Ils évoquèrent l'idée de Carson de construire une maison à l'extrémité du verger, comme si elle devait être encore là pour la voir, pour la partager. Fantasme inoffensif auquel elle souscrivit sans hésitation. Elle vivait pratiquement en pyjama : un ensemble disparate composé du tee-shirt John Deere et d'un pantalon à cordon. Pas de chaussures. Pas de bijoux, en dehors de sa chaîne. Pas d'intrusions de bipeurs, d'appels téléphoniques, hormis ceux de Savannah.

Le mercredi matin, septième jour, Meg s'assit derrière la grange, le journal, dans lequel elle avait inséré la lettre du laboratoire, posé sur les genoux. Près d'elle, Carson lisait *Moby Dick*, car on lui avait souvent laissé entendre qu'il possédait des traits de caractère en commun avec le capitaine Achab.

— Résolution inébranlable, obsession du passé. Gene m'a conseillé de le lire, déclara-t-il.

Meg sourit, car elle trouvait que ses lunettes de lecture lui donnaient un air très intellectuel.

— Tu n'es pas Achab. Tu sais à quel moment tu dois abandonner.

Il lui répondit qu'il n'abandonnait jamais rien, qu'il se contentait de changer de tactique.

— Comme tu voudras, mais fais attention de ne pas terminer dans la gueule de la baleine, le prévint-elle.

— Ne me gâche pas la fin... et ne t'inquiète pas pour moi.

— Mais j'y tiens.

Elle ne lui avait pas davantage parlé de la lettre qu'elle ne l'avait ouverte. L'enveloppe contenant les résultats des tests était arrivée pendant leur absence, à Savannah et elle. Quand elle l'avait découverte dans la pile de courrier que lui avait déposée Manisha, elle lui avait inspiré l'effroi d'un panier contenant un cobra. Et si les analyses révélaient que Brian était bien le père de Savannah ? Chaque jour, elle songeait à l'ouvrir quand elle rédigeait son journal, et chaque jour elle remettait à plus tard. Elle contempla cette enveloppe blanche tout à fait ordinaire. Après s'être assurée que Carson était bien plongé dans sa lecture, elle griffonna lentement derrière :

Mon amour,
Le jour de mon mariage, je vous ai trompés tous les deux, Brian et toi. Je voulais essayer d'avoir un enfant de toi, un souvenir de l'amour que j'éprouvais toujours pour toi mais que je croyais par ailleurs perdu à jamais. Je te supplie de me pardonner mon égoïsme. Cette enveloppe contient les résultats d'un test ADN qui révèle si Brian est ou non le père de Savannah. Je me suis dit que tu devais savoir, mais à présent, je ne supporte pas d'en prendre connaissance. Je souhaite tellement que tu sois son père que je préfère rester dans l'ignorance plutôt que d'apprendre le contraire.
Si tu décides d'ouvrir cette enveloppe, sache que ni lui ni elle ne sont au courant de ce test ; si elle est ta fille, libre à toi de le lui révéler ou non. Je te fais confiance. De toute façon, je sais qu'elle t'aime.
À toi à jamais,
Meg

Elle recoinça l'enveloppe dans le journal. Plus tard, elle y joindrait l'autre lettre qu'elle lui avait écrite, ainsi que des notes destinées à ses sœurs, à Manisha, à son père, rédigées soigneusement, petit à petit, au cours des semaines précédentes. Cette semaine, tôt le matin, elle avait terminé sa lettre à Carson pendant qu'il dormait encore. Elle préférait ne pas lui en dire trop à l'avance, ne supportant pas l'idée de le savoir rongé par sa décision ou tenté de l'empêcher d'agir par amour.

Elle ouvrit une page vierge du journal pour écrire à Savannah. Son bras et sa main exigeaient d'elle un tel effort qu'elle avait l'impression de pousser un rocher dans un champ. Elle refusa cependant de céder à la frustration. Il lui restait du temps.

À une heure du matin, la lune, pas encore pleine mais déjà totalement lumineuse, commença à décliner vers l'ouest. Meg se dégagea en douceur du bras de Carson pour essayer ne pas le réveiller.

— Hum... tu vas où ? murmura-t-il.

— Toilettes, chuchota-t-elle. Rendors-toi.

Il l'attira à lui et l'embrassa dans son sommeil.

— Je t'aime.

— Je t'aime aussi.

Il la relâcha. Elle s'aida de la colonne de lit pour se stabiliser, pendant qu'il retapait son oreiller et recalait sa tête dessus, les yeux clos. Ses lèvres incurvées offraient le sourire tendre qu'elle avait connu presque toute sa vie. Un sourire de pure plénitude.

Elle se concentra pour ne pas tomber en descendant l'escalier et pénétra dans la cuisine sans allumer. Le journal, les lettres l'attendaient dans un tiroir. Elle les plaça sur le plan de travail, près de la cafetière. Puis elle se ravisa et les déposa sur la table. Carson ne prendrait pas le temps de boire un café.

La porte s'ouvrit en grinçant. Elle marqua une pause et ne la referma pas tout à fait, afin d'éviter de faire de nouveau du bruit. Pour s'assurer que Carson ne la suivait pas, elle attendit sur une chaise longue. Les grenouilles, les grillons et les cigales formaient un chœur particulièrement bruyant ; au loin, une chouette ulula à plusieurs reprises. Les rais de lune qui filtraient à travers les branches du cyprès projetaient autour d'elle des ombres effilées. Une nuit vraiment superbe.

S'appuyant lourdement sur sa canne, elle se fraya un chemin à travers la plantation. Parfaitement entretenues par James, les sentiers dégagés de tout fruit tombé ou branche cassée facilitèrent sa marche. Au début, elle fut surprise par les chauves-souris effarouchées qui jaillissaient des arbres fruitiers et la frôlaient de leurs ailes. Le coassement de plus en plus sonore des grenouilles indiquait qu'elle approchait de l'étang. Shep, le bâtard de Carolyn, trottina vers elle à sa sortie du verger.

Elle lui tapota le dos.

— Bon chien.

Il renifla ses jambes nues et s'assit près d'elle au bord de l'eau, comme pour admirer la surface noire luisante au centre de laquelle se reflétait la lune.

377

Shep était le dernier de la lignée de chiens dressés par James pour empêcher les alligators d'envahir l'étang. Les McKay y nageaient encore à l'occasion, et ils avaient proposé aux deux fils adolescents de la famille qui venait d'acquérir la ferme voisine d'en profiter quand bon leur semblait. Meg avait néanmoins accroché une lampe torche puissante à son poignet avant de quitter la grange. Elle la détacha et balaya lentement la surface de l'eau du rayon lumineux, à la recherche de paires de petits yeux luisants.

Pas d'alligators. Elle s'assit sur la rive sableuse, s'allongea et leva les yeux vers le ciel nocturne limpide.

Depuis des millénaires, les humains avaient fait comme elle, comparé les étoiles étincelantes, noté les schémas et les images. Ils s'étaient interrogés sur ce que cela signifiait d'être *ici* au lieu de *là-haut*. Des étoiles innombrables, des hommes innombrables… Elle n'était en rien différente, à la base, d'une femme ayant vécu dix mille, voire cent mille ans plus tôt. Toutes étaient composées des mêmes atomes, elles possédaient toutes deux mains, deux jambes, deux yeux, deux oreilles semblables, la même faculté d'espérer que la mort leur apporterait une connaissance extraordinaire. La Révélation. La Plénitude.

Quel bonheur de constater que le ciel, si sombre et infini, ne lui inspirait aucune frayeur, mais lui tendait au contraire les bras. Ces ténèbres n'étaient pas réelles, elle avait pu le constater grâce au télescope de Mauna Kea. Tout cet espace, en apparence noir, était en fait empli d'une multitude de points lumineux. À l'infini. Incroyablement plein. Cette obscurité n'était qu'un phénomène illusoire, dû aux limites de la vision humaine.

Quelque part, dans l'invisible, se rassemblait l'énergie des âmes. Ou alors cette énergie imprégnait tout, comme la lumière.

Elle se leva, geste malaisé même quand son bras n'était pas retenu par l'attelle, et pénétra dans l'étang. L'eau, chaude près de la rive comme celle d'une baignoire, se refroidissait au fur et à mesure qu'elle avançait. Shep pataugea derrière elle. Perdant pied, il fit demi-tour, tandis qu'elle continuait à avancer lentement, jusqu'au moment où le sol se déroba sous elle. Allongée sur le dos, elle se propulsa au milieu de l'étang.

Son bras et sa main gauches accomplirent presque tout le travail, les autres servant plus ou moins de gouvernail. Elle se laissa flotter sur place, sa chevelure déployée autour de la tête. Vue d'en haut, elle paraissait certainement entourée d'un halo.

Quand elle avait pensé pour la première fois venir ici, elle avait songé aux bébés qui, avant leur naissance, vivaient tels des amphibiens dans leur enclave aqueuse. Jusqu'à l'instant où ils sortaient du ventre de leur mère, ils étaient à l'abri dans un nid liquide matelassé et doux. Leur sortie les mettait en état de choc : ils braillaient et crachaient, mais bien vite ils se calmaient, prêts à passer à l'étape suivante. Par conséquent, il était sensé de penser que ce processus pouvait parfaitement fonctionner à l'envers.

Ce soir, l'étang serait sa mère.

Au bout de quelques minutes, son bras valide lui-même eut du mal à la maintenir à flot. Sa jambe criait pitié. Elle remua encore faiblement l'eau pendant une petite minute, et quand elle fut incapable de garder le menton au-dessus de la surface, elle laissa son corps s'enfoncer avec soulagement.

Les yeux grands ouverts, sans respirer, elle fixa la lune laiteuse. La lumière nocturne de la Sainte Mère, comme le leur racontait sa mère, à ses sœurs et à elle, dans leur enfance.

Quand ses poumons demandèrent grâce eux aussi, elle expira à fond une toute dernière fois. Cela valait mieux, songea-t-elle pour se calmer, cela valait mieux que des mois de noyade au ralenti, sous les regards impuissants de ceux qu'elle aimait.

Ceux qu'elle aimait...

Elle continua à fixer la lumière rassurante de la lune. Très vite, plus vite même qu'elle ne s'y attendait, son corps et son esprit se détendirent. Elle ne regrettait qu'une chose : ne pas être en mesure de dire à Savannah et à Carson, à son père, à ses sœurs, à Brian même, à quel point son geste se révélait facile. Bercée et apaisée par l'eau profonde, elle regarda avec fascination la lumière se rapprocher, se dilater, l'accueillir dans sa pureté.

CINQUIÈME PARTIE

J'estime que quoi qu'il advienne ;
Je sens, quand j'ai le plus de peine ;
Que mieux vaut avoir aimé et perdu,
Que ne jamais avoir aimé du tout.

Lord Alfred TENNYSON

63

En lisant la note sur la table de la cuisine, Carson sut qu'il serait beaucoup trop tard pour appeler le 911 quand il retrouverait Meg. Il téléphona néanmoins lorsque, guidé par Shep, il l'eut découverte au milieu de l'étang, avant de nager jusqu'à elle. Il la trouva froide et sans vie, mais un doux sourire flottait sur son visage aux yeux grands ouverts.

— Mon Dieu, Meg, chuchota-t-il.

Une faille semblait s'être ouverte en lui.

Il la hala jusqu'au rivage. Il aurait dû prévoir qu'elle ferait ce genre de chose. Avait-elle, de toute sa vie, jamais pesé sur quiconque ? C'était elle qui s'occupait des autres, qui s'assurait que tout tournait rond. Son acte était en parfaite harmonie avec sa nature : véritablement héroïque. Comme elle le précisait dans sa note, personne ne pourrait ainsi mal interpréter ou ignorer ses désirs. Lui y compris. Car Dieu – comme Meg – savait que s'il avait eu le choix, il aurait été incapable de la laisser partir. Pas déjà.

Il s'effondra à genoux et l'étreignit de toutes ses forces en sanglotant, inconsolable, jusqu'à l'arrivée de l'équipe médicale.

Une jeune femme en uniforme l'arracha en douceur à Meg.

— Laissez-nous vous aider, dit-elle gentiment.

Suivirent la confirmation rapide de ce qu'il leur avait annoncé – sa certitude qu'il était trop tard pour la sauver – et quelques questions, puis ils allongèrent Meg sur un brancard avec autant de précautions que si elle était en porcelaine et la transportèrent solennellement jusqu'à la maison.

Environ une heure plus tard, quand les services d'urgence et la police eurent confirmé sa noyade « accidentelle », il regarda, muet, deux aimables employés des pompes funèbres emporter son corps. Il était huit heures quinze, et ce matin vide avait quelque chose d'aveuglant. Il rentra dans la grange pour passer les autres coups de fil.

Meg lui avait laissé des instructions précises, allant jusqu'à lui fournir les détails susceptibles d'être inclus dans sa notice nécrologique, ainsi qu'un essai, rédigé un mois plus tôt, sur le droit fondamental d'un être humain de décider de sa propre mort, et sur le devoir d'un médecin de l'aider à mettre ce droit en pratique. Elle disait dans sa lettre que le journal local accepterait sans doute de le publier, mais lui demandait aussi de faire mieux, s'il pouvait, en obtenant sa diffusion dans la presse nationale.

Dessous, retenu par un élastique dont elle s'était servie aussi pour attacher les photos prises après le concert, se trouvait le journal rédigé à l'intention de Savannah. Il étudia les photos, puis il les retourna. *Pour Carson*, avait-elle écrit. *En souvenir.*

Les mains tremblantes, il composa les numéros de Spencer, puis de Kara, la deuxième à prévenir, selon la volonté de Meg. Il se rendit à peine compte de ce qu'il leur disait. Il naviguait en pilotage automatique, guidé par les instructions de Meg. Comme prévu, Kara, en larmes, proposa d'appeler Brian, Julianne, Beth et Savannah. Il se retrouva seul, le visage entre les mains, l'enveloppe du laboratoire posée sur les genoux.

Il l'ouvrit dans un état d'agitation sans doute identique à ce qui aurait été celui de Meg. Savannah était-elle sa fille ? Cette éventualité le terrifiait et le sidérait. Seize ans plus tôt, il s'était posé la question, quand sa mère lui avait dit avoir vu l'annonce de sa naissance dans le journal. Mais cette question et son souhait n'avaient duré que quelques jours. Il avait préféré ne pas envisager cette réalité, imaginer que Meg avait programmé cette grossesse pour se protéger de lui, afin de porter sans l'ombre d'un doute l'héritier des Hamilton. Elle l'avait leurré avec autant de méticulosité qu'elle s'était arrangée pour ne pas lui révéler son plan cette semaine. Pour son bien. Pour le protéger. Les protéger tous, plutôt. Mais au bout du compte, elle s'était arrangée dans les deux cas pour lui dévoiler toute la vérité. Elle n'avait agi que par amour.

Il reposa l'enveloppe et passa la journée sur la chaise longue, du thé glacé à portée de main, à lire son journal. Dans sa lettre, Meg lui donnait la permission de le faire s'il en avait envie, et lui demandait simplement de le transmettre directement à Savannah, sans passer par l'intermédiaire de Brian ou de Beth. L'idée qu'elle avait songé à tous ces détails, qu'elle avait une telle confiance en lui, lui arracha des larmes, lui inspira un besoin douloureux, physique, de la retrouver pour pouvoir la remercier, lui dire : « Tu me sidères. »

Il eut du mal à lire le dernier passage écrit pour Savannah, auquel il arriva en fin d'après-midi. Les lettres, à la fois pincées et tremblotantes, avaient dû lui coûter un effort inouï, physique et émotionnel.

Ma très chère fille,
À présent, je vais te dire au revoir.
J'imagine que ce journal a tout d'un mélange entre une allocution de remise de médailles et un discours de félicitations de mariage. Pardonne-moi. Il me revient néanmoins de te transmettre la sagesse que me confère mon âge pour te permettre de passer à l'étape suivante de ta vie : l'étape « après maman ». Si Dieu le veut, elle sera longue et merveilleuse.
Quand tu étais petite, tu ne cessais de me poser des questions sur tout. Pourquoi les crapauds ont une bosse ? Qu'est-ce qui fait pencher les genoux des flamants roses en arrière ? Pourquoi mes chaussures ne poussent pas quand je les arrose ? Tu exigeais des réponses, et j'essayais de te les fournir. La meilleure partie de ma journée, c'était le temps que je passais avec toi, même s'il ne s'agissait que de quelques minutes de questions ensommeillées, avant que tu t'endormes.
Une fois, tu m'as demandé pour quelle raison, si les savants sont capables de connaître la composition et la température du Soleil à cent cinquante millions de kilomètres de distance, ils ne savent pas vraiment ce qu'il se passe après la mort. Je n'ai pas su quoi te répondre. La mort semble vraiment simple, non ? Elle est, après tout, liée à la naissance. Ce sont les deux expériences que partagent obligatoirement tous les êtres vivants. Je t'ai cité Peter Pan : « Mourir serait ma plus grande aventure. » Tu m'as dit que certains savants avaient peut-être déjà

385

découvert la réponse, mais qu'ils restaient incapables de revenir pour raconter à tout le monde ce qu'ils avaient appris.

Tu vas à présent te demander pourquoi je ne me suis pas attardée jusqu'à la fin de ma maladie. Tu pourrais m'objecter qu'après tout, je suis médecin, que j'ai juré de préserver la vie – la mienne comprise. Tu as déjà lu dans ce journal que je refuse de devenir prisonnière de ma maladie et il m'est insupportable de t'infliger le spectacle de mon déclin. Même s'il te semble prématuré que je m'arrête ici, je suis convaincue que cette décision est la plus clémente. Je ne peux rien concevoir de pire que notre impuissance partagée, si je mourais d'une mort lente sous vos yeux.

Un malheur épouvantable s'est abattu sur nous, j'en conviens. Quand j'ai appris ma maladie, j'ai songé à l'horreur des options qui se présentaient à moi : quelle mort allais-je choisir ? Ce dilemme m'a fait penser à ces malheureux égarés, le 11 septembre, dans le World Trade Center, qui ont dû choisir de mourir soit par le feu, soit en se jetant dans le vide. Situations atroces, choix atroces, et pourtant, le fait de choisir présente une espèce d'étrange liberté, d'étrange honneur.

Dernier point : la plus grande partie de ma vie, j'ai gardé scellé mes meilleurs souvenirs, mes sentiments les plus sincères, pour les empêcher de détruire la façade que j'avais construite. Très jolie, très respectable, mais une façade, néanmoins. J'ai appris, presque trop tard, que le bonheur n'existe que dans la réalité et la vérité. J'ai retrouvé des parties de ma vie ces derniers mois, et je n'ai jamais été plus heureuse. Le moment est donc venu pour moi de partir.

Va de l'avant, conserve mes paroles dans ton cœur, car où que je sois quand tu me liras, tu reposeras toujours dans le mien.

Je t'aime,
Maman

Carson referma le journal et enleva ses lunettes, les yeux embués de nouvelles larmes. Devant lui, le verger n'était plus qu'une masse verte floue, émaillée de taches orangées. Il se leva, enfonça la lettre du laboratoire dans sa poche, et repartit vers l'étang.

Il voyait Meg partout : la nuit précédente, titubant sur le sentier dans le noir ; à six ans, suspendue à une branche d'arbre comme un petit singe ; à quatorze ans, courant pieds nus devant lui en direction de l'étang dans un éclat de rire, et le battant à plate couture. Il amènerait Savannah ici, indépendamment du contenu de la lettre – s'il la lisait –, pour combler les blancs, lui dire ce dont Meg n'avait pas eu le temps de lui parler.

Sur la rive, le cœur au bord des lèvres, il découpa soigneusement l'enveloppe à l'aide de son couteau à un dollar et en sortit deux feuilles, se disant qu'il n'était pas trop tard pour les jeter à l'eau. Personne, lui compris, ne s'en porterait plus mal. Ce serait même la solution la plus simple, celle qui lui faciliterait les choses, lui garantirait l'avenir le plus dénué de complications, d'attentes, d'obligations.

— ... *ations*, dit-il, tandis qu'une ligne mélodique se formait dans sa tête.

Le papier semblait détenir un pouvoir propre qui l'incitait à le lire. Il chaussa de nouveau ses lunettes. Les mains tremblantes, il déplia le rapport et parcourut ses paragraphes d'introduction, très professionnels. Un langage technique, indiquant des probabilités statistiques, des échelles acceptables. Mais au bout du compte, que signifiait-il ?

Shep vint fourrer le museau contre sa jambe. Il le tapota distraitement en sourcillant et, d'un seul coup, un sourire éclaira son visage.

Épilogue

Ils ne durent guère, les jours de vin et de roses,
D'un rêve brumeux
Surgit un instant notre chemin, puis il se referme
Dans un rêve.

Ernest DOWSON

Réveillon du nouvel an 2006

Johnny Simons enlaçait Carson par les épaules devant une salle pleine d'un millier de fans impatients. Dans les coulisses, à deux pas, Savannah ne cessait de tresser et de détresser une mèche de cheveux, la respiration oppressée.

— ... notre club lui a tellement plu qu'il a décidé de traîner dans le coin et de nous enquiquiner régulièrement, déclara Johnny. Croyez-vous que nous allons supporter de l'entendre plusieurs fois par an ?

Le public rugit son assentiment.

— À vous ! dit alors Johnny.

Il s'écarta de la lumière et rejoignit Savannah en coulisses.

Décontracté comme à l'ordinaire, Carson, en jean bleu, avait enfilé une veste noire sur un tee-shirt pour l'occasion. Il décrocha le micro.

— Merci d'être venus accueillir la nouvelle année en notre compagnie. Personnellement, je ne vois pas de meilleur moyen de la fêter.

Sifflements et ovations.

— J'ai réussi à convaincre mon groupe que la Floride centrale n'est pas un endroit abominable en hiver. Nous avons donc absorbé quelques rayons de soleil et travaillé plusieurs nouveaux morceaux pour vous. Même notre manager en personne, Gene, ne les a pas encore entendus. Relaxe-toi, Geno...

Il plaça sa main en visière pour scruter le premier rang. Gene leva les pouces.

Johnny enlaça Savannah.

— Prête ? lui demanda-t-il à l'oreille.

Elle répondit d'un hochement de tête, doutant qu'un son puisse sortir de sa bouche.

— Tu vas être géniale, ne t'angoisse pas.

Carson présenta chacun des membres du groupe. Elle figurait en dernière position sur la liste. Son ventre se noua encore davantage. Heureusement, elle avait été incapable d'avaler quoi que ce soit.

— ... et je suis tout particulièrement honoré de recevoir notre invitée de ce soir, Mlle Savannah Rae !

Johnny dut la pousser, car elle restait pétrifiée. Le rayon lumineux du spot l'ayant repérée, elle n'avait pas le choix et se dirigea donc vers le centre de la scène où Carson la serra dans ses bras. Elle garda le regard fixé sur Rachel, Jonathan et sa tante Beth qui partageaient la table de Gene. Il lui semblait que son sourire, longuement répété, était scotché sur son visage. Au moins, elle avait bonne apparence, avec son jean identique à celui de Carson et un chemisier vert acide, décoré d'un smiley argenté.

— C'est la première apparition sur scène de Savannah, reprit Carson quand le public se fut calmé, mais elle joue de la guitare et compose des chansons depuis un bon moment. Nous allons commencer par vous en chanter une qu'elle et moi avons écrite en l'honneur de sa mère, une amie très aimée que nous avons perdue en juin.

— Prête ? lui chuchota-t-il.

— Non, couina-t-elle derrière son sourire de façade. Elle alla se placer à gauche du piano, tandis qu'il s'installait sur le tabouret.

Elle passa sa guitare en bandoulière, attendit que Carson eût donné le *la* au groupe et écouta ensuite, les mains jointes, l'harmonieuse introduction au piano.

— Le nouvel an nous ramène au passé tout en nous ouvrant la voie de l'avenir, qu'en pensez-vous ? demanda Carson au public. Cette chanson s'appelle *Hommage*.

La distraction que l'organisation de ce concert avait procurée à Savannah depuis six mois semblait parfois constituer le seul élément qui la retenait à cette planète. Elle n'était pas prête à perdre sa mère, et sa colère ne s'était pas estompée pendant des semaines, jusqu'au jour où Carson l'avait enfin convaincue de lire le journal de Meg.

— Je sais que tu refuses ce qui s'est passé, lui avait-il dit, mais laisse-la t'expliquer, Savannah.

Il avait fait preuve avec elle d'une patience infinie, attendant son heure pendant qu'elle s'était réfugiée chez sa tante Beth, parce que son père voyageait de Londres à Atlanta, de Washington à Boston.

Elle avait donc lu le journal à trois reprises et senti son cœur s'ouvrir de nouveau, comme une belle-de-jour au lever du soleil. Quand elle se mettait à la place de sa mère, elle se rendait compte que la colère était égoïste. Certains pouvaient penser que le suicide l'était – et cela arrivait parfois, lorsqu'on mettait fin à une vie susceptible d'être sauvée. Cela mis à part, elle comprenait désormais qu'une personne puisse au moins garder sa dignité en décidant des conditions de sa fin.

Savannah était fière de sa mère et lui pardonnait de ne pas lui avoir dit adieu en personne. Ç'aurait été impossible.

Arriva le moment de son entrée. Elle se joignit à Carson pour le couplet suivant. Ils jouaient et chantaient seuls cette partie :

Ne prends que le nécessaire, rien de plus,
La route est longue et tu ne peux élargir tes épaules,
Ne prends que le nécessaire et ferme la porte,
Chaque jour tu trouveras des roses fraîches et du vin.

Cette chanson leur permettait de transmettre la sagesse de sa mère. Alors qu'ils en composaient les paroles, Carson lui avait dit : « On dirait qu'elle nous l'a offerte, tu ne trouves pas ? Elle a écrit comment, si on enferme le passé, on nie ou on perd ce qui mérite d'être gardé. Mais si on traîne trop le passé derrière soi, il nous attire vers le fond. » Savannah avait d'abord eu du mal à comprendre, mais au bout d'un moment, les choses s'étaient mises en place dans sa tête. Même si elle avait pardonné à sa mère, elle avait encore besoin de faire son deuil, de ne pas remuer le passé ni le laisser l'engloutir. Elle devait prendre sa propre vie en main. La vivre.

Travailler avec Carson avait été un vrai régal. Qui comprenait sa perte mieux que lui ? Le mois précédent, quand il était venu lui rendre visite chez sa tante Beth – où elle disposait de sa propre chambre, peinte dans des tons pastel de bord de mer –, qu'il l'avait fait asseoir et qu'il lui avait pris la main pour lui raconter ce que faisait exactement sa mère le jour où il les avait rencontrées à l'extérieur du laboratoire, elle était presque prête à entendre cette nouvelle.

« Tu connais l'expression "triangle amoureux" ? lui avait-il demandé.

— Vous voulez parler de vous, maman et papa ? » Il avait acquiescé.

« À cette différence près que dans notre cas, il s'agit d'un "carré" amoureux.

— Je ne vous suis pas », avait-elle répondu.

Avait-il l'intention d'inclure Val, qui, selon lui, avait été blessée par leur rupture mais qui l'avait prise avec dignité ?

« Je parle de ta mère, de ton père, de moi… et de toi. »

Il lui avait montré la lettre du laboratoire et ce qu'avait écrit sa mère sur l'enveloppe.

« Un carré amoureux », avait-elle répété, intégrant la nouvelle.

Cette figure, avec tous ses côtés égaux, lui plaisait.

Brian demeurerait toujours son père ; car il n'était pas question de changer son histoire. Il avait plutôt bien accepté la situation, en public tout au moins, et n'avait pas paru étonné outre mesure. Savannah s'efforçait encore de rebâtir ses références, d'inclure Carson dans sa vie à côté de son père. Elle s'apercevait qu'elle le dévisageait sans cesse, pour essayer de trouver des similitudes physiques ou des ressemblances de comportement entre eux. Le fait qu'elle l'aimait beaucoup facilitait grandement les choses. C'était un être humain hors normes, parfois caractériel, mais elle l'était aussi. Un autre point commun.

Ils arrivèrent de nouveau au refrain. Elle regarda au-delà des feux de la rampe les visages en adoration des fans de Carson. Une espèce de boule de fierté lui noua la gorge. Elle leur plaisait, la chanson leur plaisait. Elle savait que Carson ne l'aurait pas laissée perdre ses marques, mais ils lui réservaient quand même un accueil rassurant. Ils entendaient vraiment la musique et les paroles qu'elle avait contribué à composer. Ils y réagissaient, ils les comprenaient.

La chanson arriva à son terme, passant d'accords intermédiaires incisifs à un nouveau duo vocal et instrumental. Elle se pencha sur le micro, les yeux humides, et songea à sa mère. Au moment où Carson et elle entonnaient le dernier refrain et où, de ses doigts, montaient les notes finales, elle ferma les yeux. Le public leur fit cadeau d'applaudissements exaltants et elle sentit les mains chaudes de sa mère posées sur ses épaules.

— Pour toi, chuchota-t-elle.

Remerciements

Un premier roman ressemble beaucoup à un premier enfant. Celui pour lequel nous sommes aux petits soins, autour duquel nous nous affairons le plus, dont nous nous préoccupons le plus. Nous supportons difficilement de le voir quitter le cocon familial. Une fois qu'il est parti, nous voulons absolument le soutenir. Nous lui envoyons un pull, un peu d'argent supplémentaire. Nous lui téléphonons souvent pour savoir comment il s'en sort.

Mais bien vite, nous nous apercevons que nous pouvons lâcher du lest et nous détendre parce que nous le savons entre de bonnes mains. Des mains comme celles de mon formidable agent, Wendy Sherman, et de Jenny Meyer, chargée des droits étrangers. Comme celles de mon éditrice, Linda Marrow, dont j'estime la perspicacité. Merci, mesdames, de vous être si bien occupées de *La Ballade du souvenir* et de moi.

Au cœur de cette aventure se situe la question de l'écriture. Non pas pour la publication, mais pour la postérité. Après la mort subite de ma mère, Sally Campbell, en 2004, j'ai été chargée de chercher dans son bureau et dans son armoire de dossiers les documents qui nous permettraient, à mes frères et moi, de mettre ses affaires en ordre. J'ai déniché presque tout ce dont j'avais besoin, mais pas ce que j'espérais le plus : une espèce de journal à l'intérieur duquel je trouverais *maman*. Un lieu où lui rendre visite et, qui sait, apprendre à mieux la connaître.

En fait, j'ai trouvé là le germe d'une histoire.

Pour m'avoir aidée à lui donner forme, je remercie le département de création littéraire de la North Carolina State

394

University, ainsi que mes camarades de l'atelier d'écriture
– Kathleen Laughlin en particulier. Merci à ceux qui ont
contribué à l'élaboration de *Le Ballade du souvenir* : Sharon
Kurtzman, Janet Silber, Maureen Sherbondy, Louisa Jones,
Marjorie McNamara, Becky Gee et Lisa Morgan. (Un hourra
particulier à Sharon !)

Par chance, ma famille est croyante : personne n'a manifesté de scepticisme quand j'ai dit mon souhait de devenir
écrivain (en tout cas pas en ma présence !). Merci à Cele
Heuman, à tous les Fowler, aux Dellava, aux Lubliner, au
clan Rubovit et à la famille Timmon.

L'amitié de Pam Litchfield, Bob Egler, Mike Legeros,
Peggy Houser et de Pat et Bernie Clarke m'a encore facilité
les choses. Et cette expérience aurait été beaucoup moins
exaltante sans la camaraderie de mon groupe de blogueurs
qui ne me ratent pas – « *Tais-toi et écris !* » –, quand je me
prends un peu trop au sérieux.

Enfin, j'exprime toute ma gratitude et tout mon amour à
Ben, Daniel et Andrew : aucune femme ne pourrait rêver une
vie meilleure que celle que je mène avec vous.

Cet ouvrage a été imprimé en France par

C P I
Bussière

à Saint-Amand-Montrond (Cher)
en octobre 2009

Composition et mise en pages : FACOMPO, LISIEUX

N° d'édition : 4373. — N° d'impression : 092793/1.
Dépôt légal : novembre 2009.